A VIÚVA CLICQUOT

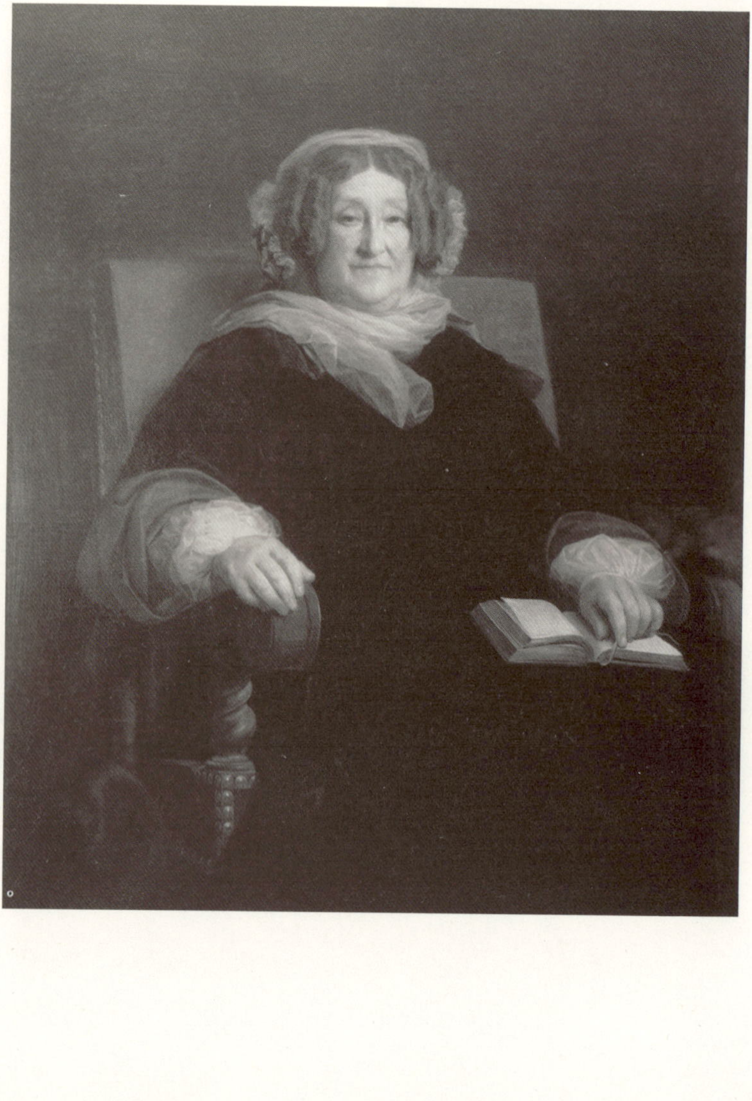

Tilar J. Mazzeo

A VIÚVA CLICQUOT

*A história de um império do champanhe
e da mulher que o construiu*

Tradução de Angela Lobo

Rocco

Título original
THE WIDOW CLICQUOT
The Story of a Champagne Empire and
The Woman Who Ruled It

Copyright © 2008 by Tilar J. Mazzeo
Todos os direitos reservados.

Nenhuma parte desta obra pode ser reproduzida
ou transmitida por qualquer forma ou meio eletrônico ou mecânico,
inclusive fotocópia, gravação ou sistema de armazenagem
e recuperação de informação, sem a permissão escrita do editor.

Edição brasileira publicada mediante
acordo com a HarperCollins Publishers.

Direitos para a língua portuguesa reservados
com exclusividade para o Brasil à
EDITORA ROCCO LTDA.
Rua Evaristo da Veiga, 65 – 11º andar
Passeio Corporate – Torre 1
20031-040 – Rio de Janeiro – RJ
Tel.: (21) 3525-2000 – Fax: (21) 3525-2001
rocco@rocco.com.br
www.rocco.com.br

Printed in Brazil/Impresso no Brasil

preparação de originais
DÉBORA CHAVES

CIP-Brasil. Catalogação na Publicação.
Sindicato Nacional dos Editores de Livros, RJ.

M429v	Mazzeo, Tilar J.
	A viúva Clicquot: a história de um império do champanhe e da mulher que o construiu/Tilar J. Mazzeo; tradução de Angela Lobo. – Rio de Janeiro: Rocco, 2009.
	Tradução de: The Widow Clicquot: the story of a champagne empire and the woman who ruled it
	ISBN 978-85-325-2419-5
	1. Clicquot-Ponsardin, Barbe-Nicole, 1777-1866. 2. Vendedores – França – Champanhe – Biografia. 3. Champanhe (Vinho) – História. I. Lobo, Angela. II. Título.
	CDD–641.2224092
09-0803	CDU–663.223

Para Noelle e Roberta,
mais que nunca

Sumário

Prólogo 9
Filha da Revolução, filha da Champagne 21
Votos de casamento e segredos de família 33
Sonhos de champanhe 48
O anonimato corre em suas veias 62
A artesania do *cuvée* 78
A viúva da Champagne 92
Sócia e aprendiz 103
Sozinha, a um passo da ruína 120
A guerra e o triunfo da Viúva 139
Um cometa sobre a Rússia: a safra de 1811 154
A filha do industrial 164
Os aristocratas do vinho 175
Flertando com o desastre 190
O império do champanhe 204
A grande dama 217
A rainha de Reims 231
Posfácio 241
Agradecimentos 247
Notas 249
Bibliografia 289

Prólogo

Esta é a história do champanhe francês, mas não teve início em meio ao esplendor de um castelo; suas origens foram bem mais modestas: as prateleiras de uma bem abastecida loja de vinhos. Foi um começo deselegante para a obsessão pela história de um dos melhores vinhos do mundo e de uma grande mulher. Por mais que o champanhe esteja associado a festas e às boas coisas da vida, devo dizer que, para mim, foi uma paixão que começou numa cidadezinha do Meio-Oeste americano, onde eu tentava suportar o que viriam a ser os últimos e sofridos meses de um emprego nada glamouroso.

Foi em meio a essa vida rotineira que descobri a Viúva Clicquot. Embora a escritora em mim queira contar que meu caso de amor com a Viúva teve início na primavera, quando a terra se abria em promessas de nova vida, isso não é verdade. O inverno castigava as planícies com rigor anglo-saxão e eu me vi contemplando desejosa uma série de espumantes, sonhando com nomes distantes e vinhedos banhados pelo sol da França.

Eu já conhecia o champanhe. Quer dizer, não exatamente. Minhas amigas e eu o bebíamos com tal entusiástica regularidade que não convém entrar em detalhes. Naquela tarde, foi a história de Barbe-Nicole Clicquot Ponsardin que descobri, impressa num cartão enfiado numa caixa de Grande Dame, safra de 1966, que eu havia decidido que merecia.

A pequena biografia tinha menos de 35 palavras, mas era uma historinha elegante que, mesmo apenas esboçada, prendeu minha atenção naquele inverno. Falava sobre uma mulher criada para ser esposa e mãe, viúva antes dos 30 anos, com uma filha pequena, sem qualquer preparo e com pouca experiência do mundo, mas que agarrou com mão firme as rédeas do seu próprio destino. Com pura determinação e talento, ela transformou um incipiente negócio familiar de vinhos em uma das melhores casas de champanhe do mundo. Esta, pensei, é uma mulher que rejeita acomodação.

Nos anos seguintes, sua história continuou comigo, mesmo depois que nos mudamos do Meio-Oeste para as colinas de Sonoma County, na Califórnia, estado natal de meu marido e onde os invernos são mais verdes e incrivelmente suaves. Algo daquela mulher que assumiu riscos tão imensos para seguir sua paixão ainda me tocava profundamente. Comecei a fazer pequenas pesquisas ao acaso, em busca de referências do século XIX sobre a Viúva Clicquot na biblioteca de Healdsburg. Ao ler velhas narrativas de viagens escritas no auge do império napoleônico, eu recordava meu francês enferrujado. E, como nunca tive inclinação para me limitar a pesquisas acadêmicas, fiz questão de que provássemos todos os espumantes que conseguíssemos encontrar. A princípio ali mesmo na Califórnia e mais tarde na França, onde passei um janeiro de fortes ventos numa grande fazenda antiga cercada de vinhedos lamacentos por todos os lados.

O problema sempre foi descobrir a própria mulher, a jovem viúva com o pesadíssimo nome de Barbe-Nicole Clicquot Ponsardin, a Veuve Clicquot, a Viúva Cliquot. No começo do século XIX, quando ela começava a entrar na idade adulta e todos os compromissos que isso acarreta, a vida dos empreendedores e inovadores do comércio raramente entrava nos livros de história. E isso era especialmente verdade se o empreendedor fosse uma mulher. Os arquivos estavam repletos de cartas e diários de príncipes e chefes de Estado, mas poucos bibliotecários pensavam em coletar os registros particulares de comerciantes, mesmo aqueles que fizeram coisas excepcionais. Isso é verdade ainda hoje. A maioria de nós jamais encontrará nossas cartas de amor preservadas nas grandes bibliotecas do mundo. Para uma jovem do século XIX, isso era particularmente verdadeiro, a menos que se tratasse de uma rainha, uma duquesa, a irmã, esposa ou mãe de um grande homem.

Barbe-Nicole não era nada disso. Era simplesmente uma mulher formidável, independente, que fez nome no enfadonho e competitivo mundo dos negócios. Nos primeiros meses de 2007, quando finalmente consegui chegar aos arquivos da companhia Veuve Clicquot Ponsardin, em Reims, confiante de que descobriria seus segredos, encontrei paredes cobertas de cima a baixo com prateleiras de livros de acurada contabilidade, evidenciando a singular determinação de Barbe-Nicole. Mas poucas pistas sobre a mulher por trás do rótulo laranja da marca.

Assim, naquele inverno arrastei alguns amigos solidários pelas terras da Champagne, em busca de algum indício da vida que Barbe-Nicole devia ter conhecido. Algo que explicasse não só *como* uma jovem de vida protegida havia se libertado do caminho que lhe havia sido traçado, mas também *por quê*. Sacolejando por estradas de terra esburacadas, debaixo de chuva, procuramos os vinhedos da Viúva nos campos acima da cidadezinha de Bouzy. Certa tarde, num ato coletivo de sedução, persuadimos o relutante vinicultor do Château de Boursault, que um dia fora a casa de campo predileta de Barbe-Nicole, a nos deixar entrar por dez minutos no lugar que ela havia amado. Passei horas no frio silêncio da catedral de Notre-Dame de Reims, pensando que ela havia conhecido bem aquelas mesmas paredes. Durante todo o tempo, me vi atenta a prédios e esquinas, espiando, como um ladrão, relances furtados através de janelas, procurando em vão por uma mulher e a textura finamente tecida de sua vida.

Às vezes me perguntava se seria possível descobrir a vida particular de Barbe-Nicole e resgatá-la do silêncio que envolvia sua história. Antes de encerrar minha busca, eu encontraria mulheres vinicultoras e presidentes de companhias em ensolarados escritórios de Napa, à procura de uma encarnação moderna da Viúva Clicquot, esperando encontrar na experiência de vida daquelas mulheres vinicultoras um meio de desembaraçar o passado. Depois foi a vez da França. Em vilarejos por toda a Champagne, La Veuve – e na França só existe uma – vive na difusa meia-vida da tradição oral das lendas folclóricas. Frustrada com os livros empoeirados e arquivos, eu às vezes simplesmente pedia, em bares e bistrôs, às pessoas que se lembrassem, mesmo sabendo que lembrar e inventar são primos-irmãos, principalmente à distância de duzentos anos. Passávamos as garrafas de vinho de mesa em mesa, o chef saía da cozinha e vinha fumar um cigarro e escutar. Naqueles momentos, a Viúva estava conosco.

Gosto de pensar que a vida da Viúva Clicquot amadureceu lentamente na obscuridade silenciosa, como uma safra rara e magnífica. Parte dessa obscuridade foi minha vida e minha imaginação. Outra parte foi a obscuridade da história e do papel dos homens empreendedores e, sobretudo, das mulheres. Mas hoje, finalmente, podemos apreciá-la. Como sabemos, com o correr do tempo o vinho se torna diferente e mais precioso. O rijo tanino derrete e amacia, o sabor amadurece e aflora. No século XIX, não valia a pena salvar muito da história da Viúva. Mas, hoje, até seu resumo é impressionante. É um conto que muda nossa maneira de pensar a história do champanhe e o papel de uma mulher nela.

Todos conhecem o vinho que Barbe-Nicole ajudou a tornar famoso. Nenhum outro no mundo traz à mente tantas associações imediatas quanto o champanhe. O estouro da rolha e o brilho da espuma borbulhante significam comemoração, glamour e, muito frequentemente, a clara possibilidade de romance. É o vinho dos casamentos e dos beijos de Ano-novo. É lindo, delicado e, acima de tudo, é um vinho associado a mulheres.

Sempre foi assim. Na famosa declaração do poeta Lord Byron, a única coisa que as mulheres poderiam ser vistas comendo era salada de lagosta e bebendo champanhe. Byron foi um chauvinista impenitente, mas mesmo assim a ideia é deliciosa. Nas primeiras décadas do século XVIII, pouco depois da descoberta do champanhe, a poderosa e voluptuosa Madame de Pompadour, amante do rei da França, teve uma frase melhor: "O champanhe é o único vinho que deixa a mulher mais bonita depois de beber." Diz a lenda que as taças de champanhe, as *coupes*, foram modeladas nos admirados seios daquela famosa dama. No século XX, sempre foi o vinho perfeito para acompanhar vestidos pretinhos básicos. Ainda evoca as melindrosas da Era do Jazz e a elegância dos antigos filmes de Humphrey Bogart.

Um olhar sobre o mercado do champanhe conta, entretanto, uma história bem diferente: nas salas de reuniões e nas adegas, é um mundo masculino. Hoje, poucas são as mulheres em posição de comando na indústria do vinho francês. Apenas uma das casas de elite e renome internacional, conhecidas como *grandes marques*, é dirigida por mulher: a casa do Champanhe Veuve Clicquot Ponsardin, desde 2001 sob a direção de Madame Cécile Bonnefond.

As histórias conhecidas sobre as origens do champanhe nos dizem que os homens sempre controlaram o negócio do vinho. De fato, os entusiastas do champanhe logo aprendem que foi um homem que o descobriu. A história credita a um monge cego do século XVII, com o hoje famoso nome de Dom Pierre Pérignon, a descoberta do segredo das bolhas do champanhe na adega da abadia, encravada numa encosta próxima à cidadezinha de Hautvillers. Segundo a lenda, ele foi o alegre cientista louco do champanhe, procurando incessantemente um meio de transmutar os vinhos comuns da região em ouro líquido e espumante.

Se Dom Pérignon descobriu como produzir champanhe, outros homens talentosos e prósperos aprenderam a vendê-lo para o mundo. Homens como Jean-Rémy Moët, que usou sua relação pessoal com Napoleão, favorecida durante fins de semana regados a vinho em sua luxuosa residência campestre em Épernay, para construir um dos primeiros impérios comerciais do setor. Cartões-postais de sua célebre amizade, com imagens de Moët e Napoleão percorrendo alegremente as adegas, são suvenires comuns desde o século XIX. Mais famoso ainda foi Charles-Henri Heidsieck, que viajou a cavalo mais de três mil quilômetros até a Rússia, como recurso para chamar a atenção para o champanhe. Mais tarde seu filho, Charles Camille, foi imortalizado numa canção popular como "Champagne Charlie". A expressão não tardou a se tornar gíria com o significado de "homem devasso ou notório bebedor de vinho frisante".

Com homens assim no setor não é de admirar que o champanhe seja um dos produtos mais conhecidos no mundo. A pequena região no nordeste da França, com menos de 85 mil acres de vinhas e o único lugar onde é produzido o verdadeiro champanhe, foi abençoada com uma quantidade de talentos empresariais acima do normal. O problema é que a história de como esses homens construíram lentamente um império global é apenas parcialmente verdadeira. É verdade que Dom Pérignon foi um talentoso fabricante de vinhos e provavelmente um dos maiores degustadores da história vinícola. Mas ele não descobriu como manter as bolhas do champanhe na garrafa. Na verdade, quando isso ocorria naturalmente, ele tentava tirá-las. Seu objetivo não era desenvolver um novo produto, e sim atender às necessidades do mercado que ele e seus irmãos clérigos já controlavam: o comércio de vinhos de boa qualidade.

Fato ainda mais chocante é que o champanhe não foi descoberto na França. Os ingleses foram os primeiros a aprender o segredo de fazer o vinho espumar e os primeiros a lançar no mercado champanhe com bolhas. A lenda de Dom Pérignon só foi criada no fim do século XIX, e o nome veio a ser registrado pela empresa Moët & Chandon. E se Champagne Charlie entrou em cena com verdadeiro entusiasmo, na época em que foi cantado nas melodias de cabarés, a bebida já envolvia um grande negócio e ele não era o jovem principiante que fingia ser.

Mas nem sempre o espumante foi um bom negócio. Na segunda metade do século XVIII, ele estava em queda, destinado a virar uma curiosidade regional. Os vinicultores locais lutavam para fechar até pequenas vendas. O champanhe poderia ter caído na obscuridade, padecendo da mesma sina que sua desafortunada contraparte, o *sekt*, outro espumante hoje totalmente esquecido, exceto por grandes conhecedores.

Tudo isso mudou nas primeiras décadas do século XIX, graças à determinação e aos recursos de uma meia dúzia de importantes investidores e vinicultores, que viram um maior potencial nos espumantes produzidos das vinhas nas encostas que se estendem ao sul da cidade de Reims. No período de uma única geração, o champanhe escapou da derrapagem rumo à periferia comercial para se tornar uma possante locomotiva da economia. De 1790 a 1830, as vendas cresceram quase 1.000%, passando de umas poucas centenas de milhares de garrafas a mais de cinco milhões por ano. No despontar do século XX, antes mesmo que a Era do Jazz fizesse do champanhe o símbolo de uma época, o mundo já comprava 20 milhões de garrafas do espumante por ano.

No início do século XIX, porém, ainda era um empreendimento secundário, e aquelas décadas vieram a ser um momento decisivo para a indústria do champanhe. Na encruzilhada de sua história cultural, uma empresária merece muito do crédito por instituir o espumante como o mais famoso produto de luxo no mercado do vinho: Madame Clicquot.

Viúva aos 27 anos, sem qualquer formação empresarial e nenhuma experiência, em pouco mais de uma década Barbe-Nicole transformou uma pequena vinícola familiar, bem estruturada mas em crise, na casa de champanhe possivelmente mais importante do século XIX. Foi graças às suas importantes inovações nas adegas que hoje podemos encontrar garrafas de champanhe a preços módicos nas prateleiras de lojas do mundo inteiro. Se ela não houvesse descoberto o processo conhecido como *remuage*, o champanhe teria permanecido uma bebida reservada apenas aos muito ricos ou muito felizardos. Eu não teria podido afogar as mágoas naquele inverno em Wisconsin – e jamais teria começado essa busca quixotesca pelos detalhes perdidos da vida de outra mulher.

Aos 40 anos, Barbe-Nicole era uma das mais ricas e famosas empresárias de toda a Europa, e uma das primeiras mulheres de negócios na história a liderar um império comercial internacional. Reconhecendo uma indústria em crise, ela não teve medo de entrar num novo empreendimento e buscar novos mercados quando toda a estrutura social da França, o *Ancien Régime*, desmoronava e a Europa passava por pânico coletivo. Negociantes mais experientes preferiram esperar a crise passar – ou partiam para um ramo inteiramente diferente. A trajetória da Viúva Clicquot tem raízes na pura audácia. Arriscando sua independência financeira por um futuro no champanhe, ela mudou a história da vinicultura francesa. Ao longo do processo, ela também fez do produto que vendia um sinônimo de luxo, festas e boa vida.

E abriu novos horizontes para as mulheres no mundo dos negócios. Sem ter plena consciência do que fazia, obrigou as pessoas à sua volta a reconsiderarem os estereótipos de gênero de sua época. Mas a figura pública dessa viúva empreendedora, que recusou o limitado papel doméstico que a sociedade lhe exigia, estava em marcante contraste com a intimidade da mulher. Barbe-Nicole discretamente desafiou as expectativas de sua cultura sobre o que eram as mulheres e o que eram capazes de alcançar. Ao mesmo tempo, em casa e em suas opiniões, era tudo, menos revolucionária.

Em suas crenças pessoais, era uma mulher extremamente conservadora e às vezes rígida. Sua família continuou católica praticante mesmo quando a religião foi proibida e passou a ser perigosa na França republicana. Apesar de ter vivido na época do nascimento do feminismo, ela nunca defendeu os direitos das mulheres. Em vez disso, cercou-se de homens como empregados, sócios e até amigos. Foi uma mãe dedicada, mas francamente dominadora, que subestimou a capacidade intelectual da filha única e excluiu-a do negócio da família, preferindo casá-la com um ocioso e extravagante playboy aristocrata, a cujos encantos a própria Barbe-Nicole era perigosamente suscetível. E acabou por entregar aos sócios homens grande parte dos vinhedos e do negócio.

Barbe-Nicole era uma massa de contradições, mas sua genialidade de mulher de negócios estava em se recusar a ver suas opções em preto e branco. Seu sucesso não se baseou numa oposição ao sistema, nem em seguir cordatamente as convenções. Filha de um político com forte instinto de sobrevivência, mesmo em meio a uma revolução sangrenta, ela tinha o dom de enxergar as oportunidades em momentos de instabilidade cultural e econômica, enquanto velhas estruturas e antigas maneiras de fazer negócios (e aqueles que teimavam em se ater a elas) desapareciam, dando lugar a novas abordagens. Seu retrato é o de uma mulher com a coragem emocional, física e financeira de aproveitar brechas.

Em virtude da tendência de assumir riscos sem estardalhaço, a Viúva Clicquot tornou-se uma das mulheres mais famosas de sua época. Assim como outra grande viúva daquele tempo, a rainha Vitória, da Inglaterra, ela contribuiu para definir o século. Década após década, ouviu-se seu nome dos lábios de soldados, príncipes e poetas, em lugares tão distantes como a Rússia. Logo, começaram a chegar turistas tentando ver a mulher que o escritor Prosper Mérimée certa vez chamou de rainha não coroada de Reims. Na Champagne, ela era conhecida simplesmente como *la grande dame*. Safras raras de Veuve Clicquot ainda são chamadas "La Grande Dame" em tributo à sua fama. Ela permaneceu contraditória até o fim: filantropa generosa e empresária astuta; pequena, ríspida e decididamente uma mulher sem graça, mas afiada, ela vendeu para o mundo inteiro um vinho maravilhoso e etéreas fantasias. E quando se foi, pouco restou além de seu nome em garrafas de champanhe.

Antes que essa mulher complexa e contraditória fosse reduzida a um rótulo – e no século XX reduzida a nada mais do que uma caricatura de garrafa com pernas dançantes –, a Viúva Clicquot definiu a indústria à qual se dedicou. Numa época de rigidez cultural cada vez maior, ela abriu o caminho para uma segunda geração de mulheres empreendedoras no ramo do champanhe, mulheres com o mesmo talento e a mesma inteligência aguda. Seguindo seus passos, a jovem viúva Louise Pommery construiu uma das maiores casas de champanhe, chegando às alturas em riquezas e descobertas no momento em que a história de Barbe-Nicole chegava ao fim. A viúva Pommery inventou o champanhe seco, *brut*, que os apreciadores adoram, mas foi Barbe-Nicole quem lhe abriu caminho. Infelizmente não houve uma terceira geração de mulheres com a mesma atuação no setor. Não houve outras mulheres que transformassem pequenas indústrias familiares em enormes impérios comerciais. As que vieram depois, como Lily Bollinger e Mathilde-Emile Laurent-Perrier, foram administradoras de empresas conduzidas à prosperidade por uma geração anterior. Nas primeiras décadas do século XX, a indústria do vinho da região havia se tornado um ramo de comércio em larga escala, controlado quase exclusivamente por homens que já podiam ser situados entre os ricos e poderosos, com poucas oportunidades para empresários principiantes e despreparados.

Mas durante quase um século – o primeiro de sua transformação mundial em ícone das festas e do luxo – o negócio do champanhe foi um mundo de mulheres. No momento mais crítico da história desse vinho famoso, Barbe-Nicole dominou a indústria. O resultado foi um futuro diferente para as mulheres na arena comercial. Hoje a casa de champanhe que ela fundou concede uma premiação de prestígio, com seu nome, que celebra as realizações de mulheres competentes no mercado internacional. E por causa da Viúva Clicquot, os historiadores ainda hoje afirmam que "nenhuma indústria do mundo foi tão influenciada pelo sexo feminino quanto a do champanhe".

Capítulo 1

Filha da Revolução, filha da Champagne

O que os habitantes da região da Champagne se lembravam do verão de 1789 eram as ruas calçadas de pedras de Reims ressoando com os gritos da multidão enraivecida clamando por liberdade e igualdade. A Revolução Francesa havia começado, embora ninguém ainda usasse esse termo para descrever um dos eventos mais monumentais da história da civilização moderna. A democracia havia criado raízes nas colônias da América do Norte apenas uma década antes e uma nova nação emergia da guerra pela independência americana, auxiliada pelo poder militar e econômico da França, um dos reinos mais antigos e poderosos do mundo. Agora, a democracia chegava à França. Mas seu início foi brutal e sangrento.

As meninas no convento real de Saint-Pierre-les-Dames, junto ao antigo centro de Reims – uma cidade de grande atividade comercial, com talvez 30 mil habitantes, no coração da indústria têxtil francesa e apenas 140 quilômetros a leste de Paris –, pouco tinham a ver com esse mundo maior, da guerra e da política. Dois séculos antes, Mary, rainha da Escócia, havia sido aluna na abadia desde a tenra idade de cinco anos, sob os cuidados de sua tia, a nobre abadessa Renée de Lorraine. Assim como Mary Stuart e sua nobre tia, as outras meninas do convento católico provinham geralmente da aristocracia. Elas passavam os dias aprendendo as graciosas artes apropriadas às ricas filhas da elite: bordado, música, passos de dança e orações. O pátio da clausura ecoava os passos leves e o roçar dos hábitos das freiras movendo-se em silêncio pelas sombras. O jardim era fresco e acolhedor mesmo no calor do verão.

Os pais mandavam as filhas a Saint-Pierre-les-Dames para que tivessem uma educação privilegiada e em segurança. Mas em julho de 1789, uma abadia real era provavelmente o lugar mais perigoso para essas meninas. Durante muitos séculos, a nobreza e a Igreja haviam esmagado os camponeses com impostos exorbitantes e, de repente, naquele verão, ressentimentos de longa data finalmente explodiram numa aberta luta de classes que mudou a história da França. Velhas contas foram acertadas de maneira terrível. Era apenas uma questão de tempo para que as freiras e as meninas, filhas da elite urbana, se tornassem alvo dos ataques do populacho. De Paris, chegavam histórias de freiras violentadas e ricos assassinados nas ruas. Agora o vinho fluía das fontes públicas e as risadas e os festejos do povo em Reims eram cada vez mais febris.

Por trás de janelas fechadas, enclausurada entre as paredes reais de Saint-Pierre-les-Dames, uma dessas meninas não saberia que o mundo e o seu futuro estavam sendo transformados até que a multidão chegasse às portas da abadia. Barbe-Nicole Ponsardin tinha 11 anos quando a revolução começou. Era uma menina miúda e séria, de cabelos dourados e grandes olhos cinzentos, filha mais velha de um dos comerciantes mais ricos e importantes da cidade, um homem da alta burguesia que sonhava elevar sua família à aristocracia. Por isso, ele colocara a filha no prestigioso convento real para que fosse educada junto com as filhas de príncipes e de senhores feudais.

Agora as ruas de Reims se agitavam com a ira da multidão e parecia que Barbe-Nicole teria o mesmo destino de suas colegas aristocratas. Todas as lojas estavam fechadas e os campos, desertos. No centro da cidade, na mansão da família na rue Cérès, junto à sombra da grandiosa catedral, seus pais, Ponce Jean Nicolas Philippe e Marie Jeanne Josèphe Clémentine Ponsardin, ou mais simplesmente Nicolas e Jeanne Clémentine, estavam apavorados. Ainda que houvesse um meio de enviar uma carruagem pelas ruas de Reims para buscar Barbe-Nicole, essa manifestação de riqueza e medo serviria apenas para demonstrar privilégios e aumentar os riscos.

Sua última esperança foi depositada na costureira da família, uma mulher humilde mas de coragem extraordinária. Chegando à porta do convento com um pequeno embrulho de roupas, evitando ser observada, ela sabia que a única maneira de fugir com uma rica herdeira pelas ruas da França revolucionária era o disfarce. Vestiu a menina com roupas de camponesa pobre e saíram depressa. A túnica áspera deve ter provocado coceira em Barbe-Nicole, e ela certamente tropeçou em seus primeiros passos nos duros tamancos de madeira, tão diferentes dos macios chinelos de couro que costumava usar.

Rezando para não chamar a atenção, chegaram rapidamente às movimentadas ruas de Reims. Ninguém notaria uma costureira e uma pequena camponesa, mas a menina educada em convento, filha de um líder burguês, um homem que havia participado da coroação do rei na década anterior, seria alvo fácil para o rancor da multidão. Pior aconteceria com alguns daqueles que Nicolas e Jeanne Clémentine haviam recebido nos esplêndidos salões da residência da família, nas longas noites de verão anteriores à revolução.

Na saída do convento, as ruas eram um mar vermelho vivo, coalhado de homens com barretes frígios – símbolo clássico da liberdade outrora usado por escravos libertos em antigas democracias – que entoavam conhecidas marchas militares com novas letras. A distância, ouvia-se o som de tambores e das solas duras de sapatos que golpeavam o pavimento e ecoavam nas fachadas de pedra dos grandiosos edifícios de Reims enquanto os homens se organizavam em milícias improvisadas. Por toda a França, temia-se uma invasão iminente por outros grandes monarcas da Europa, que reuniam tropas para esmagar o levante popular que eletrificava as massas no continente inteiro.

Passar correndo por aquelas ruas caóticas deve ter sido aterrador para a menina. Por toda parte ouvia-se a gritaria dos homens que se reuniam. Passaram rapidamente pela multidão. Talvez, naquela turba de homens irados, algum deles tenha lançado a Barbe-Nicole um olhar perplexo de vago reconhecimento. Talvez ela tenha visto alguma das muitas atrocidades da revolução, o vandalismo, os espancamentos. Quem viveu aquele dia teve uma experiência que jamais esqueceria.

Podemos apenas especular sobre os pequenos horrores daquele dia que ficaram em sua lembrança. E jamais saberemos o que aconteceu depois. Apenas um contorno mais geral dessa história dramática sobreviveu como lenda familiar. Temos outro fato: depois da fuga, nos primeiros dias da revolução, a costureira escondeu a menina no pequeno apartamento em que morava, sobre sua loja, não longe de uma pracinha escura no subúrbio do sul de Reims, onde ainda restam alguns prédios do século XVIII. Muito pouco da cidade sobreviveu aos bombardeios da Primeira Guerra Mundial, mas, olhando para aquelas estruturas meio desmoronadas, me pergunto se não teria sido de um daqueles apartamentos com cortinas de linho desbotadas que Barbe-Nicole assistiu à mudança do mundo. A pracinha ainda hoje é conhecida como Place des Droits de l'Homme, Praça dos Direitos do Homem.

Passados mais de duzentos anos de relatos variados, ainda hoje alguns questionam se foi Barbe-Nicole ou sua irmã quem passou por aquela dramática escapada pelas ruas da cidade sob as garras da revolução. Mas nos poucos documentos mais antigos que registram detalhes de sua vida pessoal, como uma biografia da família, datada do século XIX e escrita por um historiador local, e uma rápida sinopse de autoria da nobre esposa do presidente da companhia em meados do século XX, a fuga foi a aventura central da infância de Barbe-Nicole.

Na verdade, esse relato é a única história que restou de sua infância. Afora as linhas muito gerais de seu nascimento e filiação, nada restou da menina Barbe-Nicole. Esse silêncio pode ser a parte mais importante de sua história. Tal como outras meninas de famílias privilegiadas e distintas daquele tempo, ela deveria ser invisível. Teria levado uma vida sossegada, sem nada de excepcional, numa cidade pequena do interior da França. Teria seus dias preenchidos com as obrigações de esposa, com as necessidades dos filhos e dos pais idosos. Teria passado horas ocupada com vestidos bonitos e planejando jantares para convidados. Teria vivido os sucessos e as tragédias da vida cotidiana. Se tudo tivesse corrido conforme os planos, Barbe-Nicole teria vivido e morrido em relativo anonimato.

Mas sabemos que não. A revolução, que acabou por transformar todo o tecido social e econômico da França, é em parte a razão de sua história de vida ter tomado uma direção tão inesperada. Toda política é local, mesmo em meio a grandes eventos mundiais. Como sempre costuma acontecer, no caso da pequena região rural do nordeste da França, conhecida como Champagne, os vinhedos tiveram um papel no torvelinho daquele verão.

EM 1789, O MUNDO MUDOU. Mas a Revolução Francesa vinha se formando havia muito tempo. Aqueles homens e mulheres tinham motivos para ocupar as ruas de Reims. A economia agrícola estava estagnada havia mais de uma década, as classes trabalhadoras, cuja subsistência sempre se equilibrara na mais estreita das margens, haviam perdido terreno. Vilas inteiras estavam à beira da inanição. As colheitas haviam sido perdidas em consequência de secas prolongadas e temperaturas imprevisíveis, que deixaram os terrenos calcários da Champagne duros como pedra. A terra estava tão seca que, quando veio a chuva, o sofrimento só aumentou. O solo crestado foi incapaz de absorver a água, e as inundações de primavera ao longo do vale do rio Marne trouxeram mais miséria aos homens e mulheres da região.

Quando chegou o verão, os que cuidavam das vinhas e cultivavam as uvas para fazer champanhe, os *vignerons*, estavam frustrados e ressentidos. Aquele ano havia trazido um dos invernos mais frios e rigorosos do século e as lavouras foram perdidas por toda a França. Os camponeses, incluindo os que trabalhavam nas vinhas, se viram diante de uma real possibilidade de fome em massa. Mesmo quando havia colheita, os impostos eram absurdamente altos. Um *vigneron* típico, ainda que fosse o dono da terra, poderia facilmente pagar mais de 40% em impostos aos nobres e ao clero apenas pela permissão de colher e esmagar suas próprias uvas. A França rural mantinha vestígios do antigo feudalismo e a lei concedia ao senhor local o direito exclusivo de controlar o moinho e a prensa das uvas. E, na colheita, o *vigneron* pagava o preço do monopólio. Mesmo antes que nem sequer tentasse vender seus produtos. Entre os mais miseráveis estavam os plantadores que viviam fora dos muros da abadia beneditina de Hautvillers, onde um século antes a produção artesanal do vinho fora transformada em arte pelo talentoso monge Dom Pérignon.

Mas Barbe-Nicole não pertencia a uma família de camponeses nem seu pai tinha ligação com o mercado do vinho. Muito pelo contrário. Nascido em 16 de dezembro de 1777, ele era o filho mais velho de Nicolas Ponsardin, casado com Jeanne-Clémentine Huart-Le Tertre, de 19 anos. Na época, a economia da região da Champagne não dependia do famoso espumante para sobreviver, mas da manufatura de roupas, principalmente as de lã grossa e macia. A empresa têxtil da família, fundada pelo avô de Barbe--Nicole, fez de seu pai um homem rico e cada vez mais importante. Segundo um historiador, Nicolas era "o maior empregador da cidade no ramo têxtil". Às vésperas da Revolução Francesa, ele empregava em suas fábricas quase mil pessoas e podia se vangloriar de faturar cerca de 40 mil *livres*, o equivalente a mais ou menos 800 mil dólares por ano.

Homem de ambição social, Nicolas vinha lançando as bases de sua carreira política por mais de uma década. Apenas recentemente ele havia alcançado uma posição importante na assembleia de Reims, embora sua estrela estivesse em ascensão desde pelo menos 1775, quando, aos 28 anos, fora escolhido para participar do comitê de recepção na coroação do rei Luís XVI e sua agora infame rainha, Maria Antonieta. Ele chegou a fazer parte da comissão de notáveis, escolhidos para dar as boas-vindas à realeza na porta de sua carruagem. O rei e a rainha haviam vindo para a coroação em Reims porque a catedral ainda abrigava um tesouro conhecido como a Sainte Ampoule, um frasco de óleo sagrado usado para transformar homens em reis. Dizia-se que, cerca de 11 séculos antes, havia sido trazido por um anjo em forma de pomba e guardado ao longo do milênio.

A atuação de Nicolas no planejamento da coroação real marcou-o como súdito dedicado e homem com um futuro brilhante na cidade de Reims. Provavelmente foi também uma excelente oportunidade comercial. Para a ocasião, metros e metros do mais fino tecido carmesim bordado a ouro haviam sido encomendados a vários manufatureiros, para recobrir a nave da grande catedral de Notre-Dame de Reims. Nicolas, sem dúvida, era um deles.

Nicolas ficou vivamente impressionado com esse contato passageiro com a família real. Em homenagem ao rei, gastou grandes somas de dinheiro construindo uma enorme mansão no centro da cidade. Conhecida simplesmente como o Hôtel Ponsardin, foi erguida no estilo formal e extravagante para sempre associado a Luís XVI. Hoje, a imponente estrutura abriga, com muita propriedade, a Câmara de Comércio local e parece ecoar os passos da família que em outros tempos habitou seus salões. A casa dá frente para a rue Cérès, ainda um dos principais bulevares da cidade, com uma fachada simétrica e uma infinidade de janelas. Barbe-Nicole nasceu ali, na rua batizada com o nome da deusa romana das boas colheitas. Os jardins seguem o clássico estilo francês do século XVIII, com sebes baixas serpenteando em desenhos intrincados pelos gramados, e os pátios ainda devem exalar intensas fragrâncias no verão. Foi ali, cercada de luxo e riqueza, no coração de um importante certo industrial, que Barbe-Nicole passou a infância, ao lado do irmão mais novo, Jean-Baptiste-Gérard, nascido em 1779, e da irmãzinha Clémentine, nascida em 1783.

Enquanto o exterior do Hôtel Ponsardin é inóspito em sua fria grandiosidade, o interior permanece luminoso. Os trabalhos em madeira ricamente elaborados e o assoalho reluzente, onde Barbe-Nicole corria quando criança, ainda hoje acolhem os visitantes. O andar térreo exibe as elegantes salas e os salões de baile onde Nicolas recebia seus distintos convidados. A construção foi extremamente cara. Às vezes, Nicolas estremecia ao pensar nas somas de dinheiro que gastava para construir e mobiliar toda aquela magnificência. Mesmo com os bolsos bem recheados, ele não poderia custear tudo até o fim.

Nicolas sonhava com o dia em que o nome da família Ponsardin também fosse nobre. Esse deve ter sido um dos motivos para enviar as filhas para a escola no real convento de Saint-Pierre-les-Dames, onde estariam ombro a ombro com as crianças das classes mais altas. Certamente, ele sonhava com nada menos que um excelente partido para a filha mais velha. De seus três filhos, foi ela quem herdou seus traços e sua postura, e foi quem conquistou um lugar especial em seu coração. Mas se Nicolas sonhou com bons partidos, esse sonho terminou no verão de 1789. Ninguém que tivesse um mínimo de visão daria a filha em casamento a um nobre nos meses e anos que se seguiram, e Nicolas não era tolo.

Os EVENTOS POLÍTICOS na França se desenrolaram rapidamente naquele verão. No mês de junho, a revolta causada pela falta de pão em Paris cresceu como movimento popular e tomou rumo político. Poucas semanas depois, o povo francês deu um basta. Em desafio direto ao rei e à nobreza, o povo exigiu participação na coleta de impostos. Em julho, surdo como sempre, Luís XVI só conseguira hostilizar e enfurecer os revolucionários. Dezenas de milhares de cidadãos tomaram as ruas de Paris clamando por mudanças. Em 14 de julho, a Bastilha, a famosa prisão de Paris, foi invadida por uma multidão sanguinária e assassina, e o rei e a rainha, a desprezada Maria Antonieta, foram presos no palácio de Versalhes.

Reims está a uma pequena distância de Paris, e a notícia dos eventos na capital se espalhou rapidamente. O resultado foi imediato. Logo, toda a Reims estava nas ruas. Em seu cerne, a revolução foi uma guerra de classes. Nobres e clérigos foram maltratados e destituídos de suas terras, os famosos vinhedos de Hautvillers estavam entre as áreas confiscadas e entregues ao povo. Nos dias que se seguiram, praças públicas por toda a Champagne foram tomadas por marchas de protesto, comemorações de júbilo e multidões. Quando as primeiras notícias chegaram a Reims, Nicolas Ponsardin aderiu à revolução.

Ser conhecido como amigo da aristocracia era uma situação perigosa no alvorecer da revolução. Homens eram mortos por menos naqueles turbulentos tempos sem lei. Agora, o próprio fato de ser rico e socialmente importante, de ter participado do sistema feudal que regeu a vida rural da França durante séculos, colocava uma família em perigo. Nicolas foi um dos primeiros a entender essas implicações para a vida em Reims.

Mas Nicolas não era mártir e tampouco tinha intenção de que sua família se tornasse mártir. Surpreendentemente, diante do clima político, uma completa guinada de opinião ainda conseguiu prosperar, alcançando maior poder e importância na cidade durante os anos de adolescência de Barbe-Nicole. Havia indicações de que a revolução seria vantajosa para qualquer um das ricas classes dos industriais, perspicazes e capazes de manter a cabeça no lugar. Nicolas fez um rápido cálculo político e decidiu, sem hesitar, que as melhores chances para ele e sua família – a graciosa e delicada Jeanne-Clémentine e seus três filhos – estavam em apoiar, claramente e com entusiasmo, a revolução. Avaliando a situação, ele provavelmente percebeu que não tinha alternativa.

Nicolas não somente se uniu aos revoltosos, mas apoiou a ala mais radical, a dos jacobinos, cujos membros bradavam pelo fim da monarquia. Tornou-se representante de sua cidade na nova Assembleia Nacional, junto a milhares de cidadãos importantes de toda a França no exercício da política democrática. Naqueles primeiros dias da revolução, ele foi para as ruas. As largas avenidas de Reims eram o ponto focal da atividade política, em grande parte amargamente revanchista. Os cidadãos comemoravam, mas havia tensão no ar. Os nobres mais sensatos faziam planos de fuga rápida para o exílio.

Com seus antigos tesouros reais, a catedral de Reims foi alvo do furor público das multidões que enchiam as ruas. A Assembleia Nacional e o novo governo revolucionário – com Nicolas entre eles – declararam as igrejas ilegais e as rebatizaram como "templos da razão". Talvez Nicolas estivesse presente quando a ampola do óleo sacramental usado para ungir os reis da França, guardada durante séculos na catedral, foi retirada e carregada pela turba exaltada até a praça central da cidade. Anteriormente chamada Place Royale e agora rebatizada com o nome mais patriótico de Place Nationale, ela fica a poucos minutos de caminhada do calmo esplendor do Hôtel Ponsardin. Ali, sob o olhar perdido de uma estátua de Luís XV, o frasco sagrado foi publicamente despedaçado.

Levado pela turba, Nicolas deve ter visto também quando a velha igreja e o vizinho Palácio de Tau, residência dos reis da França durante as cerimônias de coroação, foram saqueados e vandalizados. A decoração heráldica da catedral foi arrancada e os retratos reais foram pisoteados e queimados. Hoje, as frias paredes da catedral ainda trazem as evidências desse tumulto distante. Mas isso não se compara ao que toda a cidade, e suas obras-primas góticas, sofreriam nas primeiras décadas do século XX. Somente a delicada decoração de entalhes florais permaneceu intocada. Diz-se que esses florões representam todas as plantas que crescem na Champagne, na montanha e nas colinas de vinhedos que se elevam sobre a cidade em direção ao sul. O povo de Reims jamais esqueceu seu respeito e sua ligação com a terra.

Nos espaços abertos onde os grandes bulevares da cidade se encontram, homens como Nicolas erigiram altares festivos em homenagem às deusas de uma nova religião secular. Ali, na rua, velhos casais renovavam seus votos de casamento, como símbolo de fé na nova ordem, e, na praça principal, as crianças decoravam árvores da liberdade com flores e fitas. Diz-se que o próprio Nicolas plantou uma dessas árvores. Em Paris, mulheres marchavam pelas ruas com os seios à mostra, e até em Reims a turba levantava indelicadamente jovens em desfiles pelas avenidas, moças sumariamente envoltas em túnicas soltas, usando coroas com uma única palavra sobre a testa: Liberdade. A imagem dessas jovens ainda é um conhecido símbolo de liberdade e democracia. Basta lembrar que a Estátua da Liberdade, nos Estados Unidos, foi um presente do povo da França.

Embora outros pais vestissem as filhas em túnicas brancas e as enfeitassem com coroas de flores para desfilar pelas ruas, Nicolas não exporia as suas ao olhar público. De fato, apesar de sua importância política no movimento revolucionário, ele faria de tudo ao seu alcance para acalmar a política local e preservar sua família, evitando chamar sobre ela uma atenção desnecessária. Talvez também por isso saibamos tão pouco da infância de Barbe-Nicole.

Nicolas tinha todos os motivos para manter a família longe do olhar público e ocultar no silêncio a vida no Hôtel Ponsardin. Qualquer outra atitude era perigosa demais. Por trás da precária fachada republicana, a família Ponsardin guardava um segredo explosivo para a década seguinte. Embora o pai tivesse atuação pública como um patriota jacobino, decidido a se converter ao culto da razão secular, a realidade era bem diferente. Barbe-Nicole era menos filha da revolução do que da Champagne, um lugar rico em lendas e mistérios de reis, onde até dos distantes vinhedos podia-se avistar no horizonte as espirais da grande catedral de Reims.

Capítulo 2

Votos de casamento e segredos de família

Barbe-Nicole pertenceu a uma geração singularmente importante, talvez uma das mais importantes na história ocidental. Os acadêmicos nos dizem que a sociedade moderna, com sua ênfase no comércio e na liberdade do indivíduo, foi inventada a partir da Revolução Francesa. Durante mil anos, o tecido social da França permaneceu essencialmente o mesmo. As pessoas se consideravam parte de uma ampla rede de relações que se estendia às gerações anteriores; eram definidas pelos papéis sociais que herdavam, papéis que aceitavam como absolutos.

Na nova geração pós-revolucionária, que atingiu a idade adulta depois de 1789, a rede se desfez. A revolução lhes ensinou que o mundo podia mudar radicalmente. Camponeses podiam se tornar políticos. Reis, antes vistos como deuses, podiam enfrentar o carrasco. O jovem soldado italiano Napoleão Bonaparte, que havia passado a maior parte da infância num internato decadente na Champagne, mas que logo governaria um dos maiores impérios do mundo, tornou-se um dos homens mais representativos de sua geração.

Na nova era moderna, a estrutura da sociedade se baseava nas relações comerciais e na distribuição de mercadorias. Em vários aspectos, não era muito diferente do mundo em que vivemos hoje. Como as pessoas começaram a ver seus sonhos refletidos nos produtos que compravam, houve uma segunda revolução econômica. Pouco depois o champanhe se tornaria um desses produtos definidores, que diziam às pessoas quem elas eram. A explosão da indústria da moda atingiu Barbe-Nicole e sua família. Afinal, seu luxuoso estilo de vida dependia do comércio têxtil.

Nos anos 1780 e 1790 o mundo enlouqueceu com a moda de maneira nunca vista. Na geração anterior, roupas eram um signo da herança que coubera a cada um. A aristocracia, obviamente, sempre fora famosa por gastar de forma insaciável. Sapatos com fivela de brilhantes e corpetes de seda nunca eram demais para Maria Antonieta. Eram símbolos do poder e privilégio que ela manipulava com ganância. Agora cidadãos comuns adotavam a moda, que também havia se tornado democrática. Pela primeira vez as roupas dos pobres imitavam o estilo dos ricos. E, na França revolucionária, gente das classes altas, com um mínimo de sensatez, passou rapidamente a imitar o estilo dos camponeses.

A moda estava no coração da revolução. Um sinônimo de membro do clube radical dos jacobinos era *sans culottes*, ou seja, alguém que não usava as calças dos ricos. Nos meses em que os indivíduos eram guilhotinados aleatoriamente nas praças da França como diversão pública, as damas copiavam o estilo revolucionário, usando cabelos curtos em cortes dramaticamente retos e fitas vermelho-sangue em torno do pescoço. Em Paris, as esposas de políticos republicanos competiam no uso desses fantásticos costumes. Na Inglaterra, uma palavra especial surgiu para designar os homens que imitavam a moda revolucionária da França e dos Estados Unidos: dândis. A palavra ainda vive na velha canção *Yankee Doodle Dandy*.

A jovem Barbe-Nicole não era imune à moda e ao prestígio social que ela conferia. Sua irmã Clémentine, uma beleza local, era famosa em Reims por seu amor às últimas novidades. Quando soube que todo mundo em Londres estava usando os cabelos ajuntados no alto, como torres, e ornados com fitas e outros enfeites, encomendou seu retrato – como lembrou a neta anos depois –, "com um penteado que parecia uma nuvem, entremeado de tule branco e fitas azul-celeste".

Não se identificou nenhum retrato de Barbe-Nicole quando jovem, mas deve ter existido algum. Eram comuns as miniaturas pintadas em marfim, as fotografias da época. Mesmo sem um retrato, é fácil imaginar Barbe-Nicole aos 16 anos. Ao contrário de sua linda irmã, ela não tinha uma beleza convencional. Não era bonita e tendia a ser um tanto gordinha. Seu cartão de identificação de cidadã a descreve como baixa para a idade, com meros 1,40m de altura, com olhos cinzentos e cabelos que até o austero burocrata admitiu serem de um poético louro "ardente". Em francês, a palavra evoca a cor do carvão em brasa ou um cálice de conhaque.

Assim como muitas outras filhas de revolucionários, ela usava os vestidos simples de musselina branca, símbolo de um futuro singelo e mais igualitário. Esses vestidos brancos eram mais que uma moda popular, ou populista. Quase imediatamente, os líderes mais dogmáticos do novo governo republicano passaram a exigir um código nacional nas vestimentas. No fim dos anos 1790, era arriscado usar qualquer coisa diferente. Os homens usavam as calças enfiadas no cano das botas de trabalhador. Os vestidos das mulheres tinham apenas um ornamento: a roseta nacional. Em seu retrato desaparecido, certamente Barbe-Nicole, imitando as grandes damas de Paris, tinha aplicado ao seio o festão trançado em fitas nas cores azul, branco e vermelho da revolução.

Se Barbe-Nicole aparentava ser a filha de um revolucionário francês, radical assumido, as aparências enganavam. A família Ponsardin vivia uma mentira sofisticada, ou pelo menos elaborada cuidadosamente para enganar o público. Seu pai não somente havia preservado a riqueza da família, mas prosperado durante a revolta campesina. Ao abraçar a causa revolucionária do homem comum, ele alcançou uma importância política ainda maior, enquanto mantinha na vida privada a influência e os privilégios da burguesia, que não haviam mudado essencialmente desde os tempos do *Ancient Régime*. Ele e sua família entendiam a importância de manter segredo.

O CASAMENTO DE BARBE-NICOLE fez parte desse silêncio. Em 1798, o novo século se aproximava celeremente e, com ele, um novo capítulo na vida de Barbe-Nicole. Embora os mais terríveis excessos da revolução tivessem passado, na nova era republicana, a França ainda não havia atingido um equilíbrio social e político. Nesse clima, aos 20 anos de idade, Barbe-Nicole estava prestes a se casar. Seu pretendente era um achado: o ambicioso François Clicquot, belo filho de outra família de prósperos mercadores do ramo têxtil, cujos interesses se estendiam ao setor vinícola da região.

Barbe-Nicole deve ter sonhado com um casamento na igreja, com círios, coro e o forte perfume de incenso no ar. Talvez ela e a leal costureira da família, que a havia salvado da turba revolucionária, agora se debruçassem sobre figurinos de Paris, maravilhadas com os vestidos luxuosos da vibrante Madame Tallien e de outras mulheres que ajudaram a criar os trajes aprovados pelo governo do Diretório. Mas ela sabia que o pai não aprovaria uma atitude provocativa da filha. Chamaria muita atenção.

Além disso, seu sonho de se casar na igreja era ilegal e perigoso. A prática da religião fora abolida oficialmente em 1794 e qualquer rito católico era crime. Seu pai havia integrado a Assembleia Nacional que os proibira, mas a família Ponsardin ainda era católica. Na verdade, apesar de ter abraçado publicamente o partido radical e a nova sociedade secular baseada na razão, Nicolas continuava a ser não só católico, mas monarquista convicto. Afinal, havia ajudado a coroar um rei e ainda sonhava com o dia em que poderia ostentar um brasão de nobreza. Na vida privada, muito secretamente, as famílias católicas em toda a França passaram a organizar cerimônias religiosas furtivas, arriscadas, enquanto aparentavam se conformar com os rituais cívicos da nova república.

Assim, nas primeiras horas de certa manhã de junho, Barbe-Nicole vestiu-se modestamente, mas não fora de moda, com o traje simples de musselina branca das jovens revolucionárias, e, diante do pequeno e ansioso grupo das duas famílias reunidas num porão úmido, casou-se com François, filho único de Philippe e Catherine-Françoise Clicquot. Talvez tenha sido mesmo nos porões da grande propriedade da família, já que ali havia uma passagem subterrânea que conduzia a casa onde ela e François começariam a vida de casados, na rue de l'Hôpital. O local era o mais indicado e conveniente para essa reunião secreta.

Porões interligados como aquele cruzavam mais de 400 quilômetros sob a cidade. Diz a lenda que quando os romanos construíram a antiga Reims (que para os ouvidos anglo-saxões é pronunciada como "Rens", não se sabe por quê), então chamada Durocortorum, milhares de escravos haviam sido colocados para retirar das pedreiras grandes blocos de rocha calcária. Pedras que constituíram as fundações da animada cidade da infância de Barbe-Nicole, com suas frias nuances de branco e cinza e a sublime catedral gótica.

Os grandes espaços vazios deixados pelos pedreiros romanos formavam uma espécie diferente de catedrais subterrâneas, escuras e silenciosas, mantidas como porões e cavernas na cidade. Homens de negócios como Nicolas os utilizavam como depósitos, e por muitas gerações monges, padres e cavaleiros templários, cuja presença em Reims datava de séculos, as usavam como passagens entre a catedral e o palácio próximo. O Hôtel Ponsardin ficava em uma das partes mais antigas e sagradas da cidade, no ponto que fora o coração da cristandade medieval. Nos tempos modernos, os mercadores de vinho já haviam descoberto que essas passagens serviam como adegas climatizadas, absolutamente necessárias à produção do espumante que saboreamos com o nome de champanhe.

Naquele dia, certamente Barbe-Nicole levava o tradicional buquê de noiva, de rosas e flores de laranjeira, e a suave brisa que vinha de algum lugar dos túneis distantes que percorriam quilômetros sob a cidade de Reims teria espraiado um aroma de verão em meio à frieza vazia que cercava o pequeno grupo. O padre falava baixo, ciente da ressonância de sua voz. Todos ali reunidos tinham os nervos alerta a qualquer ruído vindo de fora. A descoberta significaria prisão. Mais tarde, as duas famílias assinaram o contrato oficial, confirmando o casamento do cidadão Clicquot com a cidadã Ponsardin em 10 de junho de 1798, ou 22 de pairial, no sexto ano da república francesa.

Embora a cerimônia secreta pudesse indicar um começo pouco auspicioso, nenhum outro lugar poderia ser mais apropriado para celebrar um casamento que mudaria a história do vinho. Afinal, seria num porão que Barbe-Nicole viria a produzir sua primeira safra de champanhe. Até o momento em que se casou com François, ela não tinha qualquer ligação com o espumante que hoje é sinônimo do nome Clicquot. Era simplesmente a filha de um rico e bem relacionado industrial têxtil, levando uma vida tranquila numa pequena cidade no extremo nordeste da França. Seu casamento numa família do mercado de vinhos foi mais ou menos questão de acaso.

Mas Barbe-Nicole havia sido batizada com o nome da avó materna, uma mulher que teria ficado muito feliz com o que esse casamento traria. Porque o nome de solteira de sua avó Marie-Barbe-Nicole Huart-Le Tertre era Ruinart, filha de Nicolas Ruinart, já famoso em Reims. Como tantos outros nas famílias Ponsardin e Le Tertre, esse Nicolas também começou a vida no comércio de madeira, mas se tornou conhecido pelo champanhe. Ele era sobrinho do monge Dom Thierry Ruinart, amigo e colaborador do lendário Dom Pierre Pérignon. Dizem que, pouco antes de morrer, Dom Pérignon contou seu segredo de fabricação do vinho a Thierry, que o passou ao sobrinho Nicolas, fundador da primeira casa de champanhe, em 1729. Assim, o bisavô de Barbe-Nicole inventou a indústria que ela mais tarde iria revolucionar.

As respectivas famílias do casal negociaram o casamento. Se, depois da revolução, Nicolas não mais cultivava a ideia de uma união aristocrática para a filha, certamente tinha a firme intenção de arrumar uma que fosse vantajosa. A família de François também devia sua fortuna ao ramo têxtil local, embora o comércio de vinhos do pai, estabelecido nos anos 1770, estivesse se tornando um negócio paralelo cada vez mais importante, já anunciado nas publicações nacionais. Em 1777, ano do nascimento de Barbe-Nicole, Clicquot já vendia a modesta quantidade de 10 mil garrafas de vinho por ano, das quais uma parte significativa era de espumante.

Decerto, naquele período, a família Ponsardin comprava vinhos de Philippe Clicquot, talvez até o champanhe que sua filha tornaria famoso. Quando Nicolas e Jeanne-Clémentine brindaram para comemorar o nascimento da primeira filha, em 1777, pode ter sido com uma garrafa do espumante dos Clicquot. Afinal, as duas famílias eram vizinhas. A imponente casa dos Clicquot, construída na rua calçada de pedras conhecida como rue de la Vache, ficava a poucos passos do Hôtel Ponsardin. E, mais importante ainda, os pais trabalhavam no mesmo ramo. Apesar de manter o comércio de vinhos, Philippe Clicquot era, antes de mais nada, um negociante do ramo têxtil, que, em Reims, estava nas mãos de um grupo muito fechado. Nicolas e Philippe eram líderes locais e seus escritórios ficavam um ao lado do outro. Sendo concorrentes e vizinhos, sem dúvida suas famílias estavam sempre em contato.

Quando se casaram, Barbe-Nicole e François já se conheciam havia anos e é agradável imaginar um namoro já na infância. Mas provavelmente a realidade era menos sentimental. O casamento era uma decisão econômica, não romântica, e envolvia o futuro de toda uma família. Filhos e filhas não eram forçados a se casar com alguém que detestavam, mas o primeiro dever de uma mocinha era obediência e submissão ao pai. O amor não era um prelúdio do casamento, e só desabrocharia com a convivência matrimonial. Em essência, foi uma união arranjada pelos pais dos noivos, calculada para estreitar os laços da complexa rede social e empresarial que ligava as famílias de proeminentes industriais de Reims.

Ao observar o marido nos primeiros dias de casada, entretanto, Barbe-Nicole tinha razões para estar otimista. François era um rapaz dinâmico e tocava lindamente o violino. Tivera uma educação liberal e dispendiosa, e podia se orgulhar de muitas realizações. Não somente conhecia bem os números e as somas, como um bom filho de empresário, mas também sabia citar trechos de grandes obras da literatura francesa e tinha lido os filósofos notáveis do Iluminismo, como Diderot, Voltaire e Rousseau. A paixão de Barbe-Nicole era a leitura, ponto em comum com o marido, mas a ortografia dele era péssima e seu domínio de línguas estrangeiras não era bem o que seu pai desejava. Contudo, François tinha boas ideias, grande entusiasmo e, ao contrário de muitos maridos, gostava de compartilhar tudo isso com ela.

Comparado a Barbe-Nicole, porém, François era temperamental e sensível demais. Ela deve ter logo notado a complacência com que os pais o tratavam. E entendeu por quê. Num momento, François se mostrava alegre e cheio de energia, mas no momento seguinte parecia melancólico e desesperado. Um aspecto com o qual não havia contado. Apesar da íntima amizade entre as duas famílias, ela o vira poucas vezes durante alguns anos. François havia completado sua formação na Suíça, como aprendiz no escritório de um banqueiro amigo de seu pai. Esse tipo de treinamento prático era comum entre os filhos de empresários bem-sucedidos e ele só retornara a Reims um ano antes do casamento.

Ela já devia ter ouvido histórias dessa temporada na Suíça. Quando a revolução cresceu a ponto de se transformar em guerra, os pais dele ansiavam por livrá-lo da infantaria. O verdadeiro motivo da ida de François à Suíça, a pretexto de completar sua educação, em 1792, justamente quando o alistamento no exército se tornava inevitável, foi escapar do serviço militar. Quando os jovens franceses começaram a ser perseguidos e forçados a servir ao exército, Philippe apressou-se a tirar François do país. Assim como o pai de Barbe-Nicole, Philippe fingia ser um patriota radical. No entanto, sua atitude política pretensamente revolucionária não chegava a ponto de deixar seu filho ir para a linha de frente.

Levando vida dupla como católica e monarquista durante uma década de expurgos republicanos, Barbe-Nicole aprendera a esperar uma realidade diferente por trás de cada fachada, o que a tornou um pouco cínica. Ela entendia também que, sendo François filho único, seus pais apostavam o próprio futuro financeiro no dia em que ele assumisse os negócios da família. Se ele morresse nos lamacentos campos da Áustria, seus pais teriam pela frente uma velhice incerta e duvidosa, portanto seria do maior interesse mantê-lo longe do perigo. O que não sabia e deve ter achado menos tranquilizador era o outro motivo de Philippe e Catherine-Françoise para manter François longe do exército.

Entre 1792 e 1794, as cartas de François para os pais eram repletas de zelo patriótico. Tinha uma visão romântica da guerra e era um idealista por natureza. Parecia ter também uma inclinação para as doenças e, mais preocupante ainda, para a depressão. Philippe escrevia cartas aflitas ao filho na Suíça, lembrando-lhe de seu "temperamento fraco" e histórico de hérnias. Em outras cartas, implorava ao filho que lutasse contra a melancolia e que se alimentasse bem. Havia um lado escuro da exuberante personalidade de François que seus pais conheciam muito bem.

O resultado de tudo isso foi que o risco de que o filho enfrentasse os rigores da guerra os deixou em pânico. Philippe procurava desesperadamente um meio de livrá-lo do alistamento e a admiração de François pelo serviço militar deixava-o ainda mais preocupado. Foram ambos apanhados num jogo de poder que parece ter definido seu relacionamento. O pai era um homem frio e racional que, com a melhor das intenções, deve ter minado a autoconfiança do filho ao questionar cada detalhe de seu característico entusiasmo por cada novo plano. Duvidando de si mesmo e buscando aprovação, François sempre recuava.

Quando o alistamento obrigatório foi anunciado, Philippe começou a mexer os pauzinhos, mas François insistia. Não conseguindo um atestado médico, Philippe se dispôs a pagar para que François tivesse uma função na retaguarda. O jovem tinha conhecimentos de botânica, talvez pudesse trabalhar na farmácia do exército. Philippe escrevia cartas ansiosas, insistindo para que François aceitasse seus argumentos, enquanto tentava por todos os meios conseguir uma reunião com o corpo médico. Mais tarde resolveu apelar para qualquer solução, desde que o filho não fosse para os campos de batalha.

Por fim, conseguiu manter François longe do perigo. Qualquer que tenha sido o suborno, o efeito foi positivo. Na primavera de 1794, François prestou serviço militar em solo francês, trabalhando em escritórios de administração de importação e exportação. Não havia grandes glórias ali e era difícil para François admitir que estava perdendo a parte mais importante da guerra, mas nos anos que viriam essa experiência no comércio de exportação lançaria as bases dos novos rumos dos negócios da família.

Quando François foi dispensado, no fim de 1796 – ou, nas palavras eufemísticas de seu biógrafo, "retirou-se do serviço ativo" –, voltou a Reims. Se o jovem casal teve algum período de namoro, foi nesse ano e meio entre seu retorno e aquela manhã de junho de 1798, quando se casaram em cerimônia secreta nos úmidos porões que serpenteavam sob a antiga cidade de Reims.

Uma vez casada, dona da própria casa e com um marido jovem e entusiástico, Barbe-Nicole previa um futuro feliz. Mas, ainda que não percebesse, havia pelo menos um ponto de incompatibilidade fundamental entre os dois. Ela havia herdado todo o implacável pragmatismo e a perspicácia para os negócios do pai, características semelhantes às do sogro, Philippe. Mas se casara com um sonhador. E ele estava decidido a investir no setor vinícola.

NO PRIMEIRO ANO DE CASAMENTO, François estava determinado a reinventar o negócio da família. Foi imediatamente admitido como sócio na empresa do pai e logo preocupava-se em desenvolver o pequeno comércio de vinhos familiar, iniciado mais de vinte anos antes. Era um compromisso de que Barbe-Nicole não participava.

A companhia contava com o mais importante para o empreendimento: os vinhedos. A família Clicquot possuía muitas propriedades e várias terras perfeitas para o cultivo de vinhas, a sudeste de Reims. Havia vinhedos em Villers-Allerrand e Sermiers, na encosta norte da montanha que separa Reims da cidade vizinha de Épernay, em Bouzy, a leste, e seguindo para o sul, ao longo do rio, em Tours-sur-Marne, a cidade do *grand cru*.

O sistema francês da *échelle des crus*, a classificação das videiras, é uma tradição que atravessou os tempos e ainda hoje indica a qualidade das uvas usadas pelos produtores de vinho. O título de *grand cru* (uvas da melhor qualidade) é reservado apenas a localidades altamente selecionadas (atualmente só 17 na região da Champagne), onde se colhem as melhores uvas, aquelas que atingem 100% na escala da perfeição. A segunda categoria, *premier cru* (uvas de primeira linha), é atribuída às 43 regiões seguintes na escala de melhores vinhas de determinada área, concedida apenas às que atingem de 90% a 99% do padrão de excelência.

É um sistema sabidamente arcaico e as leis que o regem são às vezes cômicas para os não iniciados. Em sua obra *French Wine, Revised and Updated*, Robert Joseph, uma autoridade no assunto, explica que hoje "... a não ser que o vinho seja proveniente de *premier cru*... o nome do vinhedo deve ser impresso em letras que não ultrapassem metade do tamanho das letras do nome da cidade". Detalhes como esse dão margem a ótimas sátiras, e desafio quem quer que seja a demonstrar sua utilidade diante do imenso espaço ocupado pelas prateleiras de vinhos em qualquer mercearia francesa de tamanho razoável. Mas as distinções que representam são importantes.

Afinal, o solo e o microclima em que as uvas são cultivadas são quase tão importantes para o produto final quanto a arte do produtor, e no século XVIII já se sabia que as condições ambientais – que na França se chamam *terroir* – conferem ao vinho um caráter tão distinto quanto o estilo da casa. Talvez Barbe-Nicole e François tivessem em casa um exemplar da famosa enciclopédia do filósofo Diderot, publicada em 1760 e ainda muito conhecida nos anos 1790. No verbete "vinho", eles leriam: "O clima, o sol e outras causas contribuem para a qualidade do vinho... [e] a natureza do *terroir* contribui grandemente." É o potencial do *terroir* que o sistema do *cru* pretende classificar e descrever.

Considerando-se que estava começando a vida, o jovem casal possuía uma quantidade surpreendente de bens. Por ocasião do casamento, Nicolas deu aos recém-casados uma grande fazenda e dois moinhos, além de um belo dote em dinheiro. Como presente de casamento, o sogro, Philippe, lhes deu mais terras e mais capital: uma pequena floresta em Quatre Champs e uma grande extensão de campos em Tours-sur-Marne e junto ao rio, perto da cidade de Bisseuil. Eram excelentes propriedades no coração rural do vinho francês. Eles tinham recursos para sonhar, e desde o começo foi um sonho sobre vinho.

Tinham longas tardes para conhecer essas cidadezinhas e aprimorar seus planos. Percorrendo em carruagem aberta as estradas poeirentas, eles logo se tornaram figuras conhecidas. Naqueles primeiros dias de avaliação de suas propriedades, de aproximação um do outro e de seu futuro a dois, certamente pararam na pequena Chigny-la-Montagne, onde a família possuía terras. Hoje, a cidade continua agarrada à encosta íngreme da montanha, debruçada sobre a vista exuberante de uma grande extensão de vales férteis, apesar de seu nome ter sido mudado para Chigny-les-Roses, homenagem a Louise Pommery, conhecida como uma das grandes mulheres do champanhe, mas lembrada pela população local por seu amor às rosas. Ainda hoje as rosas despontam nas bordas dos vinhedos por toda a Champagne. Infelizmente, é difícil romancear o motivo de tal gloriosa profusão estival. Nada existe aqui da proclamada paixão dos amantes franceses. Para o vinicultor, as rosas nada mais são do que o equivalente a um canário na gaiola no fundo de uma mina, algo para anunciar o perigo. Como adoecem facilmente, antes de qualquer outra planta num jardim, as rosas são cultivadas porque são as primeiras a dar o sinal de pragas nas vinhas.

Em Chigny-la-Montagne, Barbe-Nicole e François terão encontrado as famosas vinhas sobre os muros do finado Monsieur Allart de Maisonneuve, antigo oficial da guarda de Luís XV e um dos primeiros a produzir champanhe nas montanhas de Reims.

As vinhas cultivadas em campo fechado, ou *clos*, espalhadas sob um pequeno moinho, já eram famosas na região. O local sempre fora conhecido como um excelente *terroir*, e Allart tivera competência para desenvolvê-lo. Em meados do século XIX, os conhecedores escreveriam sobre o local e nenhum apaixonado por vinhos perderia a oportunidade de visitar as vinhas de Allart e talvez aprender alguma coisa.

Provavelmente Barbe-Nicole e François também teriam visitado famílias de vinicultores, como a Cattier. O mercado dependia de uma rede de conhecimentos pessoais, principalmente entre distribuidores, como eles, e vinicultores. Quando, nos primeiros anos de seu casamento, Barbe-Nicole e François chegaram a essa região montanhosa, os Cattier já eram vinicultores sólidos e respeitados nas pequenas cidades das montanhas, proprietários de vinhedos em Chigny-la-Montagne desde 1763. O jovem casal devia estar desejando conhecer plantadores confiáveis e bem-sucedidos, pensando em novos fornecedores quando tivessem pedidos maiores. Ironicamente, a família Cattier, que ainda produz champanhe de fama internacional, é hoje proprietária da lendária vinha de Allart, conhecida como *clos du moulin*, por causa dos moinhos (*moulins*) erguidos no campo fechado desde antes da revolução.

Embora a família possuísse excelentes vinhedos, e apesar do começo entusiástico no setor, Barbe-Nicole e François ainda não produziam nenhum dos vinhos que vendiam. O comércio têxtil ainda era o foco principal da empresa do pai, e estava longe o dia em que François se dedicaria inteiramente ao vinho. A distribuição era uma atividade secundária dos Clicquot, que vendiam o produto de vinicultores da região, como os Cattier. Às vezes, a bebida era comprada diretamente dos produtores, outras vezes, chamavam um conhecedor, um *courtier*, para fazer a seleção. Mesmo quando as uvas eram cultivadas nos vinhedos da família, confiavam em outra pessoa para provar a safra.

Nos primeiros dias do casamento, mesmo com toda energia e entusiasmo, François propunha apenas uma pequena revisão na estratégia profissional do pai. A empresa familiar, agora chamada oficialmente Clicquot-Muiron e Filho (o Muiron era um costumeiro gesto de atenção à família da esposa), mas tinha como foco secundário a distribuição de vinhos. Durante décadas, Philippe suplementou seus carregamentos de tecidos com a venda da bebida, cobrando uma pequena comissão de aproximadamente 10% por garrafa. François desejava aumentar essas vendas para que passassem a ser mais do que uma atividade paralela, e encontrar novos clientes no mercado internacional, em grandes cidades de países tão distantes quanto a Alemanha e a Rússia.

O pai devia ter suas dúvidas. Demonstrando sensatez, Philippe considerava que a maior parte da Europa havia estado em guerra por quase dez anos. Haveria um melhor momento para reentrar no mercado internacional. Mesmo em circunstâncias mais favoráveis era arriscado embarcar um produto tão frágil quanto o vinho, que facilmente pode ser prejudicado por mudanças de temperatura ou manuseio inadequado. Philippe estava no mercado havia bastante tempo e conhecia os riscos. Mas desta vez François estava decidido a não deixar que minassem seu entusiasmo e, surpreendentemente, os novos sócios chegaram a um acordo. François começaria seu empreendimento tão logo houvesse paz. Mas, para alcançar sucesso, o jovem teria muito que aprender. Teria que desenvolver a capacidade de encontrar os melhores vinhos da região e, acima de tudo, precisaria achar um meio de chegar às pessoas elegantes que lançavam a moda de sua geração.

Capítulo 3

Sonhos de champanhe

Quando François decidiu conhecer a fundo a indústria da região, esperava encontrar um vinho que pudesse colocar no mercado de luxo internacional. Seu pai vendia para o mundo inteiro, mas depois da revolução não se arriscava a enfrentar os contratempos da passagem de mercadorias pelas zonas de guerra. Assim, o foco dessa pequena atividade secundária foi alterado para manter a distribuição apenas no país. Em 1799, a guerra ainda se arrastava. De fato, ainda continuaria com idas e vindas pelos próximos 15 anos. Entretanto, François sabia que o serviço militar no escritório de comércio exterior, embora pouco galante, lhe havia ensinado algo sobre os caminhos para contornar portos fechados.

Considerando suas metas, era inevitável que sua atenção recaísse sobre o espumante regional. A Clicquot-Muiron estava em boa posição para expandir as vendas de champanhe. A maioria das bebidas distribuídas no nordeste da França saía da região em barris de madeira, com destino a um mercado de médio alcance. Eram bons vinhos de mesa, comprados em quantidades calculadas por famílias ou donos de tabernas para consumo durante um ano inteiro. Os vinhos engarrafados ainda eram raros. Com todos os custos adicionais – mão de obra, garrafas, armazenamento, perdas por quebra –, o engarrafado só fazia sentido se fosse vendido como bebida de qualidade.

A venda de vinhos raros foi a norma comercial de Philippe desde o começo. Ele foi um dos primeiros distribuidores na Champagne a perceber a vantagem de se especializar em vinhos finos engarrafados. Já que seus fornecedores se encarregavam de toda a produção, ele era astuto o bastante para evitar todos os óbvios riscos técnicos do processo de produção artesanal. Nos anos 1790, a Clicquot-Muiron vendia cerca de 15 mil garrafas por ano. É claro que uma parte era do espumante da região.

Conhecemos esse vinho como champanhe. François e Barbe-Nicole o chamavam simplesmente de *vin mousseux*, o vinho espumante. Mesmo na França de 1860, quando se tornou um grande negócio, ainda não era chamado de *champagne*. Mais surpreendente é a diferença na aparência e no sabor do espumante produzido no fim do século XVIII. Seria praticamente irreconhecível para nós.

Temos que imaginar que François conduziu parte de sua pesquisa em casa. Qualquer comerciante sensato teria procurado conhecer seu produto, mas a harmonia matrimonial seria uma perda inevitável se ambicionasse conduzir essa pesquisa sozinho. Assim, François e Barbe-Nicole certamente provaram e testaram alguns vinhos da região. O que enchia seus copos em nada se assemelhava ao champanhe seco que apreciamos hoje. Na verdade, tanto o seco, que os especialistas chamam de *brut*, quanto a própria palavra *champagne* só se tornaram populares 60 anos mais tarde. Certamente não era servido como aperitivo antes do jantar. Em vez disso, era um vinho de sobremesa, oferecido às vezes tão frio que formava cristais de gelo. E era incrivelmente doce.

Hoje, a classificação do champanhe vai dos mais secos aos mais doces, em categorias que variam do *brut nature* (naturalmente forte), *extra brut* (extraforte) e *brut* (forte) para os secos e, apesar dos nomes irremediavelmente enganadores, dos *sec* (seco), *extra sec* (extrasseco), *demi sec* (meio seco) e *doux* (suave), os mais doces. Em resumo, *brut* é seco e *sec* é doce. Nosso *demi sec*, um dos mais doces no mercado, chega a ter 20 gramas de açúcar por garrafa.

Os vinhos que François e Barbe-Nicole saboreavam eram pelo menos dez vezes mais dôces que o *demi sec* atual. Naquela época, o champanhe distribuído na França chegava a ter 200 gramas de açúcar residual. Os russos o preferiam ainda mais doce. François esperava que a Rússia viesse a ser um mercado importante no futuro da Clicquot-Muiron. Naquele país era comum se usar 300 gramas de açúcar por garrafa. Para se ter ideia do sabor, basta pensar que até os nossos mais açucarados vinhos de sobremesa parecem rascantes em comparação. Um vinho branco doce ou um Sauterne [vinho doce de Bordeaux] raramente têm 200 gramas de açúcar. A safra de Sauterne de 2001, produzida no lendário Château d'Yquem, na França, e uma das com maior concentração de açúcar em muitos anos, tem apenas 150 gramas residuais. Em um ano comum, um dos vinhos mais doces encontrados atualmente – o vinho de sobremesa de safra tardia conhecido como Violetta, produzido por Grgich Hill no vale de Napa, na Califórnia – tem apenas 250 gramas de açúcar. Imagine esse vinho com espuma e terá mais ou menos o sabor de uma taça de champanhe do século XVIII.

A bebida apreciada por François e Barbe-Nicole também não devia ter a linda cor dourada. Provavelmente seria descrito hoje como *rosé*, uma espécie de *rosé* terroso. Os melhores vinhos da região eram de um rosa acastanhado. Na verdade, um dos primeiros usos da palavra *champagne* para designar uma cor não se referia às nuances de ouro pálido, que conhecemos no século XX, mas a "uma cor levemente avermelhada como o vinho da Champagne". Os habitantes da região tinham um termo melhor para defini-la. Nas palavras de um amante da bebida do século XVIII, a cor do "vinho natural da Champagne... chamado de Oeil du Pedrix", cuja tradução seria "olho de perdiz", era uma mistura de rosa e ocre com reflexos em tons de mel.

As cores resultavam do processo de fabricação. Para dar aos clientes o insólito champanhe doce que queriam, os produtores adicionavam generosas doses de açúcar e conhaque a cada garrafa antes de colocar a rolha. O conhaque dava ao vinho um tom suave entre castanho e dourado, e o rosado vinha das cascas que tingiam o suco claro das uvas. Era um sinal de que as uvas rosadas não haviam sido esmagadas logo no começo da colheita ou ao amanhecer para produzir o líquido totalmente claro conhecido como *must*. Certa tonalidade era tão comum que, mesmo com o desenvolvimento da tecnologia, alguns vinicultores coloriam propositadamente o champanhe com um toque de vermelho, feito com xarope de sabugueiro. Era a cor que se esperava em um espumante.

Às vezes a cor do champanhe era descrita como cinza, o que não parece muito atraente numa taça de espumante. Os manuais do século XVIII falam de uma tonalidade *gris de perle*, ou cinza perolado. Cinza perolado soa pelo menos mais elegante. Felizmente o champanhe nunca teve cor de água suja. Aqui também a palavra é enganadora. Os autores não falam da cor do vinho, mas sim das uvas colhidas para sua fabricação. Como um turista nos vinhedos tentou explicar nos anos 1760, "na Champagne, o vinho cinzento se refere àqueles que, em outros lugares, são chamados de champagne branco. O vinho cinzento é feito de uvas pretas". A lógica era simples: preto e branco resultam em cinza. Portanto, o vinho cinza era um branco misturado com uvas pretas, ou o que muita gente chama hoje de rosadas. Pela lei francesa atual, o champanhe ainda é feito da mesma maneira. As leis determinam que a fabricação do verdadeiro champanhe só pode empregar três variedades de uvas: as pretas *pinot meunier* e *pinot noir*, e as brancas *chardonnay*.

A combinação dessas uvas cria o tipo do vinho, e atualmente existem dois tipos de champanhe. *Blanc des noirs* é o branco que leva pelo menos um tipo de uvas pretas, enquanto o *blanc des blancs* é feito apenas com uvas brancas. Como a *chardonnay* é a única uva branca usada no champanhe, o *blanc des blancs* é essencialmente um *chardonnay* espumante. Como a *pinot meunier* não conserva bem a qualidade durante o envelhecimento, uma safra *blanc de noirs* é de espumante feito com *pinot noir*. Em nossa era moderna, o estilo é definido no rótulo, assim como a informação de que é *vintage* (quando se usam uvas de apenas uma safra) ou *nonvintage* (quando se usam uvas de várias safras). No fim do século XVIII, quando Barbe-Nicole e François começaram a imaginar um futuro no negócio de vinhos, não se colocava rótulo nas garrafas. E o champanhe era feito apenas com *blanc de noirs*, no estilo conhecido como *gris de perle*.

PELO MENOS O CHAMPANHE que François e Barbe-Nicole apreciavam borbulhava como o nosso. Ou, se não tanto quanto o nosso, porque a técnica imperfeita da fabricação de vidros no século XVIII significava que as garrafas explodiam com metade da pressão usada atualmente, ainda assim borbulhava. Isso não aconteceria se eles tivessem vivido no século anterior. Ainda hoje, a história de como o champanhe passou a borbulhar é impressionante, repleta de controvérsias e equívocos.

A história começa em algum ponto do século XVII, embora os habitantes da região já fabricassem vinho pelo menos mil anos antes. Diz a lenda que os romanos cultivaram as primeiras vinhas nos campos de solo calcário da Champagne. Outros datam do século IV o surgimento dos vinhedos na área de Reims. Por volta do século XVII, a Champagne já era famosa por seus vinhos.

As melhores áreas de cultivo se estendiam pelas cidadezinhas às margens do rio Marne e nas ensolaradas encostas da montanha a sudeste de Reims. Hoje, as duas áreas estão no coração dos vinhedos da Champagne, e dos rótulos dos vinhos fabricados nessa microrregião, produzidos em sua maioria com uvas *pinot noir*, consta apenas "Montagne de Reims".

Várias propriedades da família Clicquot estavam ali situadas e os nomes das cidades produtoras do melhor vinho são famosos até hoje. Os guias atuais indicam a turistas e a degustadores esperançosos cidades como Aÿ, Dizy, Cumières, Ambonnay, Verzenay, Chigny-les-Roses, Bouzy, Sermiers, Épernay e, como não poderia deixar de ser, Hautvillers. Muito antes que os consumidores pudessem consultar as corriqueiras classificações que encontramos hoje no *Wine Spectator* ou coladas nas prateleiras das casas especializadas, os clientes dependiam somente da reputação da região, ou mesmo de cada cidade produtora. No século XVII, os vinhos produzidos no interior da Champagne eram famosos por sua excelência, rivalizando até com os produzidos bem ao sul, no verdejante vale de Saône, na Borgonha.

Ali a produção era de vinhos clássicos, a maioria de tintos fortes. Os fabricantes da região não viam com bons olhos o desenvolvimento do espumante. Se o vinho borbulhava, não era bom. Mas no século XVII isso vinha acontecendo com frequência cada vez maior. E nos anos 1660, Dom Pierre Pérignon, mestre da adega da abadia de Hautvillers e lendário pai do champanhe, recebeu ordem de encontrar um meio de eliminar as bolhas que estragavam o vinho local. Se tivesse conseguido, o champanhe francês teria terminado antes mesmo de começar.

Durante a Idade Média, o estranho brilho que faiscava nos vinhos da Champagne preocupava os vinhateiros. Pensava-se que era causado por frentes frias inesperadas. No fim do século XIV, a Europa passou por um período conhecido como a "pequena Idade do Gelo". Essa mudança de padrões climáticos, que se prolongou até o século XIX, transformou a produção de vinho na

França com a mesma intensidade que os cientistas preveem atualmente os efeitos do aquecimento global.

O problema dessa extensa onda de frio foi que a Champagne sempre tivera clima ameno. Ainda hoje, percorrendo a latitude no paralelo 49, encontramos uma das regiões do norte onde são produzidos excelentes frutos. (Talvez não por muito tempo. Os cientistas dizem que bastam mais alguns graus para que essa qualidade do norte atravesse o Canal e chegue à Inglaterra.) Com a queda de temperatura durante a pequena Idade do Gelo – que atingiu seu pior ponto entre cerca de 1560 a 1730, ou seja, durante o longo século XVII –, os produtores descobriram que o processo natural de fermentação necessário à transformação da uva em vinho estancava na época do inverno.

Normalmente, o processo de fabricação do vinho é simples. As uvas maduras, bastante ricas em açúcares, são colhidas e esmagadas. Os primeiros sucos são usados para os vinhos de melhor qualidade. À medida que as uvas continuam sendo esmagadas, os sucos resultantes servem para fazer vinhos caseiros de qualidade cada vez mais inferior. No século XVIII, os camponeses tomavam uma bebida conhecida como *piquette*, um sumo aguado feito com o bagaço que restava depois que toda a riqueza e o sabor haviam sido retirados das uvas prensadas.

Em seguida o suco é colocado em barris de madeira abertos nos quais, dentro de um limite correto de temperatura, as leveduras ocultas naturalmente na casca das uvas vai consumindo o açúcar das frutas. Dois subprodutos surgem dessa reação orgânica "quente": o dióxido de carbono, que escapa para o ar, e o álcool, que, felizmente, permanece. Quando a fermentação segue o curso normal, isto é, depois que todo o açúcar é consumido, o vinho é trasfegado e clarificado para eliminar os resíduos, incluindo as células de leveduras, que começam a morrer e a se decompor. Nesse ponto, já se pode beber o vinho, embora o sabor ainda seja muito forte. Assim, os vinhos do século XVIII eram colocados em barris fechados durante o inverno e estocados até o outono, para que se tornassem mais suaves. Nos invernos gélidos do século XVII, os vinhateiros da Champagne descobriram que uma nova fermentação na primavera liberava mais dióxido de carbono e mais álcool depois que o vinho era colocado nos barris fechados. Visto que o dióxido de carbono não tinha como escapar, o resultado era um vinho frisante.

Isso ocorria porque as temperaturas extremamente baixas do inverno não permitiam que as leveduras consumissem todo o açúcar das frutas. As leveduras ficavam apenas adormecidas. Como não havia tecnologia para medir a quantidade do açúcar restante no barril, os produtores se viam à mercê das estações e de sua própria intuição. Com as temperaturas mais quentes da primavera, o processo de fermentação era retomado. Hoje, os produtores se referem a essa retomada como "segunda fermentação", mas no século XVII usavam uma expressão menos caridosa. Chamavam o frisante de vinho do diabo.

O processo da segunda fermentação, em que as bolhas ficam presas no barril, ainda é a base da fabricação do espumante pelo *méthode champenoise*, ou método da Champagne. Hoje, em virtude das restrições legais ao uso da palavra *champagne*, permitida para identificar somente vinhos dessa região francesa, é também conhecido como *méthode traditionnelle*, ou método tradicional. Em seu nível mais básico, o champanhe ainda é um vinho comum induzido a um processo secundário de fermentação já na garrafa. Nesse caso, o dióxido de carbono permanece concentrado, conferindo-lhe as famosas borbulhas.

Para os produtores da Champagne, durante a pequena Idade do Gelo, essa segunda fermentação ocorria por acidente. Mais tarde, vinicultores e apreciadores descobririam que era possível fazer o vinho borbulhar propositadamente, adicionando-lhe açúcar dissolvido, conhaque e leveduras antes de engarrafá-lo. Esse acréscimo dá início a um novo processo de fermentação. A mistura é conhecida na Champagne como *liqueur de tirage* e é essencial para produzir as deliciosas borbulhas que fazem cócegas na pontinha do nariz, típicas de um bom champanhe.

No século XVII, porém, os produtores não ficavam nada satisfeitos com a espuma que se desenvolvia espontaneamente nos barris quando chegava a primavera. Nos anos 1660, quando Dom Pérignon era mestre da adega da velha abadia na encosta de Hautvillers, ninguém na França queria vinhos frisantes, e as bolhas estavam arruinando o lucrativo comércio dos monges. Não que fossem loucos. Na verdade, as borbulhas faziam de um vinho inferior uma beberagem intragável. Fechados em barris, e não em garrafas, criavam apenas uma leve espuma, e não a exuberância borbulhante que associamos ao champanhe comercializado hoje.

Talvez o mais importante seja que somente vinhos muito bons ficam melhores com a adição das bolhas. Fazer o vinho borbulhar exige algum conhecimento; fazer champanhe exige a arte de um mestre em combinações. O vinho básico para se produzir champanhe é geralmente uma combinação – em francês, uma *assemblage* – de mais de 40 tipos, e o mestre é como um alquimista dos sentidos, capaz de transmutar a humilde uva em sedoso líquido dourado. Dom Pérignon adquiriu justa fama por sua extrema habilidade nas combinações, mas seus lendários vinhos não borbulhavam.

Essa é uma das grandes ironias, ou mesmo uma das grandes decepções, da história do vinho, pois a versão convencional nos diz que Dom Pérignon foi o feliz inventor do champanhe. Dizem que ele chamou um de seus irmãos de hábito: "Venha depressa! Estou bebendo estrelas!" No entanto, faz mais sentido crer que ele queria tirar as bolhas do vinho. Ainda não havia mercado para os espumantes. Na França, ninguém os queria. Assim, no decorrer da década seguinte, Dom Pérignon se dedicou a experimentar meios de impedir o vinho de borbulhar.

Na verdade, a ideia de que Dom Pérignon inventou o champanhe foi uma jogada de marketing, um brilhante, mas enganoso, golpe de publicidade. A história tem origem numa campanha publicitária lançada no fim do século XIX, quando o espumante já era um grande negócio. No livro *When Champagne Became French*, a acadêmica Kollen Guy mostra que somente na Feira Mundial, em Paris, em 1889, os produtores de champanhe viram seu potencial comercial e começaram a divulgar publicações sobre Dom Pérignon. Desde então, o papel do afamado monge tornou-se um truísmo.

A verdade é que nos séculos XVII e XVIII ninguém associava Dom Pérignon à descoberta do espumante. Na biografia escrita por seu amigo Dom François não há qualquer menção a bolhas, e nem os advogados da abadia no século XIX – que buscavam direitos pelos quais reclamar – achavam que conseguiriam convencer alguém de que Dom Pérignon tinha alguma coisa a ver com a produção do espumante. Os advogados bem sabiam que os monges de Hautvillers só começaram a engarrafar seus vinhos a partir dos anos 1750.

Para quem aprecia a lenda romântica de Dom Pérignon, as novidades são ainda piores. Os historiadores especializados afirmam que o champanhe nem mesmo teve origem na França, mas foi "inventado" na Inglaterra, onde já havia um pequeno mercado para espumantes nos anos 1660. Entusiastas ingleses vinham pesquisando meios de controlar a produção da então chamada *mousse*, espuma, décadas antes que o espumante fosse distribuído na França. Ao que parece, os ricos consumidores ingleses, ansiosos em impedir que os barris importados da região da Champagne se transformassem num vinagre caríssimo, foram os primeiros a engarrafar o vinho. No processo, descobriram o espumante.

Acontecia o seguinte: no século XVII, os conhecedores ingleses encomendavam vinhos finos de mesa a fornecedores da região da Champagne. Por exigência das leis francesas, os vinhos eram enviados em barris de madeira e chegavam sem qualquer traço de borbulhas. De fato, os vinhateiros da Champagne só tiveram autorização legal para vender vinhos engarrafados depois de um decreto real concedido à cidade de Reims na década de 1720.

Infelizmente, se não houver garrafa fechada, não há champanhe espumante. Basta deixarmos uma garrafa aberta durante a noite na geladeira para constatar que as bolhas somem rapidamente. Da mesma forma, os consumidores ingleses não tardaram a descobrir que o vinho estragava com facilidade depois de aberto o barril. O que era resultado do mesmo processo de oxidação que estraga a bebida na garrafa aberta depois de um dia ou dois em nossa cozinha.

Comerciantes e consumidores espertos pensaram então em maneiras de preservar o vinho. Já se sabia que o conhaque agia como conservante. E então, começaram a engarrafar. Para felicidade dos apreciadores ingleses, a Inglaterra já fabricava um vidro bem mais forte e mais barato que o encontrado no outro lado do Canal da Mancha. Ao engarrafar o vinho importado, e acertando a dosagem de conhaque, descobriram que a bebida – que provavelmente ainda continha um pouco de leveduras – começava a borbulhar. Na tentativa de preservar os vinhos importados da Champagne, provocaram involuntariamente a segunda fermentação necessária à produção do espumante.

Acreditamos que foi assim que o champanhe foi descoberto. Essa curiosidade enológica logo deu origem a um verdadeiro culto. Um dos grandes gourmets da história, o francês chamado Charles de Saint-Évremond, contribuiu para criar tal fama. Considerado inimigo do rei, ele foi obrigado a fugir e exilar-se na Inglaterra. Francês consumado, levou consigo o amor pelos vinhos finos e pela boa comida. Quando um pequeno grupo tomou conhecimento do espumante, ele passou a alardear a novidade com entusiasmo contagiante. Logo o vinho tornava-se símbolo de status para aqueles que lançavam moda na alta sociedade londrina. Enquanto Dom Pérignon labutava nos porões gelados da abadia de Hautvillers para se livrar das bolhas, cientistas ingleses tentavam arduamente entender a maneira de produzi-las.

Como resultado, o processo de fabricação do espumante não permaneceu aleatório por muito tempo. Quem busca provas de que os ingleses foram os primeiros a produzir champanhe geralmente se depara com o trabalho de um cientista chamado Christopher Merret, apresentado em 1662 à Royal Society de Londres. Nesse tratado, ele explica como a adição de açúcar produz o desejado vinho frisante. Mas a obra de Merret, intitulada *Some Observations Concerning the Ordering of Wines*, que tomou emprestadas algumas ideias de antigas tradições inglesas da fabricação de cidra, é apenas uma das fontes em que curiosos e gourmets podem aprender os fundamentos da produção do champanhe. Muitos dos mesmos princípios para a produção de bebidas espumantes são descritos, por exemplo, em outros textos contemporâneos, como *Pomona*, de John Evelyn; *or, An Appendix Concerning Fruit-Trees in Relation to Cider*, publicado pela Royal Society em 1664. Atualmente, muitos especialistas acreditam que os ingleses já convertiam em champanhe os vinhos importados da região de Reims – que tinham tendência natural a borbulhar com facilidade – por volta de 1670, uma década antes que ele fosse produzido na França.

Evidentemente, na França de hoje, a ideia de que os ingleses descobriram o champanhe gera controvérsias. Os que apoiam as alegações dos franceses argumentam que qualquer que tenha sido o papel dos ingleses no desenvolvimento de um mercado comercial e de apreciadores para o espumante, a tradição monástica da produção de vinho na França já tinha centenas de anos no fim do século XVII. É óbvio que monges como Dom Pérignon sabiam que os vinhos da região borbulhavam ocasionalmente e consideravam o fenômeno um contratempo. Registros históricos e científicos mostram que as mudanças climáticas da pequena Idade do Gelo – as décadas do frio extremo que interrompeu o processo de fermentação durante o inverno e permitiu que as malfadadas bolhas ressurgissem naturalmente na primavera – foram um desastre para a agricultura na Europa desde o fim do século XVI. Certamente os vinhateiros franceses não escaparam por mais de um século dos efeitos do frio sobre o vinho que produziam.

Ainda que Dom Pérignon e seus predecessores não tenham descoberto o champanhe, no fim do século XVII a corte real do Palácio de Versalhes certamente o conhecia. Luís XIV, rei da França, só queria tomar vinho borbulhante, e os produtores dos dois lados do Canal da Mancha se esfalfavam em encontrar um modo de fazer o vinho borbulhar. Para satisfazer sua predileção pelo espumante, o rei concedeu à cidade de Reims licença exclusiva para vender o vinho em garrafas. Foi o começo de um monopólio regional que, de uma forma ou de outra, iria perdurar através dos séculos.

Nos anos 1720, os ancestrais de Barbe-Nicole Ruinart fundaram a primeira casa de champanhe, mas logo surgiram outras dez e os comerciantes que vendiam o "espumante" da Champagne viveram um período de vertiginoso aumento nos negócios, que se estendeu até por volta de 1740. Se Luís XIV lançou a moda do champanhe, seu sucessor, Luís XV, levou-a ao delírio na corte francesa. Ele faria tudo para agradar a sua amante, a poderosa Madame de Pompadour, cuja família, convenientemente, era proprietária de lucrativas terras na Champagne. Por mais de trinta anos, os vinhateiros da região puderam cobrar preços exorbitantes para suprir o rei da França e sua corte com o vinho que borbulhava.

Embora fossem tempos felizes, na verdade a corte era ainda um mercado de elite, muito pequeno. Por volta de 1730, a região inteira da Champagne vendia menos de 20 mil garrafas de espumante por ano, mais de 50% destinadas ao Palácio de Versalhes. A base de consumo se limitava a uma moda passageira entre os elegantes de destaque na nobreza europeia. Desde o começo, o champanhe foi uma bebida de comemoração para alguns poucos privilegiados. Mas mesmo no auge de sua popularidade inicial, naqueles 20 anos de fama entre a nobreza, nunca se tornou um fenômeno cultural maior. O cidadão comum, que andava pelas ruas, nem sonhava provar champanhe. Somente os mais ricos entre os ricos conheciam seu apelo sensual.

O status icônico do champanhe só surgiria bem mais tarde, porque os tempos áureos se findaram tão subitamente quanto apareceram. Nos anos 1740 a moda mudou. Contando com as frequentes extravagâncias de Paris e querendo ganhar dinheiro fácil, produtores e distribuidores plantaram videiras demais, muitas de baixa qualidade, e o mercado de vinho da Champagne quebrou. Quando as bebidas de má qualidade inundaram o mercado, a reputação de toda a região foi afetada. Em meados do século XVIII, o vinho regional que François sonhava voltar a distribuir para o mundo inteiro era pouco mais que uma curiosidade, uma extravagância conhecida apenas pelas cortes europeias.

E poderia ter continuado assim. Se a indústria local não tivesse sido reinventada por alguns empreendedores talentosos, e se não tivesse se transformado no mais famoso símbolo mundial de comemoração e boa vida, o champanhe teria sido extinto nos porões da história mundial. E a bela história de Barbe-Nicole teria desaparecido com ele.

Capítulo 4

O anonimato corre em suas veias

Apesar do estado crítico da indústria do vinho na Champagne nas últimas décadas do século XVIII, François e Barbe-Nicole viam o futuro com otimismo. Esse otimismo era compartilhado por poucos na França.

Quando Barbe-Nicole e François se casaram, o país estava em conflito por quase uma década, desde os primeiros dias da revolução. Agora, em seu primeiro ano de união, os austríacos enfrentavam os franceses sobre o Reno, em Stockah, numa batalha sangrenta que deixou feridos homens menos afortunados do que François, até que os ingleses forçaram a retirada da França da Holanda. O almirante inglês Horatio Nelson destruiu quase toda a esquadra francesa na batalha do Nilo, deixando cerca de 40 mil jovens soldados, não muito diferentes de François, abandonados na zona de guerra, sem meios de voltar para casa.

Apesar da inquietação que se espalhava pelo continente europeu, o futuro era promissor naquele recanto do nordeste da França. Barbe-Nicole e François eram jovens, ricos, e a paixão pela expansão do comércio de vinho logo os uniu. Sonhando com uma vida no mercado de bebidas e assistindo à colheita daquele ano, foram tomados pelo espírito de alegria que uma boa safra sempre ocasiona naqueles que passam a vida observando o lento progresso de uma vinha. Tinham todos os motivos para agradecer ao destino.

Para outro homem com raízes nos campos da Champagne o futuro também parecia brilhante naquele último ano do século. No início de novembro de 1799, quando os camponeses se ocupavam em limpar as vinhas, chegou a notícia de monumentais alterações políticas em Paris. O jovem general Napoleão Bonaparte, completamente derrotado na batalha do Nilo naquele verão, com um espantoso golpe de Estado, dera uma virada no governo, declarando-se cônsul da França. Foram os primeiros dias, movimentados e assustadores, do que logo viria a ser o império napoleônico.

Sob o novo consulado, o fascinante estilo de vida que Barbe-Nicole conhecera em criança voltou à moda. Para uma jovem de alta posição, pertencente a uma das famílias mais ambiciosas de Reims e agora dona de sua própria casa, deve ter sido uma época maravilhosa. Mas a despeito de sua sorte invejável e também do óbvio prazer de François em compartilhar sua paixão pelo mercado do vinho, o mundo de Barbe-Nicole em 1799 se fechava rapidamente. Como esposa de um rico empresário e filha de um homem com grande ambição política, o futuro previsto para ela era luxuoso, mas limitado. Ela seguia o caminho do anonimato respeitável, considerado louvável para as mulheres de sua classe social. A maior parte desse futuro deveria ser passado entre o quarto das crianças e a sala de estar.

Na primavera, Barbe-Nicole dera à luz uma menina, nascida na casa da família em 20 de março de 1799 e batizada como Clémentine, o mesmo nome de sua mãe e sua irmã. Teria sido o início de uma longa vida reprodutiva, como a de tantas mulheres no fim do século XVIII, que acabavam por adoecer ou morrer em consequência de complicações no parto ou de intervenções médicas grosseiras com a intenção de salvá-las. As mulheres tinham uma chance em vinte de morrer de parto, vítimas de septicemia ou de febre puerperal, numa morte dolorosa. Se as coisas tivessem seguido o curso normal, Barbe-Nicole poderia esperar pelo menos meia dúzia de outros partos nos anos seguintes, elevando a taxa de mortalidade. Até sua primeira filha tinha poucas chances de sobrevivência. Os médicos franceses estimavam que cerca de um terço das crianças morria antes do segundo ano de vida.

Talvez em razão dessa assustadora perspectiva, as moças faziam questão de dançar nos bailes até alta madrugada. Mesmo as jovens esposas e mães estavam sempre presentes nas festas. Naquele ano, o irmão de Barbe-Nicole, Jean-Baptiste, casou-se com uma viúva de 24 anos, chamada Thérèse, e mudou-se para uma grande casa na rue de Vesle, não longe do Hôtel Ponsardin, que estava destinado a herdar. Poucos meses depois, chegou a notícia de que sua irmã, Clémentine, então com 17 anos, se casaria com o jovem viúvo Jean-Nicolas Barrachin numa cerimônia católica secreta e ainda perigosa, no frio esplendor da catedral próxima.

Clémentine e Thérèse logo se distinguiram como anfitriãs elegantes e na vanguarda da moda. Barbe-Nicole era pequenina e tinha aparência comum, mas Clémentine era bela como uma estátua e apaixonada pelos vestidos de seda que tornaram famosa a moda francesa. Em recepções e noitadas extravagantes, os jovens conviviam com a elite social da Reims industrial e com gente interessante e influente de outros países. Os visitantes falavam cada vez mais em Napoleão, o homem que parecia destinado a reger a França e, possivelmente, trazer a paz.

Era uma vida privilegiada, mas numa gaiola de ouro. E é impressionante que saibamos hoje alguma coisa da vida dessas jovens. Desde os tempos em que estudavam o catecismo no convento, Barbe-Nicole e sua irmã aprenderam que as únicas mulheres de vida pública eram as prostitutas e as rainhas. Mesmo as duas mais famosas de sua época, Maria Antonieta e Josefina Bonaparte, só são conhecidas por conta de seus maridos. Talvez não seja coincidência que ainda se pense em ambas como prostitutas.

A propósito da invisibilidade de mulheres como Barbe-Nicole e sua irmã Clémentine, Virginia Woolf escreveu simplesmente: "O anonimato corre em suas veias." Até Lady Beesborough, contemporânea de Barbe-Nicole e nascida em uma das famílias mais importantes e progressistas da Inglaterra, afirmava que "a mulher não deve se imiscuir em... qualquer questão séria, além de dar sua opinião (quando solicitada)". Não há dúvida de que Barbe-Nicole adotava essa postura com relação ao marido. Nenhum homem queria ouvir a mulher tagarelando sobre como ele deveria administrar seus negócios, principalmente se ela não tinha qualquer experiência ou conhecimento do assunto.

AINDA É UM GRANDE MISTÉRIO saber exatamente como Barbe-Nicole, uma mulher destinada a uma vida protegida na domesticidade do lar, veio a conhecer a árida essência do comércio de vinhos. Cem anos antes não era impossível que uma mulher de origem burguesa participasse da gerência de negócios de família. Muitos deles ainda eram empreendimentos administrados numa ampla rede de estreitas relações familiares. Em sua época, não mais.

Na Europa do século XIX, a combinação de forças de uma cultura pós-revolucionária que envolvia mercadorias, a ascensão da manufatura em escala internacional e de um novo sistema de leis, que constituíam o código napoleônico, restringiam bastante o mundo das mulheres. Como diz a historiadora Bonnie G. Smith: "O preconceito contra as mulheres atuando no mercado apareceu com o código napoleônico [que] as limitava a uma vida exclusivamente reprodutiva."

Mas o código napoleônico foi invenção dos primeiros anos do novo século e Barbe-Nicole estava iniciando a vida como esposa de um rico industrial no último minuto possível. A industrialização já confinava esposas e filhas ao lar. Sua elegante irmã Clémentine, desde cedo ocupada com quatro crianças pequenas – seu filho Balsamie e três enteados –, incorporou esse padrão doméstico. Barbe-Nicole seguiria os passos de uma tradição comercial decadente ao abraçar o modelo empresarial familiar que ela e François haviam aprendido como filhos de comerciantes da velha guarda. A diferença de vida das duas irmãs mostra quão rapidamente o mundo estava mudando. Se Barbe-Nicole fosse mais ligada à moda, ou se fosse uma bela mulher, isso teria sido um grande sacrifício. Mesmo naqueles dias de culto à domesticidade, sua decisão deve tê-la marcado como uma excêntrica social. Também podemos pensar que, se François tivesse irmãos, se houvesse mais do que um filho para assumir a empresa da família, e se o interesse dela não fosse de alguma utilidade, jamais seria permitido a Barbe-Nicole o acesso ao aprendizado informal de assuntos comerciais.

A PRINCÍPIO, penso que ela era interlocutora de François. Quando decidiu desenvolver o empreendimento paralelo da família, ele mesmo sabia pouco ou nada sobre o mercado de vinhos, o que certamente era um fator crítico. Por sorte, seu período como autodidata coincidiu com os primeiros anos de casamento, em que começavam a conhecer um ao outro. Como qualquer par de pessoas colocadas juntas, eles procuravam temas de conversa e nada mais natural que falassem sobre vinhos e seus planos empresariais.

Portanto, não deve ter sido surpresa para Barbe-Nicole quando, em 1801, tão logo receberam a notícia de que a França havia assinado o tratado de paz em Lunéville, François resolveu pegar a estrada e sair pelo mundo como vendedor de vinhos. As vendas no mercado internacional ainda exigiam que alguém fosse buscar os pedidos e, naquele momento, teria que ser o próprio François.

Esperavam que a paz mudasse toda a situação. O país havia estado em guerra com a chamada Segunda Coalizão, formada pela Inglaterra, Áustria, Rússia, o Império Otomano e várias regiões italianas, desde o ano em que se casaram. Agora, com a paz assinada em Lunéville, apenas a Inglaterra permanecia como inimiga declarada da França. Por um momento naquela primavera, parecia que tudo voltaria ao normal. Após anos de espera, tudo indicava que os mercados do leste e do sul, até então fechados, voltariam a se abrir. François queria capitalizar as novas oportunidades.

Hoje, a degustação de vinhos é um ramo multimilionário da indústria do turismo, mas foram esses distribuidores viajantes, homens como François e seus concorrentes, que a popularizaram como estratégia de marketing. Na época, as adegas e os depósitos não eram abertos à visitação, não havia provas direto dos tonéis, nem ceias com vinicultores. A diferenciação dos vinhos por marcas ainda estava na primeira infância. Mais vinte anos se passariam antes que os consumidores encontrassem garrafas com rótulos e identificação. Na hora da compra, os clientes tinham que confiar no julgamento e na integridade dos representantes.

Esses representantes traziam cada vez mais a experiência da degustação aos compradores, descobrindo que era, como é ainda hoje, um meio eficaz para vender. Se, na estrada, François sofria com condições adversas, carruagens quebradas, albergues miseráveis e comida ruim, poucas queixas tinha ao chegar em casa. A meta de um representante de vinhos era fazer contato com as anfitriãs mais charmosas e elegantes da cidade e seduzi-las com graça e espírito, de modo a persuadi-las a servir as bebidas que vendiam. Em geral, isso implicava a judiciosa prova de artigos de luxo selecionados: *la dégustation*, a degustação do vinho.

Jovem mãe e jamais reconhecida como um tipo de beleza, não há dúvida de que Barbe-Nicole preferia não saber detalhes dessa parte do trabalho do marido. Naquele verão, François saiu para um prolongado tour de vendas e passou meses viajando pela Alemanha e Suíça. Pouco antes da época da colheita, Barbe-Nicole não perdia de vista os frutos nas videiras. E decerto também não perderia de vista os negócios se o sogro partilhasse informações com ela, porque herdara o tino comercial de seu pai, ainda que não se soubesse naquele momento.

Ela devia saber que havia outras mulheres no mercado de vinhos, esposas e filhas de antigas famílias de comerciantes. A vinicultura sempre havia sido um empreendimento familiar, e mesmo se a expansão do mercado a levava para além dos limites dos chalés rurais, na direção de grandes fábricas como as que seu pai possuía, a industrialização ainda não havia chegado à produção do vinho. Na verdade, as mulheres haviam desempenhado um papel essencial na produção e nas vendas, principalmente do espumante, pelo menos desde meados do século XVIII, quando houve uma queda dramática das vendas.

Ironicamente, o fato de que o champanhe não parecia um meio de se ganhar muito dinheiro contribuía para que essas empresárias em tempo parcial tivessem um papel tão importante no mercado. As negociações em retração sempre criaram oportunidades para mulheres e principiantes dispostos a tomar iniciativa. Em seu livro *Women of Wine: The Rise of Women in the Global Wine Industry*, Ann B. Matasar observa que colapsos periódicos nas vendas de vinho criaram raras "oportunidades para que as mulheres participassem da reconstrução da indústria". Numa época em que só se ganhava muito dinheiro com a industrialização, com mercadorias produzidas em massa, havia poucas perspectivas para o vinho, principalmente o champanhe, que exigia delicadeza artesanal.

Talvez, enquanto François percorria as estradas, Barbe-Nicole tenha ouvido falar pela primeira vez de mulheres que trabalhavam, como Dame Geoffrey, uma viúva da graciosa cidade burguesa de Épernay, ao sul do rio Marne, no coração de um dos melhores vinhedos da França, ainda hoje conhecido como a capital do champanhe. Certamente Barbe-Nicole conhecia as propriedades da família Moët, cujo nome tinha origem holandesa e costumava ser escrito no fim do século XVIII como se pronuncia: Moette. Todos sabiam que suas safras de espumante tornaram o nome famoso na alegre corte de Luís XV. Como François e seu pai, os homens da família Moët não eram vinicultores, mas distribuidores que compravam o vinho artesanal dos produtores, ou produtoras, regionais. Como Barbe-Nicole deve ter descoberto, muitos desses vinhateiros eram mulheres. De fato, em todo o século XVIII cerca de 50% dos vinhos comprados pela família Moët eram produzidos por mulheres. Uma das grandes fornecedoras era Dame Geoffrey, viúva de um coletor de impostos, que administrava uma grande extensão de vinhedos e fabricava seus próprios vinhos.

Barbe-Nicole provavelmente também ouvira falar da viúva Germon, comerciante que vendia milhares de garrafas de champanhe por ano nas décadas de 1770 e 1780. Quando Philippe Clicquot iniciava seu pequeno comércio, a viúva Germon já fazia altos negócios e até mesmo engarrafava seus espumantes. E é claro que Barbe-Nicole conhecia a viúva Robert e a viúva Blanc. A primeira administrava um grande depósito de vinhos em Paris, onde os distribuidores podiam estocar a mercadoria para facilitar o envio a novos clientes na capital. A família Moët utilizava os serviços da viúva Robert havia mais de 20 anos e François vinha considerando a possibilidade de distribuir também em Paris. Como François e seu pai não fabricavam a bebida, precisavam comprá-lo para revender. A viúva Blanc, vinhateira da região, era uma de suas fornecedoras regulares.

Se Barbe-Nicole não conhecia essas mulheres, decerto ouvira falar de outras como elas. Havia muitas mais. Dame Geoffrey era apenas uma de quase 20 vinhateiras em tempo parcial em Épernay, cujos nomes constavam dos livros de contabilidade da família Moët no século XVIII, mas cuja vida, como a de tantas mulheres daquele período, se perdeu na história. Ninguém escreveu suas biografias, em parte porque na época não se pensava que valesse a pena registrar a efemeridade de uma vida pessoal. Mas suas histórias não se perderam para Barbe-Nicole. Na verdade, cada vez mais elas causavam desaprovação na pequena cidade de Reims. Mulheres de negócios – que já haviam sido parte da economia familiar burguesa – passavam a ser vistas como atrevimento e algo não muito respeitável.

Na geração anterior a Barbe-Nicole, mulheres como a viúva Blanc e a viúva Robert eram figuras típicas da tradição de empresas de família, tradição que vinha desaparecendo rapidamente. Já em 1801, a presença de Barbe-Nicole na periferia da atividade comercial dos Clicquot era uma exceção, principalmente para uma mulher de sua classe social. Uma ou duas décadas mais tarde, acho que teria sido impossível que Barbe-Nicole pudesse ter participação ativa dos negócios do marido e o acesso às peculiaridades do comércio de vinhos. Em parte, essas outras mulheres puderam administrar suas pequenas empresas no ambiente pós-revolucionário, porque provinham das classes trabalhadoras ou da classe média mais baixa. Barbe-Nicole estava na outra ponta da hierarquia social. A historiadora Béatrice Craig, que estudou a vida de mulheres como ela, afirma que "as esposas dos fabricantes tinham menor probabilidade de ter uma ocupação do que as esposas dos artesãos". O encargo de sustentar a família superava as exigências da delicadeza feminina e, para aquelas mulheres independentes, o trabalho era uma questão de sobrevivência financeira.

Acima de tudo, Barbe-Nicole certamente se incluía em outro ponto comum a essas mulheres: todas eram viúvas e por isso as únicas a ter liberdade social para gerir seus próprios negócios. Tendo perdido o marido, podiam tomar suas próprias decisões – um preço alto a pagar por essa oportunidade.

EM PARTE, O MOTIVO de François ter tanta disposição para conversar com a mulher sobre suas ambições profissionais talvez fosse a batalha contra o pai. Todas as evidências sugerem que eram homens muito diferentes. Philippe era um empresário cauteloso e conservador, que não via com muito entusiasmo as ideias do filho em atravessar metade do continente, tentando vender vinhos finos para clientes esgotados por anos de crise econômica. Ainda que François efetuasse as vendas, havia o problema do transporte para atender aos pedidos. Mas François estava convencido de que seria uma grande oportunidade e seguiu em frente. E conseguiu até realizar vendas suficientes para que seu pai não pudesse dizer que as viagens eram um fracasso total. Enquanto viajava fez, por puro acaso, a descoberta mais importante para o futuro do negócio de vinhos da família.

Essa descoberta se chamava Louis Bohne. Louis era um mercador viajante de Mannheim, Alemanha, baixinho, gordinho, de cabelos ruivos e um raro talento para fechar negócios. François o conheceu na cidade portuária de Basileia, onde o rio Reno corre ao encontro do mar, e ponto crucial de convergência da França, Suíça e Alemanha atuais. Louis falava meia dúzia de idiomas, tinha boa cabeça para números e, o que é mais importante, foi imediatamente tomado do mesmo entusiasmo de François pelo negócio de vinhos da família Clicquot.

Quando François retornou a Reims, teve que admitir sua decepção com o mercado da Alemanha e o da Suíça, mas novas perspectivas e um futuro radiante pareciam despontar no horizonte.

Na primavera de 1802, em especial, havia razão para grandes esperanças. Em março, com a assinatura do Tratado de Amiens, foram restauradas relações comerciais até com a Inglaterra, e pela primeira vez em quase uma geração inteira a França estava em paz. François e Louis teceram um grande plano para vender vinhos na Inglaterra. Tinham certeza de que havia um mercado inexplorado à espera de produtos franceses. Quanto a isso, não estavam enganados. Ao fim da guerra, depois de anos de contrabando de artigos finos franceses, como o vinho e a seda, o povo britânico estava ávido por esses prazeres, e François e Louis, decididos a se apossar de uma fatia desse mercado. Na primeira onda de entusiasmo, Louis partiu para Londres, a fim de vender os vinhos mais caros, enquanto François ficava em casa, cuidando da parte administrativa.

Mas embora os ingleses estivessem sedentos pelo vinho francês, ainda era difícil vender champanhe. No fim do século XVII, Londres fora o berço comercial do espumante, que voltava à moda por um breve momento nos anos 1770, quando o pai de François dava início ao seu pequeno ramo de venda de vinhos. Mas a paixão dos ingleses havia esfriado desde os tempos da revolução. Agora, a preferência era por um champanhe suavemente efervescente, conhecido como *crémant*, ou pelos melhores vinhos finos da região. Houve até um breve ressurgimento do interesse pelos delicados tintos das encostas das montanhas mais ao sul de Reims.

A avó de François possuía uma fazenda e uma grande extensão de vinhedos em Bouzy, uma das mais famosas daquelas cidadezinhas. Na propriedade se produzia um tinto suave com as uvas ali cultivadas e que certamente chegou a Londres nos anos seguintes. Amantes do vinho que tenham curiosidade podem experimentar algo muito parecido ainda hoje, porque o tinto de Bouzy ainda é um produto artesanal na Champagne. É uma espécie de raridade, mas, segundo minha experiência, a qualidade dos vinhos varia enormemente de produtor para produtor.

Mas não importa quem o produza, seja bem, seja mal, o alto preço do tinto de Bouzy acompanha o de uma garrafa de champanhe. As leis que regem a fabricação do vinho estabelecem um limite rígido para o peso total das uvas colhidas na Champagne. Cada uva colocada em uma garrafa de vinho tinto está em relação direta com o total da safra de toda a região. O tinto de Bouzy é tão caro quanto o champanhe porque é feito de uvas que são cultivadas em uma das áreas produtoras dos famosos espumantes.

Ainda podemos saborear um tinto de Bouzy. Por outro lado, atualmente um autêntico *crémant* é proibido. As severas leis de controle dos rótulos de vinhos franceses, sistema conhecido como AOC, ou *apellation d'origine contrôlée*, garantem que prestigiosas áreas produtoras, como a Champagne, mantenham um monopólio geográfico de certas palavras. Uma dessas palavras é *crémant*, que hoje pertence a outros, o que torna impossível sua comercialização, a despeito do local de origem desse memorável vinho espumante, que borbulha como creme espesso.

Apesar das esperanças em abrir mercados estrangeiros em tempos de paz, a viagem de Louis à Inglaterra foi um verdadeiro fracasso de vendas. É verdade que muita gente estava comprando vinho francês, mas a entrada de um recém-chegado no mercado mostrou-se impossível. As vendas dependiam do acesso a círculos aristocráticos, em que as pessoas tinham dinheiro para comprar vinhos extravagantes e caros. Uma garrafa de champanhe era de fato muito cara, pois custava, em média, entre três e quatro francos, o que era mais da metade de uma semana de salário de muitos que trabalhavam em sua fabricação. Em números de hoje, isso significaria algo em torno dos 80 dólares a garrafa. François e Louis levariam anos para conquistar aquela clientela, enquanto seus concorrentes já tinham fregueses cativos. Duques e duquesas não abriam a porta a vendedores viajantes, mesmo que eles oferecessem vinhos finos.

Um dos concorrentes a dominar o mercado de champanhe na Inglaterra era a família Moët, encabeçada na época por Jean-Rémy Moët. Se seus retratos forem fiéis, Jean-Rémy foi um homem bonito e bem cuidado na juventude. A família Moët distribuía espumante desde seus tempos áureos, nos anos 1730, mas, como toda a indústria, também passava por dificuldades. Na verdade, estreantes como François e Louis, que não haviam atravessado quarenta anos de depressão do mercado, tinham até mais recursos financeiros do que concorrentes mais antigos.

Talvez graças aos contatos da família Moët no mercado inglês e à moda do champanhe *crémant*, François e seu pai acabaram vendendo um pouco de sua safra de 1800 para Jean-Rémy, depois do retorno de Louis com o fiasco de vendas. O acadêmico francês Michel Etienne, que realizou um abrangente estudo sobre os registros comerciais da empresa Veuve Clicquot, descobriu nos livros um lançamento de duas ou três mil garrafas, quase encalhadas, de champanhe fabricada com uvas de Aÿ, de alta qualidade, vendidas para a empresa Moët. Talvez reconhecendo que o vinho era comercializável apenas na Inglaterra, onde não haviam conseguido se introduzir, François tenha decidido entregar ali mesmo o produto.

Em vista da situação, François deve ter desanimado com os resultados de seus primeiros anos no mercado de vinhos. Onde esperam um grande sucesso, as vendas haviam sido apenas modestas, e não havia meio de dar um tom otimista à viagem a Londres para o olhar vigilante do pai. Mas com o advento da paz, as coisas só podiam melhorar e, embora Philippe relutasse em renunciar ao controle dos negócios, era chegada a hora de ceder o lugar. François tinha sua própria visão e energia e, de fato, não se saíra mal. Além disso, aos 62 anos, Philippe estava cansado. No verão de 1802, ele se retirou da empresa, deixando François assumir completamente a direção.

Quis a sorte que o primeiro ano de François sozinho à frente da companhia fosse desastroso. Dessa vez, o problema não era a falta de pedidos. Depois da decepção em Londres, Louis retornou à Europa Central, território que conhecia muito melhor, e chegou, naquele verão, com sólidas encomendas para a safra que teriam no outono. O problema agora era que talvez não fossem capazes de atender aos pedidos. Naquele ano, o tempo conspirou contra os vinhateiros da Champagne. Os meses finais da estação de 1802 foram tão quentes que as vinhas ressecaram nos campos. Era o começo de um período de três anos excepcionalmente quentes, de verões secos que significaram a perda de colheitas em toda a Europa. O poeta inglês William Wordsworth e sua irmã Dorothy passaram aquele verão na França e seu diário traz anotações do calor escaldante. Em agosto, a temperatura era opressiva mesmo em Calais, à beira-mar: "O dia muito quente", ela escreveu, "o mar estava sombrio... coberto de relâmpagos... [e] calmas noites quentes."

No fim de agosto, François viu o que a onda de calor prenunciava para seus negócios. "Na memória do homem", ele escreveu a um amigo, "ninguém [pode] lembrar de um ano tão infeliz." Em quase três quartos da região da Champagne não houve colheita. Como todos os outros distribuidores da área, a família Clicquot viu-se pressionada a comprar vinho em quantidade suficiente para atender aos pedidos que tantos sacrifícios lhe haviam custado. Naquele ano, todos os lucros ficaram com os comerciantes e intermediários que tiveram visão para manter um estoque significativo.

Naqueles primeiros dias da indústria do vinho na Champagne, poucos comerciantes mantinham uma boa reserva. A maioria comprava, como François, os vinhos prontos dos fabricantes locais. Em geral, François os comprava em garrafas, embora alguns comerciantes mais empreendedores comprassem em barris e se encarregassem de engarrafar, assumindo um risco extra na esperança de obter um retorno maior. Ninguém queria estocar vinhos por longos períodos, a não ser que fosse necessário. A maioria dos vinhos da região, principalmente os fabricados com as uvas colhidas ao longo do rio Marne, tinha fama de não envelhecer bem. Ainda hoje, não se deve guardar o champanhe por muito tempo.

Desde o século XVII, os fabricantes já sabiam da curta duração dos vinhos regionais. A uva *pinot meunier*, das vilas ao longo do Marne, apesar de dar um vinho suave, é particularmente efêmera. Ironicamente, os vinhos de melhor qualidade eram os mais delicados. Os finos e ricos, de sabor mais sutil e fabricados na primeira pressão das uvas, o *cuvée*, eram deliciosos, porém frágeis. Raramente se conservavam por mais que um ou dois anos nos tonéis das adegas.

Em muitos casos, o melhor era vender rapidamente e dar o assunto por encerrado. O risco de estragar e o custo da estocagem não faziam da reserva uma ideia atraente para os comerciantes. Na Champagne, o engarrafamento só teve início no século XVIII, durante a recessão da indústria, já que os negociantes podiam prolongar por alguns anos a vida do produto conservado em vidro. Philippe havia construído o negócio da família com a compra e venda do melhor desses estoques.

Às vezes, vinicultores mais ousados transformavam em espumante os vinhos engarrafados, na esperança de adicionar valor ao produto. Os riscos eram enormes, principalmente em tempos de calor. No quente verão de 1747, Allart de Maisonneuve descobriu ao acordar que 80% de suas garrafas, no valor equivalente a cerca de 200 mil dólares, tinham simplesmente explodido. Durante a onda de calor que varreu a Champagne em 1802, as coisas não eram muito melhores.

Em meio àquele verão nefasto, quando a maioria dos vinhateiros nada tinha a oferecer depois de um ano inteiro de trabalho, Barbe-Nicole percebeu que o marido estava obcecado por uma nova ideia. Ela teria sempre um fraco perigoso por jogadores, talvez porque tivesse se casado com um deles. A intensidade de François era total. No pior momento, ele queria jogar os dados e reinventar o negócio da família. Alguém de dentro da companhia diria mais tarde que François "foi a todos os vinhedos da região, desceu às adegas, comparou, pesou, mediu e por fim lançou as bases de um sistema comercial inteiramente diferente". Descontente com as comissões de distribuidor, ele queria se aventurar e aumentar os ganhos. Apesar dos riscos, e mesmo sabendo o que os mais experientes homens de negócios da região deviam estar pensando, François decidiu engarrafar seus vinhos. Como sempre, a época escolhida foi a pior possível.

Capítulo 5

A artesania do *cuvée*

A edição do século XIX do tratado *The Art of Making, Controlling and Perfecting Wines*, de Jean-Antoine Chaptal, pertencente ao acervo sobre vinhos da Biblioteca Pública de Sonoma County, é um montinho de papéis firmemente amarrados e levemente amarelados, com os tipos borrados e tortos comuns nos livros baratos do começo daquele século. No entanto, foi um exemplar muito semelhante que inspirou François a lançar a sorte da família na operação de engarrafamento em 1802. *The Art of Making, Controlling and Perfecting Wines* é considerado "um marco decisivo na história da tecnologia do vinho". Foi publicado no ano anterior e não havia meio de François e Barbe-Nicole não possuírem um exemplar. Justamente quando François dava início aos experimentos com misturas e garrafas nas adegas da família, Napoleão ordenou às prefeituras que distribuíssem o tratado a todos aqueles envolvidos no mercado de vinhos.

Com seu magro tratado científico, Chaptal mudou o futuro da fabricação de vinhos. Como François e Barbe-Nicole bem sabiam, o maior empecilho à integração comercial do ciclo vinícola era a separação entre vinicultores e distribuidores. O problema dos grandiosos planos de François era que os vinicultores dominavam todas as técnicas. Não só produziam o vinho, mas também o engarrafavam. Como o engarrafamento adicionava um valor significativo, triplicando por vezes o preço do barril, François estava ansioso para implantar o processo. Ele e Barbe-Nicole precisavam urgentemente adquirir o conhecimento de gerações de experiência com vinhedos.

Uma rica tradição oral orientava toda a produção de vinho na França e essa sabedoria popular era ainda mais cultuada nas filigranas da produção do misterioso espumante, ainda chamado na região de *vin mousseux*. Os vinicultores observavam as estrelas à procura de bons augúrios para a colheita seguinte e esperavam a lua cheia do mês de março para começar a engarrafar o champanhe. Segundo a lenda, a lua da primavera tinha o poder de levantar as bolhas nas garrafas. Outros confiavam numa instância mais alta. Ainda hoje, quem vai a Reims em janeiro pode assistir ao antigo e solene festival de São Vicente, padroeiro dos vinhateiros. Numa tarde de ventanias de inverno francês, deparei-me inesperadamente com essa celebração e parei numa esquina, tiritando de frio e vendo uns mil vinhateiros em silenciosa peregrinação desde o Hôtel de Ville até a Basílica de Saint Rémy, vestidos com mantos escarlates e chapéus brancos, carregando diante do corpo uma pequena imagem do padroeiro das colheitas. Era uma lembrança comovente do respeito dos habitantes da Champagne pelos mistérios da produção do vinho.

Mas os pequenos detalhes desse costume não faziam parte da experiência pessoal que François trazia para o novo empreendimento, e era pouco provável que a tradição secreta de gerações de vinhateiros o ajudasse a concretizar seus planos. Embora tivesse aprendido bastante sobre a fabricação e a venda do vinho nos anos de convivência com o pai, o comércio e a artesania eram coisas bem diferentes. François precisava de informações técnicas confiáveis sobre a produção que o fizessem se respaldar menos na experiência e nos conhecimentos dos artesãos rurais que transformavam uvas em vinhos finos.

Era exatamente o que o tratado de Chaptal oferecia. *The Art of Making, Controlling and Perfecting Wines* é uma síntese elegante de todo o conhecimento prático e científico sobre a produção de vinhos existente na época, distribuído maciçamente como nenhum outro livro sobre vinicultura fora até então. Entre outras descobertas importantes, Chaptal ainda é famoso por ter quantificado as relações químicas entre o açúcar, a fermentação e o álcool. Embora os produtores do século XVII soubessem que o açúcar era essencial para o champanhe, o processo de adicioná-lo de modo a tornar o vinho melhor é ainda hoje conhecido como "chaptalização". E Chaptal ensinava tudo aos leitores, desde a limpeza das garrafas até o modo de colocar as rolhas no champanhe. Para um novato, seu tratado tinha um valor inestimável.

Pode parecer estranho que Napoleão resolvesse distribuir esse panfleto justamente quando François e Barbe-Nicole se preparavam para assumir novos riscos, mas não é. Napoleão havia encomendado o livro a Chaptal como parte de uma política governamental para expandir a indústria vinícola francesa, em particular a do champanhe. Sabia-se que Napoleão tinha preferência pelo espumante e pelos empresários que lhe forneciam o vinho. Já corriam histórias de jantares absurdamente caros em Paris, em que os convivas consumiam mil garrafas numa noitada.

Talvez fossem as colinas ondulantes e os campos calcários da região que lhe trouxessem nostalgia da sua infância. Talvez seu amigo Jean-Rémy Moët o tenha influenciado. Seja qual for o motivo, o champanhe era uma das paixões de Napoleão e, com o mesmo interesse por reformas que o levou a modernizar o sistema legal da França e a melhorar as rodovias nacionais, ele colocou em ação uma série de iniciativas destinadas a transformar a indústria do vinho francês em uma locomotiva econômica nacional. O livro de

Chaptal foi parte desse plano, e não há dúvida de que as informações corretas, juntamente com a motivação de alguns incentivos governamentais, tiveram um papel fundamental no pensamento de François.

Mas apesar de sua determinação e do recente retorno à paz na França, o novo empreendimento de François foi demorado e tedioso. Levou mais de um ano para preparar os primeiros vinhos "da casa", colocados no mercado em 1803. Talvez um pouco nervoso ao compreender os fabulosos riscos e a guinada de conhecimentos que a fabricação de seu próprio champanhe acarretava, François começou por limitar a produção a 25% da reserva anual.

Essa limitação era positiva. Iniciantes na arte de engarrafar, os Clicquot tinham muito o que aprender. Talvez, além do tratado de Chaptal, François tenha consultado livros, como o de Jean Godinot, *Manner of Cultivating the Vine and Making Wine in the Champagne*, ou o de Nicolas Bidet, *Treatise on the Culture of Wines*. Nas adegas, eles podiam se aconselhar com o mestre da companhia, Monsieur Protest. Afinal, todo o trabalho pesado de misturar e engarrafar recaía sobre as costas dele e de outros empregados das adegas. E certamente confiavam em Louis Bohne, que sabia o que os compradores desejavam.

Afora a pequena quantidade de vinhos feitos com as uvas das terras da família, não havia intenção de começar uma produção sem os devidos preparativos naquele verão. Como de costume, François iria aos produtores comprar vinho em barris, mas agora planejava misturar e engarrafar uma parte para revender como vinho fino ou espumante. Mas o manuseio de vinhos excelentes dependia também de encontrar barris da melhor qualidade possível.

O que Barbe-Nicole aprendeu sobre vinicultura em seus primeiros anos de casada despertou-lhe uma paixão que duraria por toda a vida. Apesar de ocupar lugar secundário, enquanto François tomava todas as decisões financeiras, ela estava determinada a não ser excluída. Diz a lenda familiar que Barbe-Nicole acompanhava o marido nas incursões aos vastos campos da Champagne, às primeiras horas das manhãs daqueles verões quentes e secos, preocupada com o destino da colheita. Paravam para observar o progresso das uvas e conversar com quem conhecia melhor a terra e a arte de fazer vinhos: os experientes vinhateiros e camponeses. O outono era a época da vindima, a *vendange* que, segundo o costume, começava de madrugada e durava 12 dias. As uvas eram melhores se colhidas nas manhãs frias e nevoentas, quando a umidade do orvalho as deixava inchadas e mais suculentas. As primeiras horas da manhã eram determinantes para a produção do champanhe porque o *vin gris*, um vinho branco feito com uma variedade de uvas rosadas, dependia de um esmagamento imediato e suave das frutas ainda não tingidas pela cor da casca.

De madrugada, Barbe-Nicole já estava lá. Seu lugar preferido na vindima era a cidade de Bouzy, onde observava a colheita dos frutos cultivados nos vinhedos da família. Esses vinhedos pertenciam à avó Muiron, de François, e no local de armazenamento havia uma prensa moderna, construída em 1780, que hoje é uma das mais antigas da Champagne. Ali Barbe-Nicole passava horas assistindo ao vagaroso esmagamento das uvas.

Nada a deixava mais feliz do que estudar o vinho. Quando os cestos vindos dos campos ao redor eram descarregados, os cachos eram espalhados cuidadosamente sobre a base da prensa, e com o lento estalar da madeira pesada e o cheiro de corda misturado ao da uva quente ela antecipava o doce aroma da primeira prensagem. O suco desse esmagamento inicial, o *cuvée*, era suave, pouco encorpado, muito delicado, e um excelente componente para o produto final. Conhecido como *vin de goût*, era feito com o primeiro sumo que jorrava livremente das uvas quando a pesada madeira da prensa descia lentamente sobre os cachos. Esse vinho não podia ser exportado. Era delicioso, mas não encorpado o suficiente para envelhecer ou ser transportado sem mistura. Em parte por causa da natureza frágil do melhor *must* é que se diz que os franceses nunca exportam seus melhores vinhos.

Depois que o *must* do *cuvée* passava por um filtro grosso de peneiras e era drenado para os tonéis, tinha início o primeiro corte, ou *première taille*. O operador da prensa girava a barra, aumentando um pouco mais a pressão para quebrar ou "cortar" as uvas, apertando mais para extrair o sumo do fruto maduro. Talvez Barbe-Nicole tenha tentado operar a prensa, para diversão dos rudes homens do campo. A *première taille* dava o que alguns consideravam o suco mais valioso, um *must* fino e extremamente saboroso, rico de promessas e forte o bastante para envelhecer.

A cada corte sucessivo, a pressão sobre as uvas aumentava, com consequências para a qualidade. A prensagem seguinte era a *deuxième taille*, ou segundo corte, gerando um suco claro e bastante encorpado, em geral de tonalidade castanho-amarelada, chamada de "olho de perdiz". Barbe-Nicole sabia que se usava apenas o suco das três primeiras prensagens para fabricar os vinhos de qualidade superior. No quarto e quinto cortes, o *must* era mais vermelho e mais amargo. A maioria dos barris continha uma mistura do terceiro, quarto e quinto cortes, que eram vendidos a preço baixo e o mais rápido possível.

A família também possuía vinhedos em Verzenay e Chigny-la-Montagne, onde Barbe-Nicole pode ter aprendido os processos básicos da fermentação e da clarificação dos vinhos de barril. François ainda dependia de outros produtores para obter o vinho cru que seria misturado e engarrafado. Mas, como bom comerciante e especulador, logo no começo da carreira ele aprendeu a avaliar uma safra bem trabalhada. Talvez, naqueles verões, enquanto a carruagem percorria quilômetro após quilômetro os campos da Champagne, ele conversasse sobre essa parte do negócio.

Depois da prensagem, a fermentação era um processo natural. Primeiro o *must* era trasfegado para um barril, no qual os resíduos orgânicos se depositavam no fundo. A bebida era então passada para outro barril. Como a fabricação do vinho exigia técnica considerável e um pouco de sorte, os produtores se valiam de todo o tipo de recursos. Um deles pode ser ainda hoje uma verdadeira dor de cabeça: enfiando lentamente um pano em chamas encharcado de enxofre dentro do barril, eles o defumavam na esperança de produzir um vinho mais claro. Sem conhecer o motivo, esses pioneiros estavam certos. Os produtores atuais ainda confiam nas propriedades antissépticas do enxofre para impedir que as bactérias naturais do processo de fermentação se alastrem e estraguem o vinho. O enxofre continua a ser amplamente usado como conservante em diversos vinhos. Mas alguns menos afortunados descobrem que ele provoca uma forte dor de cabeça e, em uma pequena porcentagem de pessoas, uma alergia quase letal.

Durante os três meses seguintes, o *must* descansava nos barris para gerar uma fermentação natural, transformando-se em um vinho jovem e forte. Com células mortas, leveduras e outros resíduos orgânicos flutuando na superfície, o vinho cru nada tem de uma bebida elegante. Às vezes, clarificar o vinho é relativamente simples. Trasfegá-lo era um processo direto, resultante do efeito da gravidade. O vinho era transferido de um barril para outro, deixando a borra no primeiro. Quando a adega era suficientemente fria, todos os sedimentos ficavam no fundo do barril, deixando o vinho claro e saboroso.

O mais comum, entretanto, era obter um vinho ainda turvo e desse ponto em diante o processo de clarificação era incerto e arriscado, envolvendo uma dose considerável de engenhosidade. Quando o vinho não clarificava facilmente, os produtores recorriam a um preparado secreto para separar as partículas. Geralmente o problema dos vinhos turvos eram as células de tanino ou as leveduras e a solução era um *colle* feito com clara de ovo e gelatina de tutano. Às vezes, usava-se leite, creme ou sangue. Ou o substituíam por uma mistura comercial, provavelmente insossa em sua origem, conhecida como "pó número três", que se supunha particularmente indicada para a produção do champanhe.

O *colle* age basicamente como um magneto químico de carga positiva, que atrai as partículas negativas instáveis e as reúne numa grande massa que repousa no fundo do barril gelado. Quem aprendeu a arte da cozinha francesa sabe que, para clarificar um *consommé*, usa-se uma mistura de clara de ovo e tutano de boi para se obter um caldo absolutamente claro e de sabor peculiar, já que os coagulantes provocam um agrupamento irreversível das impurezas. Na produção do vinho, o princípio é exatamente o mesmo.

Agora que François tinha a intenção de engarrafar seu próprio champanhe, uma de suas maiores frustrações seria a tentativa de deixar os vinhos com transparência cristalina. Não havia uma solução fácil para o problema. Depois que açúcar e leveduras adicionados ao *liqueur de tirage* eram lentamente transformados em álcool e dióxido de carbono retido, era preciso uma segunda fermentação na garrafa para criar a espuma efervescente do champanhe. Mas o processo criava também mais células mortas, que ninguém no século XIX achava mais bonitas do que acharíamos hoje.

Tal como acontecia com os vinhos no barril, o processo de clarificar o champanhe ia do excesso de tempo gasto ao puro tédio. Depois que o vinho passava um ano descansando em garrafas deitadas na adega para desenvolver borbulhas, era preciso encontrar um meio de tirar os resíduos acumulados dentro delas. O modo mais fácil era confiar na força da gravidade. O processo era conhecido como *transvasage*, que podemos entender como trasfegar vinho engarrafado. Podia-se simplesmente passar o vinho de uma garrafa para outra, deixando os resíduos na primeira. Em teoria, funcionava, mas não se podia dizer que a espuma melhorava com a troca.

A outra maneira de eliminar os resíduos era chamada *dégorgement*. Os manuais do século XIX fazem com que essa operação pareça muito árdua. Consistia em inverter a garrafa e tirar a rolha apenas por tempo suficiente para que um pouquinho do vinho e os resíduos saíssem de uma só vez, e nem um segundo além. Era preciso ter um olho muito bom para acompanhar os sedimentos e um excelente polegar para virar rapidamente o gargalo para cima antes que todo o vinho entornasse, formando uma poça muito cara no chão. Trabalhar garrafa por garrafa despejando champanhe era um processo longo e caro. Mesmo com os avanços modernos, o alto preço do champanhe ainda se deve, em parte, à dificuldade do processo.

Buscar uma solução fácil para os resíduos, contudo, seria imprudência ou resultaria num champanhe barato. Ironicamente, os experts de hoje afirmam que esses sedimentos irritantes são essenciais para o nascimento de um bom espumante. Durante o ano, ou mais, que as garrafas passam descansando na adega, a fermentação cria mais do que apenas álcool e bolhas. As células se quebram no processo químico chamado autólise, que começa quando o vinho fica em contato com as enzimas produzidas naturalmente durante o processo de decomposição. Ou seja, quando o vinho envelhece com as células mortas das leveduras. Os produtores usam a pitoresca expressão "envelhecer nas borras" ou, em francês, *sur lies*. O importante é saber que o resultado é positivo, dando ao bom champanhe seu rico sabor característico.

AGORA QUE OS CLICQUOT engarrafavam sua própria bebida, tinham também a chance de experimentar combinações, fazendo "casamentos" de sabores. A fabricação de um bom vinho, especialmente de um bom champanhe, dependia do controle das misturas. Dom Pérignon pode não ter inventado o champanhe, mas foi um pioneiro na arte de casar sabores. Hoje, o champanhe de classe internacional é uma combinação cuidadosamente selecionada de até quarenta vinhos crus feitos com uma grande variedade de uvas, cultivadas em diferentes partes da região.

Barbe-Nicole já sabia que a mistura dependia do *terroir*. Ela havia conhecido muitas safras, provado uma grande diversidade de sucos e aprendido que cada uva era produto do solo em que nascera. Na vinicultura, os conhecedores falam da indefinível essência do *terroir* como uma dádiva que a terra dá à uva e que gera todo o potencial de sabores e aromas que o fruto pode expressar. Assim como os minerais do Mar Morto apresentam inexplicáveis propriedades curativas para feridos e doentes, também o solo de uma vinha, desde sua composição de argila e calcário até as plantas nativas que ali germinam, é mencionado com tamanho respeito que parece mágico.

No século XXI, cientistas que efetuaram análises químicas das vinhas da Champagne confirmaram suas propriedades especiais. O solo calcário e ácido da região estimula o aroma das frutas, e sua localização ao norte evita que as uvas desenvolvam um excesso de açúcares naturais. As primaveras úmidas e os verões secos as privam lentamente de água, permitindo que amadureçam de modo gradual, sem o excesso de sombra das folhas. O calcário faz com que o solo retenha água no inverno e a libere aos poucos no tempo seco do verão.

Assim como servir o champanhe na temperatura certa – 7ºC ou 45ºF, o que se consegue esfriando a garrafa em gelo e água durante meia hora – abre o sabor do vinho, também as condições exatas no vinhedo despertam na uva as mais exuberantes qualidades. Dado que as condições são muito sutis e complexas, dependentes da combinação de uma quantidade certa de sol e chuva, nos períodos certos e no solo certo, os anos de safra são raros. Anos de safra são aqueles de colheitas excepcionais, anos em que o vinicultor não precisa lançar mão das reservas de vinhos finos de safras anteriores para acertar as misturas.

Talvez, acima de tudo, Barbe-Nicole e François tenham logo aprendido que engarrafar o vinho era um negócio arriscado, especialmente o champanhe rosê, que se tornava tão popular. Os índices de quebra podiam ser desastrosos. Em um verão muito quente, os vinhateiros do século XVIII chegavam a perder 90% das reservas porque o conteúdo pressurizado do champanhe explodia. Produtores sem sorte descobriam, ao acordar, que sua adega, repleta de garrafas do espumante em que depositavam seu futuro, estava inundada de vinho e cacos de vidro.

Os vinicultores da região, como a família Cartier, em Chigny-la-Montagne, ainda devem se lembrar da perda catastrófica de Allart de Maisonneuve no escaldante verão de 1747, quando o ar nas adegas ficou tão tóxico com os vapores do vinho entornado que ninguém pôde entrar lá durante meses. Novamente, por toda a Champagne, eles se deparavam com adegas alagadas e vinho perdido. A onda de calor que começou em 1802 assolou a França por três verões consecutivos. O que se conseguiu salvar dessa calamidade foi transformado em *vin de casse*, o vinho da quebra, que não tinha boa aceitação e só era vendido a preços baixíssimos.

Logo perceberam que parte do problema estava na qualidade das garrafas. A vidraria francesa era em geral de má qualidade e comprar garrafas era um trabalho enlouquecedor. Contemplando os vidros defeituosos e irregulares, Barbe-Nicole e François devem ter chegado ao desespero. Se colocassem o champanhe naquelas garrafas, pouco sobraria para vender no outono seguinte. Mesmo assim, elas eram absolutamente essenciais para o comércio do champanhe.

O formato das garrafas criava novos problemas. Somente em 1811 foi inventada uma máquina para moldar vidros comerciais. Até então as garrafas de vinho eram sopradas manualmente. O resultado eram formas e tamanhos diferentes. Os clientes talvez não se incomodassem, mas François tinha motivos para se preocupar. As garrafas tinham que ser empilhadas umas sobre as outras na adega e as formas irregulares não mantinham o equilíbrio. Pilhas despencadas de champanhe perdido eram um acontecimento tristemente comum, mesmo quando se tentava estabilizá-las com estacas de madeira. Quando as garrafas vinham com gargalos de diâmetros diferentes, colocar as rolhas era uma tarefa ingrata e demorada. E quando o rebordo da boca da garrafa era defeituoso, era impossível firmar a rolha com arame. Se já era difícil conseguir algum lucro após uma década de guerra, eles estavam aprendendo que o negócio dos vinhos tinha seus próprios riscos.

Esses eram apenas os perigos inerentes ao processo de engarrafar. Barbe-Nicole e François ainda precisavam descobrir se eram capazes de misturar vinhos tão bem que o produto justificasse os preços altíssimos que eles teriam que cobrar. Graças às primeiras incursões do pai no mercado nos anos 1770, desde criança François aprendera a provar vinhos e a avaliar seu potencial. Mas Barbe-Nicole era quem tinha o talento para fazer as combinações.

Talvez ela fosse o que os conhecedores de hoje chamam de "superdegustadora", alguém com a língua dotada de uma proporção de papilas gustativas maior do que o normal. Acima de tudo, porém, estava seu nariz. Somos capazes de reconhecer apenas cinco sabores – doce, salgado, azedo, amargo e o indefinível "outro" sabor conhecido como *umami* –, mas podemos reconhecer mais de mil odores.

Todo vinho tem um *bouquet* distinto, que os químicos dizem ser o resultado de uma confusa união de componentes voláteis.

Os componentes são voláteis porque reagem uns com os outros e com o ar, seus aromas amplamente responsáveis pelo sabor que sentimos quando tomamos um copo de vinho. A lactona pode remeter a nozes, os fenóis são picantes, enquanto o enxofre dá a um cálice de *sauvignon blanc* gelado, degustado no jardim numa tarde de verão, um matiz de grama fresca. Em seu livro *Molecular Gastronomy*, o gourmet e cientista Hervé This explica em detalhes fascinantes por que a experiência é intensificada quando os vinhos brancos são envelhecidos "nas borras", ou seja, envelhecem descansando sobre as células mortas das leveduras, que guardam maior concentração de enxofre. E como Eileen Crane, uma dentre os mestres vinicultores da Califórnia e presidente do Domaine Carneros, de Napa, me explicou numa tarde quente de verão, esses aromas são duplamente importantes para o champanhe. As borbulhas numa taça de champanhe são um sistema inigualável de liberação de aromas, que trazem mil perfumes à nossa mente, todos relacionados à elegância e alegria, antes mesmo do primeiro gole.

Barbe-Nicole provavelmente não sabia de nada disso. Em vista do estágio da ciência no início do século XIX, ela não poderia ter noção de que as moléculas do enxofre reagem com as enzimas da saliva para criar a experiência de um bom vinho. Mas ela possuía o dom de combinar bons vinhos. A ciência é prodigiosa, mas nada substitui os instintos de um conhecedor.

Talvez a ciência da produção de vinhos e os mistérios da arte habitassem a mente de Barbe-Nicole no ano seguinte, nos vastos salões de recepção do Hôtel Ponsardin. Ela estava orgulhosa, mas também ansiosa. Pilhas e pilhas de espumante aguardavam nas adegas, concentrando lentamente suas pequeninas bolhas. Mas o tênue período de paz, como sabiam agora, havia durado pouco. O acordo assinado com os ingleses em Amiens estava sendo rompido. Fora apenas uma breve trégua, de meros 14 meses. Ela observava o pai circulando pelo salão, acalentando novamente velhos sonhos aristocráticos. Clémentine e Thérèse moviam-se com elegância em seus vestidos farfalhantes. No centro, estava um homem de cabelos encaracolados e olhar intenso. Napoleão viera conhecer a indústria vinícola da região e passaria alguns dias como hóspede da família Ponsardin.

Naquela visita, ao ser recebido em Reims com cerimônia e opulência, talvez Napoleão tenha provado o champanhe Clicquot, embora ele ainda não fosse memorável. O jovem casal lutava com afinco para fazer de sua vinícola um sucesso, mas não tinha o atrativo das famosas adegas de Moët. Ainda não havia motivo para despertar o interesse do grande estadista, mas viria a ter. Antes que se passasse uma década, o champanhe Clicquot e a futura jovem viúva que se encarregaria de sua produção varreriam a Europa como uma tempestade.

Capítulo 6

A viúva da Champagne

Em 1804, François havia mudado radicalmente a direção da vinícola da família. As vendas na França tinham caído para míseros 7%, quando poucos anos antes atingiam 25% do total. Com o retorno das hostilidades com a Inglaterra, os pedidos vinham da Prússia e da Áustria ou de lugar nenhum. Mas no começo o negócio parecera promissor. No fim de 1803, quando os primeiros vinhos da casa foram oferecidos aos clientes, o total de encomendas subira modestamente, e Louis Bohne havia conseguido compradores entre os duques e príncipes dos impérios do leste.

Novamente na onda do entusiasmo, François planejava expandir o mercado cada vez mais para o leste. No início daquele verão, o alegre e corado Louis foi a Reims visitar François e Barbe-Nicole e todas as conversas foram sobre a Rússia. Louis queria abrir o mercado e já vinha preparando sua terceira viagem de vendas para a companhia. A jornada levaria bem mais de um ano e ele iria até a fronteira do Império Russo em busca de novos clientes.

Naquelas noites de verão, Barbe-Nicole ouvia a tudo passivamente, talvez com sua filha de cinco anos sonolenta no colo. Ela e François estavam aprendendo juntos os segredos do negócio e, com uma paixão tão intensa quanto a dele, ela desejava que seus planos obtivessem o sucesso que se anunciava no horizonte. Em julho, quando Louis finalmente partiu para a Rússia, levou com ele os votos de boa sorte e todas as esperanças de Barbe-Nicole. Dentro de algumas semanas, esperavam receber cartas dele e, em breve, notícias de vendas astronômicas.

Mas, quando chegaram, as notícias foram péssimas. Para François, deve ter sido uma terrível decepção e vergonha. Ele já havia passado pelo vexame de Londres e agora estava claro que a Rússia seria outro desapontamento. Escrevendo de São Petersburgo nos primeiros dias de outubro, Louis contava que havia se enganado quanto ao mercado: "O excesso de luxo [aqui] significa que o vendedor, uma vez deduzidas todas as despesas, não ganha nada e, se o ano for ruim, está perdido." De Moscou, as notícias eram piores. "O comércio nesse lugar é excessivamente corrupto e a má-fé está na ordem do dia", Louis escreveu, acrescentando com amargura que "as empresas estrangeiras são vistas como cabras leiteiras a serem ordenhadas." Ainda que tivessem encomendas, ele duvidava do pagamento.

No inverno de 1805, François estava deprimido. Os resultados da Rússia eram ínfimos, apenas uma porcentagem pequena de suas vendas. Além disso, enquanto Louis estava na Rússia, eles perdiam terreno na Alemanha. E ainda havia a guerra, que mais uma vez parecia interminável e fútil. O conflito com a Inglaterra, retomado no verão de 1803, arrebanhava cada vez mais combatentes e às vezes era difícil saber quais os mercados estrangeiros abertos e quais os fechados. O clima do comércio internacional piorava a cada semana, com notícias de mais batalhas e bloqueios.

O inverno foi o triste prelúdio de um período que os historiadores chamam de guerra da Terceira Coalizão, quando a Rússia, a Áustria e a Suécia se uniram à Inglaterra numa frouxa aliança contra a França. Napoleão nada fazia para amainar o clima político. Em dezembro, coroou-se imperador, não na catedral de Reims, como faziam os reis da França desde tempos imemoriais, mas em Paris. Ele agora reunia tropas para invadir a Inglaterra, possivelmente na primavera. Naquele momento não havia certeza de nada, mas uma intensificação da guerra já parecia inevitável nos meses a seguir. Imponente, Barbe-Nicole passava as tardes em sua sala de estar, curvada sobre algum trabalho de agulha ou folheando distraidamente um novo romance vindo de Paris, preocupada com o que o futuro traria.

Na primavera, a chegada de pedidos a Reims deve ter levantado o ânimo de François. Eram bem melhores do que esperava. Naqueles poucos meses eles despacharam mais de 75 mil garrafas de vinho, mais do que todas as vendas efetuadas em 1804. A Rússia, ainda não tragada pelo conflito incipiente, era responsável por um terço das vendas. O ano anterior tinha sido de dolorosos altos e baixos, e chegaram a duvidar de si mesmos e dos sonhos de François para conquistar o mercado internacional. Agora podiam comemorar aquela pequena vitória. Era um sinal de que estavam no caminho certo. Mas François continuava desanimado, deprimido.

Quando chegou o verão, vieram as chuvas. Eles conheciam bem os verões para saber que já não podiam esperar nada da colheita. Seria mais um malogro. Com um fracasso após outro, François só podia olhar para os vinhedos com desespero, calculando a cada momento quanto aquilo representaria em prejuízo para a empresa, talvez duvidando de sua capacidade em superar novos obstáculos. Ele havia tentado reinventar a firma herdada do pai, e tivera todas as vantagens: capital, excelente aprendizado, contatos dispostos a negociar e até um breve período de paz para construir a companhia.

E qual fora o resultado? Estava decepcionado. Seu pai certamente o advertira contra apostar o futuro no distante e incerto mercado russo. Já naquele momento, Napoleão e o czar Alexandre I tinham desavenças, e em setembro entrariam em hostilidade aberta. O futuro do mercado internacional era sombrio. Talvez tivesse sido um erro acabar com o comércio têxtil. Talvez engarrafar o vinho tivesse sido arriscado demais. Para quem via os campos enlameados e as uvas estragando nas videiras, as preocupações estavam por toda a parte.

Em certo momento do início de outubro, quando os vinhedos que subiam as encostas das montanhas de Reims estavam mais uma vez silenciosos às primeiras horas da manhã, depois do triste encerramento daquela colheita, François – se a versão contada pela família for verdadeira – deve ter se sentido exausto e consumido por uma ansiedade incontrolável. À medida que mergulhava cada vez mais fundo na depressão, a família começava a ficar seriamente preocupada.

A história conta que François contraiu uma febre infecciosa. Como tantos na Europa, eles temiam as epidemias desde o começo das guerras de Napoleão, sabendo que a doença estava ativa nos acampamentos militares populosos e insalubres. No século XIX, era uma morte fácil de imaginar. Fácil e conhecida. Por duas semanas, François sofreu do que os médicos chamavam simplesmente de febre pútrida ou maligna. Gerações posteriores conheceriam a doença como febre tifoide. Somente na segunda semana, quando começaram os vômitos e tremores, Barbe-Nicole compreendeu a terrível verdade sobre a enfermidade do marido. O olhar resoluto do médico deve ter confirmado suas suspeitas. Enquanto François lutava para respirar, o zumbido em seus ouvidos deve ter ficado mais alto e logo ele estava cuspindo sangue e atormentado por dores de cabeça. Manchas negras sintomáticas cobriram seu corpo, tornando sua língua uma crosta negra e infeccionada. A dor era contínua. Barbe-Nicole só podia assistir à sua agonia solitária.

Durante dias, Barbe-Nicole sofreu com ele, certamente cheia de inquietações com a saúde da filha. Deve ter acalentado secreta esperança de que ele fosse um dos felizardos, um dos sobreviventes. Esperança que logo se extinguiria. Em 23 de outubro, após dias de tormentos terríveis, ela deve ter sentido alívio quando François morreu. Três dias depois, entorpecida pela dor e pelo horror, a Viúva Clicquot enterrou o marido após uma missa fúnebre na sublime catedral de Notre-Dame de Reims. Aos 27 anos, Barbe-Nicole tinha que começar a imaginar o futuro sozinha.

ESSA, PELO MENOS, é a história mais citada sobre a morte de François. Se ele foi vítima de febre maligna, o médico que o assistiu necessariamente pouco entendia da verdadeira natureza da infecção. O tifo permaneceu uma doença temível durante a maior parte do século XIX e nada de útil podia ser feito pelo paciente que tivesse a infelicidade de contrair o mal. Mas se o médico que atendeu a família Clicquot durante aquela febre repentina tivesse se formado na universidade de medicina de Reims, deve ter percebido a cruel ironia. As propriedades antissépticas do champanhe eram tema de debates acalorados entre médicos e cientistas da região. Supunha-se que o vinho espumante era capaz de prevenir, ou até mesmo curar, a doença que levou François antes dos 30 anos de idade.

Em um panfleto do século XVIII intitulado *Question Agitated in the School of the Faculty of Medicine at Reims... on the Use of Sparkling Champagne Against Putrid Fevers and Other Maladies of the Same Nature* (1778), Jean-Claude Navier chega ao cerne da controvérsia. Pensava-se que o champanhe tinha propriedades curativas. "Contém", escreveu o dr. Navier, "... um princípio particular que os químicos chamam de gás, ou ar fixo, um princípio que o caracteriza essencialmente, um princípio reconhecido hoje como o mais poderoso antisséptico que existe na natureza."

Sabendo-se que o dr. Navier também estava no ramo do champanhe, temos o direito de indagar se era apenas mais uma oportunidade de fazer propaganda, como a lenda inventada sobre Dom Pérignon sessenta anos mais tarde. Afinal, o cunhado do dr. Navier era ninguém menos que Jean-Rémy Moët, um grande concorrente no setor. Mas parece que as improváveis afirmativas de que o champanhe curava febres eram bastante difundidas.

A tese não era simplesmente uma moda passageira no meio médico, nem um dos incontáveis métodos horripilantes de que os médicos lançavam mão no despontar do século XIX. Por mais de 100 anos a sabedoria convencional sustentou que a fermentação do vinho era comparável às infecções do sangue, o que levou a experimentos temerários – embora muito atraentes – de curas com o vinho. Mesmo em 1870, os médicos ainda acreditavam. Foi quando Charles Tovey escreveu, num livro chamado *Champagne*: "O champanhe, quando puro, é um dos vinhos mais saudáveis que se pode beber. Nas febres tifoides, na fraqueza, na debilidade, quando há deficiência das forças vitais, nada pode substituí-lo; ele capacita o sistema a resistir aos ataques de febre intermitente e maligna."

E pensar que uma garrafa de seu próprio vinho espumante podia ter salvo François! Ou talvez seu médico tenha tentado a cura pelo champanhe, mas a doença estivesse avançada demais para regredir, mesmo com um espumante da melhor qualidade. Certamente o champanhe seria um tratamento mais bem-vindo do que outros remédios do século XIX para a febre infecciosa, como as sangrias e lavagens. Esperamos que os momentos finais de François tenham sido aliviados por uma saudável dose medicinal do espumante rosê dos Clicquot, que ele e Barbe-Nicole se esmeraram em produzir.

Barbe-Nicole sabia que Philippe ficara arrasado com a morte do filho. A intensidade de sua própria dor não era nada em comparação com a depressão que se apossou do sogro. Ele mal falava de outra coisa além de seu desespero, mesmo em sua rotineira correspondência comercial. "Nada", ele escreveu em uma de suas cartas, "poderá jamais abrandar a profunda tristeza que sinto. Minha perda retorna a cada momento. A idade e a crescente enfermidade... fizeram-me determinado a me aposentar para descansar e tenho necessitado de um intervalo entre a vida e a morte." Abatido, Philippe ficou à espera da morte.

Talvez Barbe-Nicole tenha pensado em fazer o mesmo quando ouviu, horrorizada, os rumores que circulavam em Reims nas semanas seguintes à morte do marido. Era outra história sobre como François morrera. Cochichava-se que ele havia cometido suicídio. A cena é terrível demais para se imaginar: François deitado, branco e imóvel, numa banheira de água fria e sanguinolenta, talvez imitando a famosa imagem de 1794 do revolucionário Jean-Paul Marat assassinado, exposta hoje no Museu de Belas-Artes de Reims. O grito da criada ao encontrá-lo, ou talvez o choque paralisante do pai ao ver a faca caída da mão do filho, a lenta chegada do entendimento, a terrível convicção do que aquilo significava para sua alma eterna e, acima de tudo, a esperança aflita de encontrar um médico que guardasse segredo para que François fosse enterrado em solo católico.

Não há evidência direta de que o boato fosse verdadeiro. Pode ter sido pura maledicência ou alguma confusão em decorrência de certos sintomas da doença. Afinal, o primeiro sinal do tifo pode ter sido um sentimento de desesperança. A própria palavra *tifo* vem do grego, com o significado de "fumaça", porque seus primeiros sinais, e os mais persistentes, são confusão mental, uma ansiedade irracional, um desespero não específico. Como William Buchan dizia a seus leitores no século XVIII, em *The Domestic Medicine*, de 1797: "A febre maligna é geralmente precedida de uma notável fraqueza... Às vezes tão grave que o paciente mal consegue andar ou mesmo se sentar ereto. Sua mente fica seriamente debilitada, ele suspira e é tomado por terríveis apreensões."

Mas a história pode também ser verdadeira. Não há dúvida de que François estava abatido naquele outono. Os negócios iam mal. Já havia indícios de sua tendência a alternar fases de depressão e euforia sem causa aparente. Às vezes, as pessoas o descreviam como um homem de energia e entusiasmo irreprimíveis, que adorava fazer grandes projetos, ter grandes ideias vivendo com uma exuberância quase delirante. O outro lado de François parece ter sido mais sombrio.

Se Barbe-Nicole alguma vez comentou sobre isso, as cartas não sobreviveram. Mas algumas delas, trocadas entre Philippe e o filho, indicam que a propensão de François para o "desânimo" preocupava o pai. Escrevendo no Natal de 1793, Philippe aconselhava: "Não se entregue a um desalento melancólico que possa prejudicá-lo, retardar o desenvolvimento de suas faculdades e prolongar a fraqueza de seu temperamento. Sua felicidade, sua existência são tudo o que faz a minha preciosa." Ouvimos aqui a ressonância da preocupação de um pai com a saúde mental do filho.

Seja qual for a verdade, e esperamos que tenha sido a febre que levou François, Barbe-Nicole deve ter se ressentido com a causa atribuída ao suicídio: o fracasso comercial. Falava-se que, naqueles primeiros anos na direção dos negócios da família, François havia se dedicado a levar a empresa à ruína. Que havia desenvolvido uma estratégia de vendas fundamentalmente errônea, que havia se comprometido numa abordagem arriscada para a distribuição e tinha fracassado. Segundo um historiador do século XIX, "enquanto crescia com seu projeto grandioso, veio a morte e interrompeu a carreira de... [François] Clicquot, finado marido da Viúva Clicquot Ponsardin. Os rumores em Reims contam uma história diferente da morte desse notável personagem: dizem que ele cortou a própria garganta em desespero com o [in]sucesso do 'sistema comercial inteiramente diferente' que seu biógrafo lhe atribui".

A própria Barbe-Nicole certamente teve momentos de desespero naquele outono. Ela se lembrava de François como ele era: amável e generoso com a família, animado com os projetos para a companhia vinícola com que sonhava. Talvez ela também tenha passado por momentos de séria depressão, e certamente teve momentos de preocupação. De modo geral, eles haviam sido felizes e ela agora percebia que tudo em que haviam trabalhado em seus sete anos de casamento estaria perdido. Todos os riscos de abrir novos mercados em outros países, a aventura de fazer seus próprios vinhos, o futuro de uma empresa em que, apesar do papel mais limitado que lhe cabia, ela tinha tanto interesse quanto François.

Seu sogro, Philippe, não suportava pensar no futuro e todo o empreendimento estaria liquidado. Dizia-se que ele também se entregara a uma "profunda depressão", que talvez fosse tendência de família. Talvez a própria ideia do negócio familiar fosse uma lembrança dolorosa demais daquilo que perdera. Philippe reuniu forças para escrever a Louis Bohne, que estava na Rússia, dizendo-lhe que retornasse a Reims imediatamente. Não havia motivo para que Louis trouxesse pedidos a que não poderiam atender.

Louis ficou estupefato ao receber a carta com a notícia da morte de François. Eles eram mais do que empregado e empregador. Estavam construindo juntos uma companhia, e abrir o mercado de São Petersburgo era uma paixão dos dois. Mantinham uma relação calorosa, nascida de anos da correspondência que Louis enviava de seus paradeiros, contando as novidades das viagens, as novas expectativas, com relatos divertidos das perspectivas comerciais de cada cidade. Meses antes, eles haviam passado longas horas conversando com Philippe sobre os riscos e as recompensas da excursão à Rússia. Louis estimulara o entusiasmo de François pela aventura.

Ainda estariam comemorando o sucesso dos pedidos para aquele ano, mesmo com a perda da colheita. A *vendange* perdida seria uma verdadeira dor de cabeça em um ou dois anos, quando os vinhos deveriam chegar ao mercado, mas não era um desastre imediato. Naquele momento, as vendas estavam subindo e eles tinham reserva suficiente para as entregas. Tinham tempo pela frente. Mas, de repente, Louis recebia instruções para abandonar tudo. Olhando aquele dia desolado de novembro, sentindo os primeiros sinais de mais um inverno nas terras do norte, ele se apressou a obedecer. Ainda que não tivesse recebido instruções de Philippe, teria voltado a Reims imediatamente, pois esperava chegar a tempo de encontrar um modo de impedir que a Clicquot-Muiron fechasse as portas.

Louis viajou logo e chegou à Champagne em menos de um mês. Era uma distância de mais de mil quilômetros, percorrida alternadamente a cavalo, em carruagens e em barcas. Em dezembro, quando ele chegou a Reims, talvez Barbe-Nicole estivesse começando a formular seu ousado projeto pessoal. Afinal, ela já conhecia o negócio, pois vinha de uma família de empresários. Certamente se lembrava de que havia outras mulheres no mercado de vinhos, mulheres como a viúva Robert, que administrava o depósito em Paris, e a viúva Blanc, que fornecia alguns dos barris para a Clicquot-Muiron.

Barbe-Nicole sabia também que sua privilegiada classe de origem era uma complicação para suas intenções. As outras viúvas não provinham de famílias orgulhosas e importantes da burguesia. Cada vez mais, esposas e filhas de empresários ricos estavam destinadas a decorar os salões com sua aparência adorável e maneiras finas, e não ao mundo dos negócios. Se precisasse de um exemplo, bastava ver sua irmã Clémentine, que já era uma elegante dama do ócio doméstico. E havia que considerar as ambições de seu pai. Nicolas já estava íntimo de Napoleão, agora imperador da

França. Seu pai certamente preferiria vê-la casada de novo, e, de preferência, com um esplêndido padrão de vida.

Refletindo sobre as possibilidades, Barbe-Nicole reconheceu que a ideia que tomava forma em sua imaginação estava fora do compasso para o ritmo da época. O tempo em que as viúvas bem-nascidas podiam comandar um empreendimento familiar estava acabando, em parte porque o próprio modelo dos negócios de família também estava desaparecendo rapidamente. Isso era ainda mais visível em centros têxteis, como Reims, onde o futuro econômico estava nas grandes fábricas, agora administradas por profissionais, que haviam gerado a fortuna dos Clicquot e dos Ponsardin. Todos à sua volta concordavam que uma elegante jovem mãe não tinha lugar no mundo dos negócios. Já "a *bourgeoisie* de antanho, que cuidava dos livros [da companhia], havia... se metamorfoseado na dama em vestidos de sedas, absorvida pela vida social e religiosa". O caminho mais sensato a tomar seria abraçar uma vida calma e confortável de bem-educada invisibilidade, dedicada à maternidade doméstica e a uma piedosa circunspeção.

Não podemos saber precisamente quando Barbe-Nicole começou a imaginar um futuro diferente, nem quando começou a acreditar que ele poderia realmente ser possível. Talvez fosse apenas um vago projeto em que pensava de vez em quando, naqueles primeiros tempos de luto, quando sofria não só por François, mas também pelo fim do empreendimento a que ele se dedicara com tanta paixão. Mas em dezembro, quando Louis Bohne retornou atendendo à terrível carta que comunicara a morte de François, encontrou Barbe-Nicole interessada em ouvir o que ele tinha a dizer sobre as possibilidades futuras da companhia. Ela parecia ter ganho energia com seu retorno. Quanto a salvar o negócio, Barbe-Nicole e Louis concordavam plenamente. O problema era convencer os outros.

Capítulo 7

Sócia e aprendiz

Olhando para o teto de seu quarto nas primeiras horas da manhã do dia 10 de fevereiro de 1806, Barbe-Nicole talvez sentisse náuseas. O sino da igreja bateu seis horas e, sem se virar para olhar, ela sabia que o horizonte ainda era apenas um leve borrão de cinza matinal.

Era sua hora rotineira de despertar, mas aquele dia nada tinha de rotineiro. Depois de meses de reflexão e secreta ansiedade, dias e dias de dúvidas e autopersuasão, aquele era o dia em que assinaria os documentos de uma sociedade arranjada com um homem que ela só conhecia de passagem. Era a segunda vez que isso acontecia em sua vida. Mas desta vez não era um casamento. Era uma sociedade comercial. E os riscos eram ainda maiores. Barbe-Nicole estava arriscando a fortuna da família e com ela a independência que só recentemente percebera que havia conquistado como viúva. Em especial como a viúva de um rico industrial.

Na meia-luz cada vez mais clara da madrugada, enquanto seu olhar vagava pelo quarto, pelo teto decorado e as janelas altas, pelo lustro dos móveis polidos nas sombras, talvez, por um instante, ela tenha pensado sobre a vida que poderia ter escolhido agora que François se fora. Poderia passar os verões no campo, em algum lugar fresco e agradável, os invernos em Reims ou talvez até em Paris, com suas queridas primas do ramo Le Tertre, da família de sua mãe. Não teria preocupações com dinheiro nem com o futuro. Não teria motivo para acordar com o estômago dando voltas.

Ao colocar os pés no chão, percebeu também que o que sentia era entusiasmo. Raras vezes se sentira tão viva e tão determinada. Precisava daquela mesma determinação para convencer o sogro a deixá-la assumir a empresa. Philippe tinha sido o único empecilho que ela não podia descartar facilmente. As dúvidas dele quanto à capacidade de uma mulher gerir um empreendimento comercial em crise, principalmente com absoluta falta de experiência no mundo dos negócios, por vezes pareceram um obstáculo insuperável. Mas, afinal, ela pensou com um sorriso, ele havia concordado em deixá-la tentar. Barbe-Nicole estava contente por saber que homens da geração de Philippe ainda podiam imaginar a possibilidade de uma mulher de negócios na família, mesmo naquela nova era industrial. Jamais esqueceria como ele havia sido gentil, pois não somente lhe dera sua bênção, mas prometera ser o primeiro investidor, com uma quantia de quase meio milhão de dólares. Em seguida, ambos choraram um pouquinho pensando em François.

Philippe havia depositado confiança em seu entusiasmo e persistência, sob uma condição inegociável. Permitiria que ela tentasse a empreitada desde que se submetesse a um aprendizado. Teria que trabalhar durante quatro anos com um sócio que Philippe escolheria. Depois, se ainda quisesse levar a dura vida de uma viúva empresária e pudesse convencê-lo de seu tino para negócios, ele não ia mais interferir.

Assim, aquele era o dia em que assinariam o acordo financeiro e o contrato legal para formar a nova companhia. Mais uma vez, ela entraria numa sociedade arranjada com um homem. Seu nome era Alexandre Jérôme Fourneau e tinha a idade de seu pai. Tanto Philippe quanto Nicolas o conheciam bem. Outro rico comerciante do mercado têxtil, Alexandre pertencia ao mesmo pequeno círculo, em Reims.

Mas Alexandre era também fabricante de vinhos. Assim como Philippe, ele mantinha o comércio de bebidas como uma atividade secundária. E o mais importante é que era não apenas um distribuidor, mas conhecia bem a arte da produção. François havia arriscado o negócio da família ao começar a engarrafar, mas Alexandre já vinha fazendo isso e muito mais. Ele cultivava as uvas, fazia os vinhos básicos e, ao abrir o caminho da integração no processo de produção, sem dúvida vinha eliminando alguns dos pequenos concorrentes. Barbe-Nicole vinha se empenhando em aprender tudo o que podia, mas precisava dominar os segredos da fabricação. Agora tinha quatro anos pela frente e um professor severo.

Seu casamento havia começado num porão úmido. E a sociedade de hoje também a levaria a um porão, pensou com alguma tristeza. Mas agora era um tipo bem diferente de casamento, ela não estaria vestida com o branco juvenil de uma noivinha patriota. Era uma viúva, o que significava um futuro de vestidos pretos, cinza e marrons, e algum dia, talvez, um roxo mais escuro. Olhando-se no espelho pela última vez naquela manhã, ela decidiu que não se importava. Nunca tivera vocação para socialite. Seria perfeitamente feliz usando os tons sombrios da viuvez pelo resto da vida. O sinal visível de seu luto poderia deixar as pessoas mais dispostas a aceitar o exercício da liberdade que acompanhava sua condição, e que ela queria aproveitar plenamente.

Como viúva, Barbe-Nicole tinha direito a gerenciar sua própria vida. Era uma situação única na cultura francesa do começo do século XIX. As viúvas tinham toda a liberdade social das mulheres casadas e quase toda a liberdade financeira dos homens.

Sob as leis do Código Napoleônico, uma mulher de negócios casada tinha uma existência legal subalterna. Segundo as leis, uma empresária não poderia sequer assinar um contrato sem a permissão do marido. Mas, como viúva, principalmente como uma mulher de negócios conhecida no mercado, Barbe-Nicole podia tomar suas próprias decisões. Ainda assim, ninguém esperava realmente que ela assumisse o controle da fortuna da família. Certamente não se esperava que arriscasse a fortuna num investimento comercial, e menos ainda numa companhia que se propunha a administrar.

O casamento não era uma parceria de direitos iguais naquela época, mas essa nova sociedade deveria ser. Tanto ela quanto Alexandre investiram 80 mil francos cada um. Era uma grande soma em dinheiro, oitenta vezes o salário anual de um vendedor principiante na companhia. É difícil calcular exatamente o que esse investimento representaria hoje. O padrão de vida era bastante diferente naquela época e o valor do dinheiro era extremamente flutuante durante as guerras de Napoleão. Mas podemos considerar que, 30 anos depois, um trabalhador sem especialização ainda ganhava menos de 400 francos por ano.

À taxa de um franco para 20 dólares atuais é provavelmente um cálculo convencional. Significa que um desafortunado trabalhador braçal ganhava menos de 8 mil dólares e um jovem vendedor recebia perto de 20 mil dólares por ano, um salário baixo o suficiente para convencê-lo do valor de suas comissões. A uma média de 3,5 francos no começo do século XIX, uma garrafa de champanhe agora alcançava o preço de 70 francos. Levando em conta esses números, Barbe-Nicole investiu o equivalente a mais de 1,5 milhão de dólares no novo empreendimento. Philippe entrou com outros 30 mil francos, quase 500 mil dólares, presumivelmente para estoque de vinhos. Era um total de quase 4 milhões de dólares de capital investido numa companhia liderada, pelo menos aparentemente, por uma mulher jovem e inexperiente no mundo dos negócios.

Àquela altura, em 1806, a família Clicquot saía oficialmente do ramo têxtil. Vender peças de lã, como seu pai, não fazia parte da visão que Barbe-Nicole tinha de seu futuro no comércio. Por outro lado, os novos sócios não queriam perder a antiga clientela que Philippe e François haviam conquistado no mercado de tecidos. Tiveram o cuidado de manter os contatos e enviaram a todos os clientes uma circular em que se lia: "Renunciando ao comércio em têxteis, nos reservamos apenas ao do vinho de nossa safra, tanto os espumantes quanto os comuns." Embora os novos parceiros não fabricassem *todo* o vinho distribuído pela nova Veuve Clicquot Fourneaux e Companhia, 75% eram produzidos pelos sócios, muito mais do que François jamais conseguira.

BARBE-NICOLE HAVIA INICIADO seu empreendimento num momento comercial extremamente incerto. Estavam no meio de uma guerra que tendia a piorar a cada mês que passava. O sucesso não apenas era incerto, mas improvável. No entanto, naquele primeiro ano, a sorte de principiantes estava com os donos da Veuve Clicquot Fourneaux. Em seu primeiro golpe de sucesso, Barbe-Nicole e Alexandre negociaram cinquenta mil garrafas de champanhe, no espantoso total de 3 milhões de dólares. Mas a remessa precisava passar pelos bloqueios militares que, em 1806, fechavam as estradas de toda a Europa. Seria uma grande proeza, que exigia inteligência aguda e nervos de aço.

Ao efetuar essas vendas, eles desafiaram o recém-estabelecido Bloqueio Continental de Napoleão, que consistia numa série de restrições com o objetivo de criar um estrangulamento econômico a seus inimigos da Inglaterra, Prússia, Alemanha e, mais uma vez, da Rússia. Em retaliação, a coalizão impedia a passagem de comerciantes franceses, e tentar romper os bloqueios significava arriscar-se a perder toda a mercadoria. Nenhuma seguradora cobriria um produto tão cobiçado em tempos de guerra quanto o champanhe. O plano de Barbe-Nicole e Alexandre era mandar os vinhos para Amsterdã, onde seriam embarcados num pequeno ponto de rotas marítimas comerciais francesas, evitando os portos fechados de Dieppe e Bruxelas. Dali a mercadoria seria enviada para a Alemanha, Escandinávia e até para a Rússia, passando discretamente pelo pequeno porto prussiano de Memel, atual Lituânia. Os sócios devem ter sorrido ao pensar na surpresa dos concorrentes. Numa guerra que estava arruinando toda a atividade comercial, eles haviam descoberto a saída pela porta dos fundos.

A princípio tudo indicava que haviam descoberto um itinerário à prova de qualquer risco. Naquela primavera, quando Alexandre lhe deu a notícia de que a mercadoria havia chegado em segurança a Amsterdã, Barbe-Nicole, enfiada nos livros de contabilidade em Reims, ficou feliz. O carregamento havia saído da França sem problemas e tinha atravessado o Canal sem enfrentar o pior da guerra.

E então veio o baque mortal. Enquanto os vendedores aguardavam no porto, conferindo o embarque da mercadoria, a terrível notícia atravessou a multidão que lotava o cais. Todo o burburinho e a agitação foram cessando lentamente, dando lugar a um silêncio desconfortável e agourento. Amsterdã estava bloqueada. O porto estava sendo fechado e o navio que Alexandre e Barbe-Nicole haviam fretado para transportar os vinhos até a próxima etapa da viagem não tinha autorização para zarpar.

Houvera apenas a mais estreita das saídas, que agora estava perdida. Decididos a reforçar o isolamento econômico da França e de seus aliados, os ingleses haviam fechado dezenas de portos até o Mar do Norte. Se o carregamento houvesse partido alguns dias ou mesmo algumas horas antes, a catástrofe teria sido evitada. Desesperado, Alexandre enviou uma mensagem a Reims: "Comércio marítimo totalmente arruinado e, portanto, todo o comércio no continente." Agora a única opção era estocar os vinhos em Amsterdã e rezar para que os portos abrissem logo.

Em maio, já se sabia que a espera seria longa. Os ingleses estavam determinados a manter os portos fechados indefinidamente. Mas o vinho não podia esperar. As condições de armazenagem em Amsterdã eram precárias, e o vinho é temperamental. Alexandre retornou à França preocupado e resignado. Barbe-Nicole já sabia que o pior tinha acontecido. Foi um verdadeiro desastre.

Nada havia a fazer senão reconsiderar e redefinir. A Veuve Clicquot Fourneaux tinha que seguir em frente. Era uma perda enorme, mas havia outras vendas a fazer, outros pedidos a entregar. Havia sempre novos vinhos exigindo atenção. Mas quando, naquele ano, o verão tingiu os campos da Champagne de um dourado luminoso e os frutos das videiras se tornaram escuros e pesados, Barbe-Nicole, ainda com o coração cheio de pesar pelo ano anterior, deve ter pensado em todas aquelas garrafas, cerca de um terço da produção anual, guardadas num armazém calourento em Amsterdã. O champanhe explodindo com o calor, o vinho claro escurecendo e melando com os sedimentos. Era horrível.

O vinho armazenado em más condições estraga-se facilmente. Por isso colecionadores sérios gastam tanto tempo preocupados com a temperatura e a umidade das adegas. O ideal é que o vinho seja guardado em lugar escuro e frio, a uma temperatura em torno de 13°C, ou 55°F, com pelo menos 70% de umidade. Contudo, mesmo uma boa armazenagem não é garantia de que o vinho mantenha seu melhor sabor ao ser aberto. O segredinho sujo da indústria atual é que 5% dos vinhos colocados no mercado são "rolhados", isto é, prejudicados por uma substância química com cheiro de mofo chamada TCA, que significa 2,4,6-tricloroanisola. Esse comprido nome científico sugere algo bem mais complicado do que é na realidade. TCA é o infeliz resultado de fungos carcomendo a cortiça. A rolha não tem cheiro, mas o mau odor de um vinho "rolhado" é inconfundível.

No comando de uma empresa vinícola bem fundada, mas ainda incipiente, Barbe-Nicole e Alexandre tinham preocupações maiores do que TCA e rolhas contaminadas. As mudanças de temperatura podiam transformar todo o carregamento de seu champanhe numa mistura pegajosa impossível de colocar no mercado. Os clientes preferiam deixar de saborear o champanhe porque desejavam acima de tudo um vinho claro e espumante.

Às vezes, no momento em que a garrafa subia da adega, tornava-se óbvio que algo estava errado, pois o líquido tinha aparência suja e embaçada. Dentro da garrafa boiavam filamentos pegajosos, como cobras oleosas, ou havia depósitos de cor suspeita que não assentavam e não saíam no despejo. Ainda pior, o vinho poderia estar o que Barbe-Nicole chamava de "podre", com a consistência gelatinosa de clara de ovo.

As causas prováveis eram problemas que haviam começado durante o estágio no barril, com o processo de fermentação malolática. Assim como a fermentação do açúcar e do fungo que produz a autólise, a fermentação malolática é uma reação orgânica que contribui para criar o sabor dos vinhos finos. Junto às leveduras naturais que a uva contém, estão presentes também algumas bactérias. Essas bactérias criam um segundo tipo de fermentação, em que o amargo ácido málico do vinho é lentamente transformado em ácido láctico de textura suave e cremosa, produzindo mais dióxido de carbono e mais bolhas deliciosas.

Era difícil obter a fermentação malolática correta no século XIX, principalmente com uvas menos açucaradas, comuns numa região do norte como a Champagne. O maior problema estava em saber se a reação malolática tinha se completado antes do engarrafamento. Se não estivesse completa, as bactérias tendiam a reaparecer sorrateiramente no vinho pronto, com resultados bem menos desejáveis. Defumar os barris com enxofre, que é um antisséptico natural, ajudava um pouco, mas a única solução efetiva era trasfegar compulsivamente, isto é, deixar o vinho descansar em uma adega fria e passar de um recipiente para outro, de modo que os resíduos permanecessem no fundo, repetindo várias vezes o procedimento. Mesmo assim, só se podia ter certeza de que o trabalho havia sido bem-feito quando se via o produto final.

Se o champanhe estivesse turvo, sabia-se que o processo dera errado. Enquanto o vinho ainda estava na adega, havia opções. Uma delas era deixá-lo na parte mais fria do ambiente porque às vezes os resíduos em suspensão assentavam naturalmente no fundo. Mas quando o vinho embaçava já a caminho da entrega, era doloroso. Se houvesse uma mudança drástica de temperatura, um vinho que saía transparente da adega podia turvar imediatamente. O que era parte do problema no desastre de Amsterdã.

Pior ainda do que pensar em tantas garrafas de bom vinho se deteriorando em Amsterdã era a conta a pagar. O custo da armazenagem e as taxas portuárias eram de causar indignação. Com dezenas de navios apanhados de surpresa no fechamento do porto, os proprietários de armazéns e adegas podiam cobrar preços de tempos de guerra. A cada dia que passava, as perdas financeiras aumentavam. Talvez os vinhos já estivessem totalmente perdidos, mas continuavam a pagar regiamente pela armazenagem. Mesmo se os portos fossem abertos miraculosamente, seria difícil vender caso já tivessem começado a deteriorar. Por fim, em agosto, precisaram enviar um vendedor para tomar providências – ainda que fosse para jogar fora todo o vinho.

Quando Charles Hartmann chegou à Holanda, confirmou seus piores temores. O vinho foi encontrado em estado lamentável. "Pedi ao bom Deus", ele escreveu a Barbe-Nicole e Alexandre, "que me permitisse encontrar nossos vinhos de tal maneira que eu pudesse lhes enviar boas notícias, mas minhas preces não foram absolutamente atendidas. Abri a primeira caixa com mãos trêmulas... Peguei uma garrafa, trêmulo, removi a palha e o papel de seda, mas, em vez do vinho claro e brilhante que esperava, vi apenas um depósito do tamanho de um dedo, que só consegui desfazer depois de sacudir a garrafa por um minuto inteiro."

Hartmann passou semanas a fio conferindo o estoque, garrafa por garrafa, salvando o que podia. Sacudia firmemente garrafas turvas, na esperança de que os sedimentos em suspensão tornassem a precipitar, clareando o vinho a ponto de torná-lo vendável. De modo geral, as notícias foram catastróficas. Somente no fim de setembro ele conseguiu vender o que pôde salvar do carregamento. Mais uma vez, tinham que correr o risco de fechamento de portos durante a remessa da mercadoria. Os vinhos foram enviados para o porto aberto de Copenhague e dali embarcados para a Prússia em rápidos barcos costeiros. "Rezo dia e noite pedindo ao bom Deus que envie um corsário para levar a carga", escreveu Hartmann. Pelo menos assim se livrariam do maldito carregamento.

À perda total de Amsterdã seguiu-se rapidamente a notícia de que todo o mercado estava à beira do colapso. Louis Bohne havia partido em abril para a Alemanha e a Rússia, em outra maratona de viagens de vendas. Mas agora escrevia que não havia esperanças no mercado alemão: "O país não teve dinheiro sequer para as piores safras no ano passado e, depois de 15 anos de guerra, desistiu de poder comprar nossa bebida de luxo... O resultado é que é necessário que todo mundo se dirija para o norte... É só guerra, guerra e guerra!" Ninguém tinha dinheiro nem disposição para tomar champanhe.

Finalmente chegaram da Rússia inesperadas boas notícias. Louis soube que a imperatriz Elizabeth Alexeievna estava grávida. "Que bênção para nós", ele escreveu a Barbe-Nicole e Alexandre, "se ela der à luz um príncipe... esse país imenso vai beber um mar de champanhe. Não comentem, senão todos os nossos concorrentes virão imediatamente." Em mais de 12 anos de casamento, a imperatriz dera à luz apenas uma vez, a uma menina, e essa filha morrera ainda muito pequena. Passados todos aqueles anos, o czar comemoraria o nascimento de um filho e herdeiro com prodigiosas festividades, em que Louis esperava incluir seu champanhe furtivamente exportado. No início do outono, ele rumava para a fronteira russa, com guerra ou sem guerra. Viria a ser a mais perigosa aventura de sua carreira.

A vida de um vendedor internacional era traiçoeira mesmo nos mais tranquilos tempos de paz. Um viajante comercial sempre corria riscos. Em geral, as condições das estradas eram péssimas, estreitas e esburacadas. As carruagens capotavam com frequência, no equivalente aos modernos acidentes fatais de carro. Navios se perdiam no mar. Naquele ano, um dos empregados de Barbe-Nicole quase morrera num naufrágio na costa da Noruega. Sua carta descrevendo o terror a bordo do navio afundando causou grande pesar em Reims.

Durante a guerra, todos os perigos eram intensificados e Louis sabia que arriscava a vida ao ir à Rússia. O risco não se resumia a ser pego no fogo cruzado entre exércitos inimigos. O problema era que um francês entrando em território inimigo no meio de uma guerra que a Rússia estava em vias de perder, com a intenção de conquistar a aristocracia com vinho espumante e o charme de uma cultura sofisticada, era altamente suspeito. Antes de entrar em território russo, Louis escreveu a Barbe-Nicole e Alexandre, dizendo-lhes que censurassem suas cartas. Evitem "falar sobre política", ele pedia, "é muito perigoso nesse país".

Apesar de todas as precauções, Louis não tardou a descobrir que suspeitavam de que ele fosse um espião francês. Na primavera de 1807, depois de enfrentar um inverno rigoroso em São Petersburgo, havia um tom de pânico nas cartas enviadas a Reims. Louis sabia que sua correspondência era censurada e temia ser preso a qualquer momento. Na primeira oportunidade, enviou uma mensagem a seus empregadores aos cuidados de um amigo que retornava à França, implorando: "Pelo amor de Deus, não falem sobre política se não quiserem comprometer minha liberdade e minha vida; a deportação para as minas da Sibéria é o castigo para qualquer indiscrição; todas as cartas são abertas."

Talvez o inverno rigoroso na capital tenha lhe dado uma ideia bem clara do que a Sibéria prometia. Por outro lado, sair de lá precipitadamente decerto seria tão suspeito quanto ficar, de modo que Louis se viu obrigado a permanecer pelo menos durante a primavera, quando as estradas estariam abertas para uma viagem mais fácil. Quando dias mais quentes vieram, tiveram notícias de um Louis aliviado e já na estrada, saindo da Rússia em direção oeste.

Apesar de tudo, a Rússia se revelou outro fracasso colossal. No outono, a imperatriz deu à luz outra menina e, como a primeira, a criança morreu cedo. Além disso, corria o boato de que a menina não era filha do czar, mas do belo amante de Elizabeth, e o imperador não estava nem um pouco inclinado a gastar somas fabulosas em comemorações regadas a champanhe. Louis conseguiu alguns bons pedidos, mas fazer negócios tão longe de casa vinha se tornando absurdamente caro e Barbe-Nicole e Alexandre ainda não sabiam como entregar seus vinhos naquele país. E se não pudessem atender aos pedidos, não conseguiriam se sustentar.

NO ANO SEGUINTE, Barbe-Nicole passou muito tempo tentando encontrar um meio de fazer entregas aos clientes estrangeiros. No verão de 1807, ao chegar a notícia de que um tratado de paz franco-prussiano surgia no horizonte, eles se defrontaram com um grave dilema. Quando o embargo comercial à Rússia fosse suspenso, haveria uma corrida desenfreada para as fronteiras. Os primeiros fornecedores capazes de colocar o produto no país pegariam todas as vendas fáceis. Eles já recebiam pedidos de champanhe vindos da Rússia, da Áustria e da Prússia. Mas ninguém esperaria por seus vinhos se seu concorrente, Jean-Rémy Moët, chegasse na frente. A única opção era enviar mais uma vez um carregamento para Amsterdã, de onde seguiria rapidamente para a Rússia tão logo o mercado abrisse. Até lá, ficaria armazenado à espera da abertura.

A espera durou algum tempo. A situação depressiva, velha conhecida de Barbe-Nicole, perdurava durante o outono. Ainda não havia um tratado de paz. Os vinhos estavam novamente enfiados num armazém holandês. Os livros de contabilidade lhe davam uma dor de cabeça lancinante e bastaria mais uma sucessão de desastres para que a Veuve Clicquot Fourneaux estivesse fora do mercado. A correspondência da empresa revela que Alexandre vai sumindo pouco a pouco no horizonte. Talvez ele suspeitasse de que seu investimento inicial não seria recuperado. Ou talvez houvesse um aumento de tensão entre os sócios, porque, apesar dos fiascos, Barbe-Nicole teimava em afirmar que eles precisavam manter o foco no mercado internacional. Ela estava tão decidida que até pensou, pela primeira vez na vida, em infringir a lei.

Barbe-Nicole começou a brincar com a ideia de enviar seus vinhos como contrabando. Até então eles eram embarcados em navios particulares, que contornavam os portos fechados, tentando evitar a detenção e o confisco da mercadoria. O contrabando era algo muito mais grave, que implicava fazer um acordo com o comandante de um navio estrangeiro, provavelmente do lado inimigo. Nos meses finais de 1807, parecia a única alternativa que restava, a não ser que ela deixasse pela segunda vez os vinhos apodrecendo no inadequado armazém de Amsterdã.

Em troca de uma alta soma, era possível contratar o comandante de um navio estrangeiro, inglês ou americano, para levar a carga a portos fechados, encobrindo a origem francesa do produto. Barbe-Nicole vinha pensando nisso, mas hesitava, certamente porque conhecia o enorme risco do contrabando de champanhe. Caso um dos navios fosse abordado para inspeção, seria difícil negar que o espumante era proveniente da França.

Até então, o que salvava os comerciantes do produto era, em parte, a sua exclusividade. Nas cortes europeias, uns poucos privilegiados vinham se servindo dele por mais de um século. A guerra havia aumentado perversamente o anseio desses privilegiados pelo espumante. Era um impulso semelhante a saquear a adega do *Titanic* enquanto o navio afundava. O champanhe sempre teve a vantagem de ter uma única proveniência, e os franceses insistem nesse ponto. O verdadeiro é produzido somente na região da Champagne, na França, que atualmente se limita a 323 cidades registradas, e tudo, desde as datas das colheitas até a poda das videiras, é rigidamente controlado.

A determinação em proteger a integridade do champanhe, tanto como produto quanto como monopólio de marketing, começou justamente no início do século XIX, assim como a própria indústria. Mas somente em 1844, percebendo que o nome estava rapidamente se tornando genérico, os produtores entraram com uma ação judicial para evitar que outros fabricantes de espumantes usassem a palavra champanhe. A batalha legal ainda não chegou ao fim. Para escapar ao destino que rotula genericamente produtos como Band-Aid ou Gillette, os vinicultores da Champagne processam quem quer que ouse usar o nome. Até o termo descritivo *champenoise*, que significa "no estilo da Champagne", empregado para descrever vinhos espumantes fabricados à maneira tradicional, resultam em processo judicial.

Na primeira década do século XIX, os produtores da região não se preocupavam com o uso indevido do nome. O espumante ainda não era um grande negócio e na mente dos consumidores, que se limitavam a uma elite ligada à realeza, ele naturalmente provinha apenas daquela pequena parte do mundo. Mas quando se tratava de despachar champanhe de portos fechados, a inconfundível origem francesa do vinho já significava que não havia meio de negar sua fonte. Barbe-Nicole deve ter hesitado em apostar numa manobra como essa, um produto que trazia uma marca tão óbvia e singular.

A CRUEL IRONIA FOI QUE, em 1808, havia na Rússia uma grande demanda dos vinhos da Viúva Clicquot. O que demonstra que o reconhecimento da marca nem sempre corresponde ao volume de vendas. Muito do seu sucesso se devia a Louis Bohne. A tensão política havia amainado e Louis estava novamente na Rússia, mais decidido do que nunca a conquistar o mercado. De fato, durante os quatro anos seguintes, França e Rússia manteriam uma paz intranquila e sempre frágil, em meio ao conflito que grassava na Europa. Agora, no início da paz, Louis sabia que havia colaborado na estratégia internacional de Barbe-Nicole e era preciso aproveitar o momento. Além disso, Louis ganhava comissão pelo trabalho. Embora tenha escrito que "grande parte da Europa [fora] destruída pela fome, e que as exigências da ocupação" e "a miséria dos tempos são contrárias aos efeitos do luxo", ele perseverou fielmente em seu trabalho.

Tanto o nome da companhia quanto as quantidades limitadas de vinho que conseguiam fazer entrar no país já tinham excelente reputação. E o nome de Barbe-Nicole era cada vez mais reconhecido pelos clientes. Ironicamente, a desconhecida Viúva Clicquot se tornava uma marca na Rússia antes mesmo que pudesse tomar suas próprias decisões como empresária. Ao contrário da popularidade de muitas outras marcas famosas com nomes de mulheres nos anos seguintes, seu sucesso não se devia a qualquer estereótipo de beleza ou charme pessoal. Os russos não deviam ter a menor ideia de que por trás daqueles vinhos havia uma mulher pequena e cabeça-dura, com apenas 30 anos de idade. Como Louis lhe dissera, nas casas mais elegantes já "existem raras vantagens que nos trazem uma marca cada vez mais conhecida entre nossos concorrentes e não precisamos aguardar a paz geral para aproveitá-las...

[A] reputação favorável ligada ao nome Clicquot nos países estrangeiros... é invariável e pode ser considerada a única base do seu estabelecimento". "Seu estabelecimento..." Pelo visto, todos já entendiam quem estava no coração daquela sociedade comercial.

No outono de 1808, durante poucos meses maravilhosos, houve uma folga. Naquelas semanas de entusiasmo, Barbe-Nicole podia imaginar o que seria um comércio livre de obstáculos. Os bloqueios haviam sido levantados e eles se apressaram a embarcar os vinhos. Cinquenta mil garrafas chegaram intactas a São Petersburgo e choviam pedidos. Por um momento parecia que o pior havia passado.

Mas na primavera de 1809 Barbe-Nicole entendeu que era apenas o começo de outra longa temporada de lutas. De repente, a economia despencou em todo o continente e tudo se agravou ainda mais do que se poderia imaginar. O comércio chegou praticamente à imobilidade e, carta após carta, seus vendedores enviavam a mesma mensagem: "Em toda parte... o comércio está absolutamente parado." Em julho, até Louis admitiu a derrota. Não havia motivo para permanecer na Rússia. A Europa estava à beira do colapso financeiro e a França tinha a maior parte da culpa. Em meio a tudo isso, Napoleão apenas apertava mais o cerco. Em Cracóvia, seus representantes de vendas foram ameaçados de prisão e receberam "ordem para deixar a cidade e os estados da Áustria". Subitamente ninguém mais pensava em luxos como o champanhe. E ninguém queria nada com a França.

Barbe-Nicole entendia agora que os portos estariam fechados durante meses, talvez anos. Não haveria mais exportações clandestinas. Não havia esperteza ou energia que pudesse levar seus vinhos a clientes internacionais, ainda que houvesse clientes esperando por eles. E não havia. O mercado estava em crise. Não havia a menor dúvida quanto a isso. Em 1809, conseguiram vender somente 40 mil garrafas, muitas delas na própria França. Barbe-Nicole voltou-se para o mercado doméstico na esperança de manter o negócio, mas pouca gente tinha dinheiro para se permitir gastar em champanhe e vinhos finos. Ainda mais raros eram os que tinham motivo para comemorações.

Na primavera de 1810, os pedidos estavam novamente por um fio e em julho veio o golpe final. Por ordem do imperador, todas as firmas de exportação precisavam de licenças caríssimas, expedidas pelo governo, e os bancos em toda a Europa começaram a falir com uma frequência alarmante. Por muitos meses não receberam notícias de Louis, e Barbe-Nicole começou a preocupar-se, pensando se algo terrível teria lhe acontecido. Finalmente chegou uma carta. Só podemos imaginar o que se passou na mente de Barbe-Nicole ao receber o envelope com o lacre de cera colorida. Talvez tenha pensado que Louis mais uma vez os salvara. Talvez contivesse notícias de pedidos estupendos ou de paz surgindo no horizonte. Sua mão hesitou por um instante antes de desdobrar as folhas de papel e ela leu a única notícia que ele podia mandar, com devastadora simplicidade: "O comércio está totalmente parado."

Contemplando a carta por um longo tempo, Barbe-Nicole deve ter temido escrever sua resposta. Não seria fácil tranquilizar Louis, ele não acreditaria em nada que ela pudesse dizer para restaurar-lhe a confiança. E havia outra coisa que ela precisava contar-lhe. Em 10 de julho expirava o contrato de quatro anos que mantivera a Veuve Clicquot Fourneaux em funcionamento. Não seria renovado. Alexandre não via futuro para a companhia e estava aproveitando a oportunidade para sair, levando sua metade do capital. O triste fracasso que se seguiu ao ciclo de esperança cobrava seu preço dos dois sócios da Veuve Clicquot Fourneaux. Pela segunda vez na vida, Barbe-Nicole se deparava com um futuro incerto, e desta vez estava realmente só.

Capítulo 8

Sozinha, a um passo da ruína

Não apenas para Barbe-Nicole, mas também para toda a família Ponsardin e para a indústria vinícola em geral, 1810 foi um ano de grandes transições. Barbe-Nicole sabia que seu contrato de sociedade com Alexandre expirava naquele verão e a decisão de não renovar não era mistério nenhum. A continuidade da guerra com a Inglaterra e o Bloqueio Continental impossibilitavam as exportações, e a margem de lucro era muito pequena. Desde a primavera, ela sabia que em breve seriam exigidas licenças caras para o envio de mercadorias para fora do país.

Além disso, o filho de Alexandre, Jerôme, havia completado sua formação comercial e era compreensível que o pai estivesse ansioso para colocá-lo no mercado. Não havia motivo para prender Jerôme a um contrato de longo prazo com um decadente negócio familiar, numa sociedade com uma jovem viúva muitos anos mais velha que ele – principalmente uma viúva que tinha a clara intenção de comandar o empreendimento.

Ao que parecia, Barbe-Nicole não pretendia casar-se novamente, mas, se quisesse, Jerôme Fourneaux teria sido uma escolha conveniente. Talvez houvesse surgido uma breve chama de romance, pois, embora Jerôme e o pai estivessem colocando suas energias na expansão de sua própria vinícola – fundada em 1734 pelo avô de Alexandre com o nome de Forest-Fourneaux –, nos primeiros anos o jovem continuava a ajudar Barbe-Nicole nos detalhes mais requintados da produção, apesar do fato de ser agora seu concorrente.

Seu empreendimento, renomeado simplesmente como Fourneaux e Filho, exigia a atenção de Alexandre e de Jerôme, mas não trouxe fama a nenhum dos dois. A julgar pela direção da firma, eles não tinham a mesma ambição e competitividade que sempre caracterizou Barbe-Nicole como empresária. No entanto, eram produtores talentosos e a tradição de seu delicioso champanhe permanece viva até hoje. Em 1931, a empresa que criaram foi comprada por outra família de vinhateiros, que a tornaria uma das vinícolas mais prestigiadas do mundo. É conhecida atualmente como Champanhe Taittinger e, graças a Alexandre e Jerôme, é a terceira mais antiga casa de champanhe.

Naquela primavera, quando os dias de Barbe-Nicole eram ocupados com os preparativos para a inevitável falência e com os planos para seu futuro como única proprietária da companhia, ocorreram mudanças monumentais para os Ponsardin. A estrela da família entrou em ascensão. Seu pai, Nicolas, sempre sedutor e politicamente adaptável, vinha bajulando o imperador desde o raiar do século, quando Napoleão e Josefina se hospedaram no Hôtel Ponsardin durante o ano da primeira safra da família Clicquot.

Coitada de Josefina. Incapaz de dar à luz um herdeiro – e um tanto livre demais em conceder seus favores –, desde aquela época fora posta de lado sem a menor cerimônia. Mas a recompensa de Nicolas pela hospitalidade e por seu dedicado apoio ao novo regime foi tornar-se prefeito de Reims, não por eleição democrática, como se esperaria de um ex-revolucionário jacobino, mas por decreto imperial.

Na primavera de 1810, Barbe-Nicole deixou-se envolver pelo entusiasmo em torno da nova posição de seu pai e pelo iminente segundo casamento de Napoleão com a arquiduquesa Maria Luísa, da Áustria, sobrinha da malfadada Maria Antonieta. Tal como acontecera com a tia, ela seria enviada ao futuro marido junto com outras bagagens previamente examinadas, num comboio de magníficas carruagens vindas do leste. Seu destino era o Château de Compiègne, o grande palácio real a cerca de 80 quilômetros ao norte de Paris. A estrada passava muito perto de Reims e certamente Barbe-Nicole assistiu à chegada da bela arquiduquesa e sua comitiva. Morando no centro de Reims, seria difícil perder o desfile. Mais difícil ainda porque seu pai, que sempre fora um monarquista de coração, havia organizado pessoalmente as extravagantes comemorações de boas-vindas.

Enquanto socialites como sua irmã se alvoroçavam com a expectativa de ver a nova rainha e a magnificência de sua corte, Barbe-Nicole tinha apenas um desejo. Esperava que o casamento com uma das mais poderosas forças antagônicas a Napoleão lhes trouxesse alguma paz. O "casamento da arquiduquesa Luísa está marcado para o dia 25 de março, em Compiègne, [e] ela passará por nossa cidade", ela escreveu a Louis Bohne. "Se ela nos trouxer a paz, será muito bom para o nosso povo."

Fossem quais fossem os sentimentos do pai por Napoleão – e tudo indica que os sentimentos pessoais não interferiram excessivamente na orientação das alianças políticas de Nicolas –, Barbe-Nicole agora odiava o imperador. Ela não tinha mais paciência com as guerras e, em suas cartas, ela e Louis se referiam a ele simplesmente como "o demônio". Sem dúvida, seu apoio aberto ao concorrente Jean-Rémy Moët tinha um pequeno papel nesse antagonismo.

Provavelmente, seus sentimentos em relação ao despudorado imperador não se aplacaram quando ela soube que Napoleão vinha expandindo ainda mais sua influência sobre os vinhedos da Champagne. Ele premiara com uma medalha de ouro outro concorrente, Memmie Jacquesson, proprietário da Jacquesson e Filhos, situada nas cercanias de Châlons-sur-Marne, como forma de concretizar o apreço real pela "beleza e riqueza de suas adegas". Depois, como confirmação adicional de sua preferência, Napoleão encomendara a Jacquesson todo o suprimento de champanhe para seu casamento com a arquiduquesa Maria Luísa. Era desanimador. Era o tipo de venda que Barbe-Nicole odiava ver destinada à concorrência, principalmente a alguém que só estava no mercado havia cerca de uma década. Ela já aprendera quanto valia o reconhecimento de um nome no ramo dos vinhos finos, e lá vinha um recém-chegado cultivando um relacionamento pessoal com o homem mais poderoso, e o melhor comprador, de toda a França.

Naquele ano, a maior de todas as mudanças para Barbe-Nicole foi a mais óbvia. Contra todos os prognósticos, em breve ela seria uma mulher independente, dirigindo sua própria empresa, que já tinha sólidas bases no mercado internacional. Uma quantidade surpreendente de mulheres, em sua maioria viúvas, estava à frente de pequenas empresas, garantindo a sobrevivência econômica da família, em especial nos setores tradicionalmente femininos da costura e da hospedagem. Mas, durante todo aquele século, poucas mulheres na França possuíram empresas com o capital que Barbe-Nicole administrava. Aproveitando as excelentes oportunidades que tivera, ela era uma pioneira.

No último dia de julho, ela abriu sua própria conta no banco para a empresa que dali por diante passaria a se chamar Veuve Clicquot Ponsardin e Companhia. De seu livro de contabilidade consta um pedido de 60 mil garrafas de vinho estocado, seis dúzias de barris adicionais, 10 mil garrafas vazias e quase 125 mil rolhas. O sogro, Philippe, reinvestiu seus 300 mil francos, sustentando a aposta em seu talento e sua ambição e mantendo sua própria cota na empresa que ambos estavam determinados a ver em atividade.

Para apressar a liquidação e o lançamento das novas bases da companhia, Barbe-Nicole enviou mensagens aos clientes pedindo o pagamento imediato dos débitos anteriores. Estava ansiosa para pôr os livros em dia. Um desses comunicados mostra sua elegante assinatura em letras elaboradas, em que se lia simplesmente: Veuve Clicquot Ponsardin. É a mesma assinatura, inconfundível, ainda hoje impressa em todos os rótulos alaranjados do champanhe sem especificação de safra que levam seu nome.

COM NOVAS IDEIAS E NOVOS PROJETOS para a direção da adega e da companhia, Barbe-Nicole esperava a volta de Louis Bohne para discutir com ele essas iniciativas. Louis estava apaixonado e havia adiado a vida de casado durante os anos de viagem por conta da família Clicquot. Agora estava noivo de Mademoiselle Rheinwald, filha de um conselheiro municipal. Não há maiores informações sobre a jovem que conquistou seu coração. Só podemos supor que ela vinha de uma família alemã, assim como Louis. Ele planejava tirar longos meses de férias durante as providências para a liquidação da firma. Para um homem que havia passado a maior parte dos últimos cinco anos longe de casa, seria uma longa lua de mel e a chance de dar início a uma família.

Barbe-Nicole apreciou a oportunidade de ter Louis por perto naqueles primeiros meses de direção solo. Os outros vendedores partiriam imediatamente em busca de novos pedidos, mesmo depois de encerrada a Veuve Clicquot Fourneaux e Companhia. Mas Louis seria um bom conselheiro e ela teria tempo para conversar sobre seus projetos com aquele empregado confiável e profundo conhecedor – tal como conversara com François no longo verão anterior à sua morte. Era preciso tomar uma série de decisões que modificariam profundamente o futuro do negócio. Se Barbe-Nicole tinha a vantagem de ver as coisas sob o frescor da inexperiência, tinha também o bom senso de aprender com aqueles em quem confiava.

Havia a questão da marca, mas pelo menos isso era bem simples. Durante a sociedade com Alexandre, haviam gravado a fogo o símbolo da âncora nas rolhas dos vinhos misturados e engarrafados pela companhia. Na virada do século XIX, quando os rótulos ainda eram praticamente desconhecidos, era o que havia de mais parecido com um logotipo. As caixas e os barris despachados levavam um rótulo com as iniciais da companhia e algumas informações identificando o cliente e o tipo de vinho, de modo a evitar extravios nas movimentadas docas da Europa em guerra. Os rótulos coloridos que conhecemos hoje ainda não tinham sido inventados.

Quando uma garrafa era retirada da caixa, apenas a rolha e a cor da resina do selo em torno do gargalo serviam como identificação do fabricante. O selo, chamado *goudron*, era geralmente bonito e muito elaborado, mas não particularmente confiável para distinguir um fabricante de outro. Moët os coloria de verde brilhante, salpicado de ouro ou prata. Mas Philippe Clicquot usava exatamente o mesmo esquema de cores. E Barbe-Nicole também. O marketing ainda engatinhava e, numa época em que muitos intermediários compravam vinhos prontos já engarrafados de várias procedências, poucas casas de champanhe e poucos clientes pensavam em cada vinho como uma especialidade de determinada companhia.

Afora o colorido *goudron*, a única outra maneira de identificar uma garrafa de vinho proveniente da adega da Viúva Clicquot era o símbolo marcado na rolha. A família começara a usar a âncora logo depois do casamento de Barbe-Nicole e François, quando Philippe e o filho passaram a trabalhar juntos na Clicquot-Muiron. E Barbe-Nicole estava decidida a dar continuidade à tradição. Talvez isso lhe trouxesse recordações da presença de François na empresa que haviam sonhado construir. Talvez fosse uma alusão ao mercado de exportação e às rotas marítimas que François se esforçara para abrir. A âncora fora usada desde o início porque era um símbolo tradicional de esperança, e então o futuro parecia promissor. Eles tinham a vida pela frente, apontando novas direções de prosperidade. Ela não renunciaria à esperança, e o símbolo é usado até hoje nas garrafas do famoso espumante da Viúva Clicquot.

Mas agora que assumira o comando de sua própria companhia, Barbe-Nicole tinha questões mais prementes a resolver, tanto no trabalho nas adegas quanto na direção do negócio em uma economia desastrosa. Com a intensificação dos bloqueios e as taxas de câmbio instáveis, os tempos mantinham-se difíceis para a exportação e ela não suportaria mais um golpe financeiro. Estaria arriscando sua própria independência, e ela vinha lutando há anos para manter a companhia. Em vez de arcar com as despesas desnecessárias de engarrafar para um luxuoso mercado internacional que nem sempre se conseguia alcançar, ela reduziu os custos e diversificou. Sob sua nova direção, a empresa começou a vender mais vinhos tintos em barril para o mercado interno. Na maior parte, eram vinhos feitos com as uvas de seus próprios vinhedos e distribuídos para clientes nos arredores de Reims.

Enquanto exportava vinhos engarrafados, Barbe-Nicole fazia questão de incluir uma parte altamente selecionada de safras vindas de outras regiões da França, consideradas mais sofisticadas. Os vinhos tintos da Champagne, que antes rivalizavam com os da Borgonha em *bouquet* e suavidade, já não eram tão altamente cotados. As exceções eram umas poucas cidades renomadas da região, e por acaso uma delas era Bouzy, onde agora lhe cabia administrar os vinhedos Muiron, que ela e François haviam herdado. Ainda se lembrava das longas horas passadas vendo as uvas esmagadas na friagem da sala da prensa, e sabia que a terra ali era excelente. Sua marca registrada como empresária sempre foi o envolvimento em todos os aspectos do negócio, e o vinho em barril da propriedade de Bouzy certamente foi o primeiro que Barbe-Nicole podia se gabar de ter sido fabricado sob sua única direção. E na venda direta aos clientes ela maximizava sua pequena margem de lucro.

Mas ela continuou a fabricar champanhe. Os obstáculos ao comércio internacional tornavam impossível que uma jovem comerciante, que ainda construía seu nome, se dedicasse exclusivamente ao espumante. Ela teria que se preparar para deixar uma parte da reserva estocada na adega por meses, ou até anos. Naquelas longas noites de verão antes da colheita, quando François e Louis compartilhavam o sonho de abrir grandes mercados na Inglaterra e na Rússia, Barbe-Nicole se encantara com a ideia e mesmo agora ainda acreditava na realização do sonho. Ao mesmo tempo que concretizava vendas no mercado interno, ela mantinha vendedores buscando oportunidades em outros países, sem perder os antigos contatos do outro lado das fronteiras fechadas.

Barbe-Nicole começava a trabalhar às sete horas da manhã nas adegas e no escritório, e raramente largava os livros de contabilidade ou a correspondência antes de nove ou dez da noite. A direção de um negócio familiar exigia um extraordinário volume de trabalho e ela se orgulhava de responder com cuidado e rapidez às inúmeras cartas que recebia. Esse compromisso implicava um alto custo pessoal. A certa altura dos primeiros anos de parceria com Alexandre, Barbe-Nicole enviou a filha, Clémentine, para estudar num convento em Paris. Como os seis ou sete anos era a idade mais apropriada para enviar meninas a um internato, a perda da convivência com a filha deve ter coincidido com a fundação da sociedade, em 1806. Como tantas mães sozinhas, ela já devia conhecer os sofridos desafios de criar uma filha e ao mesmo tempo dirigir uma empresa.

A decisão de enviar Clémentine para estudar em Paris não foi uma atitude tomada com frieza. A irmã de Barbe-Nicole fora enviada a um internato com aquela mesma idade e, por mais estranho que pareça aos pais de hoje, para quem mandar uma criança pequena para um colégio interno seria equivalente a abandoná-la sozinha no meio da rua, a decisão era comum à época. E não significava que Barbe-Nicole não sentisse falta da filha. Suas cartas mostram que ela era uma mãe dedicada e pragmática, determinada a proteger o futuro e a felicidade da filha, mas também convencida de que Mentine, como era chamada intimamente, não havia herdado sua inteligência aguda, nem a do avô. As freiras cuidariam bem da menina. Clémentine aprenderia a ler e a escrever e, como a mãe anos antes, também aprenderia as artes da agulha e o catecismo. Barbe-Nicole confiava na mãe de suas primas de Paris para tomar conta da menina, caso algo inesperado acontecesse. Contudo, não há dúvidas sobre a vida que imaginava para a filha. Não seria um futuro no mundo dos negócios, mas sim a mesma tranquila vida doméstica de classe alta privilegiada que ela própria rejeitara.

Naquele verão, Barbe-Nicole teve motivos para pensar na vida luxuosa e nos riscos que vinha assumindo. Em vez de passar os dias escolhendo ocasiões para usar suas joias, resolvera vender algumas para financiar os negócios. Muito do seu capital estava preso à companhia e devem ter surgido problemas de fluxo de caixa ou ela não pensaria em se desfazer dos bens de família.

No primeiro ano de transição, quando estava liquidando a sociedade com Alexandre Fourneaux e assumindo suas novas atribuições, a companhia obteve apenas um pequeno lucro. Barbe-Nicole possuía grandes vinhedos e algumas reservas excelentes nas adegas. Mas não era suficiente para manter os salários dos empregados e as contas em dia. Em agosto, ela teve a ideia de pedir a um de seus vendedores, Charles, para negociar suas joias nas cortes da Europa Oriental.

As cartas que escreveu sobre essas vendas tinham um tom ansioso e a preocupação com as joias ocupou sua mente a maior parte do outono. Charles usava todo o seu poder de persuasão para extrair pedidos em Léopol – hoje Lviv, na Ucrânia –, então parte do Império Austríaco. Barbe-Nicole esperava que ele conseguisse encontrar entre a nobreza uma família que se interessasse pelas joias. Era uma grande quantidade de colares de pérolas rosadas e um diamante no valor astronômico de 3 mil francos, algo perto de 60 mil dólares atuais. Em meados de outubro, Charles enviou metade dos colares a um amigo que se oferecera para intermediar a venda. Barbe-Nicole implorou-lhe para que não perdesse de vista o diamante. "Suplico-lhe que o traga sempre junto ao corpo", escreveu. Era valioso demais para que se perdesse. Um mês depois, o diamante não tinha sido vendido, e também desapareceu dos livros de contabilidade guardados nos arquivos da companhia. Poucas pessoas tinham dinheiro para gastar numa extravagância daquelas. Louis escreveu de Viena que a nobreza estava sem dinheiro. Para quem trabalhava, a situação era pior ainda. A última colheita de trigo fora vendida três anos antes e não havia dinheiro sequer para comprar o grão básico. É provável que Barbe-Nicole tenha voltado a guardar o diamante, embora precisasse mais de capital.

Muito de sua energia naquele outono também foi gasta em preocupações com as dificuldades técnicas nas adegas. Seu vinhateiro chefe era então Jacob, o mesmo que havia trabalhado para François e o pai na Clicquot-Muiron. Estavam sempre em contato. Jérome Fourneaux continuava a dar orientação e alguma ajuda. Os vinhos turvos ou podres ainda traziam frustração a Barbe-Nicole, além das inevitáveis perdas com garrafas quebradas.

Depois houve problemas com as bolhas do champanhe. Às vezes, os clientes reclamavam da tendência a borbulhar demais, deixando uma camada espessa e gasosa de espuma grudada na borda do copo. Barbe-Nicole e Louis, extremamente aborrecidos, se referiam ao problema como *yeux de crapaud*, o que significa olhos de sapo. Muito sério, mas com uma pontinha de malícia provocada pelos prazeres da lua de mel, Louis confessou: "É algo terrível, que dorme comigo todas as noites e acorda comigo todas as manhãs: os olhos de sapo! Adoro olhos grandes, menos no champanhe. Que Deus nos livre de seu efeito destruidor!" Louis e Barbe-Nicole costumavam trocar gracejos maliciosos. O fato de ser viúva e educar a filha num colégio de freiras não queria dizer que ela própria levasse uma vida de freira. Mas a presença de olhos de sapo no champanhe não era assunto para brincadeiras. O efeito, provavelmente causado por deixar o vinho nos primeiros estágios de produção descansando tempo demais em tonéis de madeira, era um grave obstáculo ao consumo de luxo porque, para os clientes, a transparência e a *mousse* eram mais importantes até mesmo do que o sabor. E ninguém tinha ideia de como resolver o problema.

Infelizmente, embora não fossem culpados pelos olhos de sapo, os copos usados para se beber champanhe no século XIX não ajudavam. Barbe-Nicole tomava seu espumante nos cálices rasos e largos que chamamos de *taças* e associamos ao glamour da Era do Jazz e aos antigos filmes de Hollywood. Essas taças começaram se tornar populares no século XVII, e os amantes do vinho em todo o mundo continuaram a usá-las até quase o fim do século XX, apesar da firme advertência aos anfitriões, a partir dos anos 1850, para "nunca usar essas taças redondas como pires e receptores de animálculos, mas... cálices com o formato de tulipa".

Hoje, a preferência é pelo cálice alto e esguio, a *flute*. Para quem prefere o mínimo de espuma, como muitos conhecedores, a *flute* é perfeita. Em razão de certos mecanismos básicos, as bolhas ficam menores e mais bonitas num copo fino.

Mas, em geral, a preferência pelo tipo de copo e pelo tamanho das bolhas é mais uma questão de aparência do que de sabor. As bolhas maiores não deixam a bebida com um gosto tão diferente assim das bolhas menores. Mas os melhores champanhes são apreciados por suas graciosas bolhas pequeninas, de efeito hipnotizante enquanto sobem lentamente e emergem na superfície do copo, criando uma espuma leve e delicada. Isso acontece porque quanto mais velho é o champanhe, menores são as bolhas. Como apenas o champanhe de boa safra é bastante envelhecido, associamos as bolhas pequenas aos vinhos da melhor qualidade.

Em dezembro, Barbe-Nicole, talvez com alguma ansiedade, viu seu aniversário se aproximando. Faria 33 anos e os livros de contabilidade da Veuve Clicquot Fourneaux estavam praticamente fechados. A família Clicquot ainda possuía adegas e escritórios na rue de la Vache, e Barbe-Nicole tinha também um sítio perto de Oger, no coração do Côte de Blancs, ao sul dos famosos vinhedos de Avize e Cramant, bordejando a grande floresta que se estendia por muitos quilômetros a oeste. Embora construída segundo a imponente arquitetura do estilo clássico francês, com altos telhados e grandes janelas abertas sobre os campos, essa casa era seu refúgio, decorada com o conforto de sofás e poltronas estofados com o alegre *chintz* azul que estava no auge da moda. De suas janelas, Barbe-Nicole podia acompanhar o progresso das vinhas, das uvas *chardonnay* destinadas a se tornar champanhe.

Apesar dos encantos de Oger, ela passava a maior parte do tempo numa das belas salas de sua casa em Reims, tomando providências. Ela ainda morava na casa em que vivera com François, na rue de l'Hôpital, assim chamada em razão do hospital que ficava naquela parte da cidade. Era um lugar amplo e sereno, e o ponto focal de seu escritório era uma bonita escrivaninha no estilo império, muito popular na época, que ainda hoje se encontra em exposição nos salões de degustação do champanhe Veuve Clicquot, em Reims. Ali ela mantinha em dia os livros da firma e escrevia páginas e páginas de correspondência a vendedores, clientes e fornecedores. Era agradável saber que os escuros circuitos subterrâneos de sua casa se ligavam aos da casa de sua infância, o Hôtel Ponsardin.

Menos agradáveis eram as notícias que chegavam dos portos europeus. Os ingleses haviam intensificado a fiscalização dos bloqueios e as condições do mercado internacional estavam cada vez piores. Novamente em viagem, Louis se exasperava e nada de bom tinha a dizer sobre os ingleses. Chamando-os de "harpias marítimas" e "assassinos da prosperidade", no auge da indignação, ele desabafou numa carta a Barbe-Nicole: "Quanto mais odeio os ingleses, mais desejo sua corrupção moral. Que Deus nos dê a paz para podermos nos vingar de sua goela maligna...[e] que fiquem viciados na bebedeira diária." Em suas fantasias, Louis achava que afogar os ingleses no champanhe da Viúva Clicquot seria uma justa desforra. Como sofreriam!

Mas, na verdade, apesar dos portos fechados, poucos ingleses amantes do champanhe ficaram totalmente a seco. Nas festas de fim de ano, o mercado inglês foi um dos melhores para os produtores, e o próprio Louis teve alguma sorte nas vendas. "Aqui", ele escreveu a Barbe-Nicole, "duas mil garrafas foram vendidas facilmente por causa da época... no dia de Natal, todos os ingleses... bebem champanhe, é um dia em que privilegiam exclusivamente essa bebida em suas casas." Jean-Rémy Moët, que tinha contatos bem mais sólidos na Inglaterra e um nome muito mais conhecido naquele país, teve sucesso ainda maior. Mas o mercado sazonal britânico não dava conta da sobrevivência de todos os produtores da região. No ano seguinte, souberam que um dos concorrentes, a firma Tronsson-Jaquesson, tinha ido à bancarrota.

Barbe-Nicole teve razões para entrar em estado de quase pânico no verão de 1811. Apesar do gradual enfraquecimento dos embargos econômicos franceses naquele ano, os contraembargos dos aliados não haviam perdido a força. Naquela primavera os pedidos não chegaram a 33 mil garrafas. Napoleão e a Rússia entravam novamente em clima de hostilidades, em grande parte em consequência da indiferença do czar Alexander às fortes restrições comerciais do imperador francês. Agora, o mercado russo, onde seu nome já era reconhecido como marca de champanhe, estava totalmente fechado. A guerra parecia inevitável. Os russos reuniam tropas nas distantes fronteiras do leste, e os ingleses dominavam o Canal. A maior parte da Europa ainda estava sem dinheiro e o continente claudicava à beira de outro colapso econômico. Todas as exportações exigiam licenças, e Barbe-Nicole sabia que isso significava altas taxas de guerra sobre os vinhos.

À medida que a França perdia terreno, as coisas pioravam cada vez mais. Louis enviava cartas da Áustria falando da destruição e miséria que se via por toda a parte. Napoleão controlava a Áustria, a Prússia e a Dinamarca como Estados aliados, mas a "independência" dessas "repúblicas irmãs" representava um custo muito alto e humilhante para seus cidadãos. A própria ideia de oferecer um produto de luxo como o champanhe era um insulto aos povos que haviam sido brutalizados pelos exércitos franceses. Louis entendeu rapidamente que não teria uma recepção calorosa.

Os problemas de fluxo de caixa se agravavam e Barbe-Nicole pedia, não só a ele, mas a todos os vendedores, que trouxessem quaisquer pedidos que conseguissem. Se fosse preciso, que baixassem os preços, escreveu ela a Louis, quando ele estava na Holanda. No outono, à procura de clientes na Bélgica, Louis só podia relatar que não havia mudança na situação. Ele tentava convencer, implorava, baixava os preços e não conseguia vender nada. Tinha sorte quando não era insultado ou agredido.

Se as coisas fossem somente cem vezes piores do que antes, seria motivo de comemoração. A safra de 1811 foi maravilhosa. Como observou um turista na França no século XIX, "nunca houve... uma uva tão madura, tão doce, numa safra em circunstâncias climáticas tão favoráveis". Desde a primavera, a maior parte do hemisfério Norte assistia à passagem de um grande cometa, e a safra daquele outono coincidiu com seu maior brilho no céu noturno. Até nas Américas "o grande cometa atraía todos os olhares", e alguém que o vira lembrava "quantos terrores e superstições ele despertara". Por toda a Champagne, a população rural comentava que era um sinal de grandes mudanças e da queda do império. Em homenagem à safra perfeita, os vinhateiros trocaram suas marcas nas rolhas por estrelas, como um símbolo do *Vin de la Comète*. Barbe-Nicole também.

Tal abundância fez com que o preço do vinho despencasse. Foi uma das duas maiores safras do século, mas, apesar da queda nos preços, poucos podiam comprar. Até os vinhos em barris se estragariam. Barbe-Nicole fez o que era mais sensato, algo que os fabricantes haviam feito no século anterior, quando o mercado estava em baixa. Na primavera, quando os vinhos foram trasfegados e clarificados, ela os engarrafou e transformou em champanhe. O vinho ficaria em repouso nas melhores adegas, transformando-se lentamente durante pelo menos um ano, e ela ganharia tempo. Era um plano inteligente, mas não ajudava o fluxo de caixa.

Uma vez engarrafado, o champanhe de 1811 – um ano de safra perfeita – ia continuar melhorando durante muitos meses. O engarrafamento não era uma catástrofe para ela, e muito menos para os vinhos. O problema era o tempo que levaria para entrar algum dinheiro num momento em que poucas vendas havia a lançar nos livros. Normalmente, Barbe-Nicole deixaria o champanhe nas adegas frias antes do verão para envelhecer durante um ano ou um ano e meio, para só ser despachado no outono do ano seguinte. Isso significava que o espumante só chegava ao mercado dois anos após a colheita, e o produtor podia conseguir vendê-lo por um preço mais alto. Durante aqueles dois anos, as casas de champanhe ficavam com uma grande soma de dinheiro presa ao estoque. Somando-se a isso os problemas técnicos da produção do champanhe cristalino e os riscos de quebra de garrafas, é fácil entender a atração pelos barris, onde a bebida ficava pronta para a venda em poucos meses.

Mas se os vinhos em barril não fossem vendidos rapidamente, acabavam-se as vantagens. Em condições ideais na adega, os vinhos podiam durar alguns anos em barris de madeira, mas se houvesse alguma exposição ao oxigênio, o que era inevitável, acabavam por se deteriorar. O mesmo vinho, quando selado hermeticamente em garrafas, podia envelhecer bem por uma década ou mais. O champanhe era mais delicado. Antes do despejo – processo para remover o excesso de células preso na garrafa depois da segunda fermentação –, o espumante ficava cada vez melhor enquanto descansava no escuro por vários anos. Pela lei francesa atual, esse envelhecimento precisa durar pelo menos três anos. Alguns dos melhores espumantes são envelhecidos até sete ou oito anos. Depois do despejo, porém, o champanhe raramente fica melhor se continuar na adega. Nesse caso, convém seguir o conselho dos conhecedores: beber logo.

Nada melhorou durante o inverno de 1812. Pelo contrário, a situação política e econômica piorou ainda mais. Napoleão preparava a invasão da Rússia e as empresas familiares, já em crise, receberam ordem de ceder seus bens para o exército, a fim de equipar os soldados. Mais uma vez, os jovens foram recrutados para as fileiras militares. Falava-se que em breve também os mais velhos seriam obrigados a se alistar. Nada disso era bom para o mercado de champanhe.

Louis passou a primavera de 1812 tentando arrumar pedidos no norte da França. Sua esposa esperava o nascimento do primeiro filho. Barbe-Nicole seria madrinha do bebê e a expectativa da chegada de um novo membro à sua pequena família deve ter influenciado Louis em seu desejo de ficar perto de casa. O colapso dos mercados internacionais também contribuiu para que ele tomasse a sensata decisão de voltar sua atenção para o mercado interno.

Quando Barbe-Nicole pensou que as vendas haviam atingido o ponto mais baixo, veio mais um golpe terrível, não só para ela, mas para toda a região da Champagne. Napoleão interessava-se pelo desenvolvimento do mercado do vinho francês. Designou ministros de Estado, como Jean-Antoine Chaptal, para estimular a indústria com reformas científicas e enquanto incentivava o desenvolvimento de novas fontes de açúcar para os produtores. Ele já havia favorecido a carreira de seu vinicultor predileto, Jean-Rémy Moët, e ouvira as queixas do amigo quanto às políticas adotadas. Mas nada o persuadiu a revogar as severas restrições decretadas com a finalidade de esmagar seus inimigos europeus e trazer maior glória à França. Mesmo durante as conquistas de grande parte do continente, ele havia encontrado tempo para descansar no coração da Champagne. A superioridade do vinho francês era uma fonte de orgulho e satisfação para o imperador autocoroado. Ele queria que os produtores da Champagne tivessem sucesso e não fazia segredo disso.

Portanto, quando os franceses invadiram a Rússia em junho daquele ano, o czar baixou imediatamente um decreto proibindo a importação de vinho francês engarrafado. Todos sabiam que o alvo era o champanhe. Era a única bebida que não podia ser transportada em barris porque toda a espuma desapareceria. Era uma pequena retaliação, calculada e pessoal. Napoleão apoiava a indústria do champanhe. A Rússia queria destruí-la. Em Reims, havia uma boa dose de ressentimento com relação ao próprio Napoleão. Exasperado, Louis declarou o imperador "um gênio infernal, que atormentou e arruinou o mundo durante cinco ou seis anos".

As fronteiras do leste estavam totalmente fechadas. Depois de uma longa noite, esquadrinhando os livros e sentindo o desespero aumentar, Barbe-Nicole viu que não tinha alternativa para o que faria a seguir. Com a tristeza estampada na face, ela deu a má notícia aos vendedores, homens que tinham enfrentado todos os perigos e o desconforto das viagens a lugares longínquos e que, contra todas as expectativas, haviam trazido pedidos mesmo naquele ano sombrio. Ela não tinha mais trabalho para eles. Somente Louis permaneceria. A companhia Veuve Clicquot Ponsardin deparava-se com um futuro incerto e duvidoso. Como Louis escreveu naquele ano, "o bom Deus é um brincalhão: se você comer, morre; se não comer, morre também; há que ter paciência e perseverança".

Em meados de setembro, o exército francês invadiu Moscou, o que não foi uma grande vitória. Incapaz de vencer Napoleão, o czar e seus aliados recuaram para São Petersburgo, queimando tudo na retirada, incluindo Moscou. As ruas da cidade estavam desertas. "Todas as casas da nobreza", escreveu uma testemunha inglesa, "todas as lojas, todos os armazéns dos comerciantes... foram incendiados; ... a conflagração devastou e reduziu Moscou a uma pilha flamejante."

Até o irmão de Napoleão, Jerôme, percebeu os sinais da derrota. Jerôme também tinha uma predileção por Jean-Rémy Moët e seu vinho espumante, e, a caminho de Roma, parou em Épernay, aparentemente decidido a pegar algumas garrafas para levar na viagem. Depois de pedir seis mil garrafas de champanhe, todas de *premier cru*, Jerôme lamentou a pouca quantidade. "Se as circunstâncias fossem menos infelizes", disse a Jean-Rémy, "eu levaria o dobro, mas acho que os russos não vão me permitir beber." Quando Jean-Rémy perguntou o que ele queria dizer com esse comentário sobre os russos, Jerôme revelou ao amigo um segredo de Estado. Ele previa que a guerra na Rússia seria um grande desastre.

A previsão de Jerôme estava correta. Nos meses finais daquele ano, quando Napoleão pôs suas tropas em marcha de volta à França, foi uma calamidade. Mais de meio milhão de homens haviam sido enviados para lutar na Rússia e apenas cerca de 30 mil conseguiram retornar. Muitos morreram de doenças, de desnutrição e da temperatura enregelante do inverno que, anos antes, deixara Louis aflito para escapar à prisão nos campos da Sibéria. Em consequência, em 1813 houve mais um turno de recrutamentos obrigatórios, mais impostos, mais requisições.

Enquanto Napoleão liderava o exército na frente de batalha, o governo da França ficava entregue à imperatriz Maria Luísa. Quando uma delegação se apresentou oferecendo-lhe dinheiro para reunir mais tropas, Nicolas Ponsardin estava entre eles. A recompensa por sua lealdade foi o título de nobreza com que sonhara naqueles dias quase esquecidos de antes da revolução. Ele foi agraciado com o título honorífico de *chevalier*, ou cavaleiro, e agora podia ostentar a estrela da Legião de Honra francesa. No verão, com a ajuda de pessoas como Nicolas, Napoleão formou outro exército de meio milhão de homens exaustos de guerra. Em outubro, a maioria tinha morrido na batalha de Leipzig. Desta vez, foram os franceses que fugiram dos russos. Napoleão cruzou o Reno a poucos dias de marcha de Reims e, com apenas 60 mil homens, preparou-se para defender a nação.

Naquele outono, olhando para os vinhedos nus depois da colheita, Barbe-Nicole soube que tempos de desespero assomavam no horizonte, anunciando desastre e destruição. No fim de 1813, a guerra batia à porta dos habitantes de Reims. Mais uma vez, a família de Barbe-Nicole se via forçada a negociar numa posição política ameaçadora e traiçoeira. Seu pai, antes revolucionário e republicano, agora servia a outro senhor. Era prefeito de Reims e nobre por decreto imperial. Se Napoleão caísse, era provável que Nicolas caísse junto com ele. E, no fim das contas, a família de Barbe-Nicole poderia perder tudo, talvez a própria vida.

Capítulo 9

A guerra e o triunfo da Viúva

Em 1813, na véspera do Ano-novo, Barbe-Nicole certamente tinha muito champanhe à mão, mas essa abundância era parte do motivo de ter tão pouco a comemorar.

Estava feliz ao ver 1813 desaparecer na História. As vendas tinham sido poucas naquele ano. Como não podia deixar de reconhecer, houvera uma alarmante queda de 80% desde 1805, ano da inesperada morte de François e de sua decisão de administrar o negócio. As viagens dos vendedores pelo continente não geravam mais lucros e eram cada vez mais perigosas. A empresa se debatia para sobreviver e não havia meio de injetar uma força positiva. Ela deve ter se perguntado se os riscos financeiros que assumira e todos aqueles anos de trabalho teriam valido a tensão emocional. A companhia afundava e ela sabia que os homens de negócios em Reims, e talvez seu próprio pai, diriam que as mulheres não deviam gerenciar vinícolas.

Quando os sinos da grande catedral de Notre-Dame de Reims badalaram anunciando o Ano-novo, a amargura no ar frio do inverno combinava exatamente com seu estado de espírito. Barbe-Nicole não poderia estar animada pensando no ano que findava ou na perspectiva do que viria. Como todos em Reims sabiam, a guerra chegava cada vez mais perto. Napoleão já declarara que a região da Champagne daria um perfeito campo de batalha. Naquele último ano de desespero, quando ainda regia o maior império desde os tempos dos romanos, o imperador testaria a hipótese.

Para Barbe-Nicole, sua chegada era particularmente inoportuna. Já havia sinais das tropas pelos campos. Se o conflito se arrastasse, o que bem poderia acontecer, na primavera seguinte não haveria trabalho regular nos vinhedos. Era uma perspectiva cruel para quem tinha investido a esperança e a fortuna na colheita. Em janeiro, o eco distante de tiros de canhão ressoou pelas pedras das ruas de Reims e os comerciantes que varriam as calçadas sob o céu claro pararam para escutar.

Certamente recordando sua própria infância e a temerária fuga da abadia de Saint-Pierre-les-Dames no calor da revolução, Barbe-Nicole apressou-se a tirar a filha do internato em Paris. Clémentine tinha agora 14 anos, apenas um ou dois anos a mais que ela quando começou a Revolução Francesa. Barbe-Nicole se lembrava do dia em que espiara o levante político pelas frestas da janela fechada, escondida no convento. Ela sabia o que significava viver dias turbulentos e não tinha a intenção de deixar a filha aos cuidados de outras pessoas, nem mesmo de parentes, no meio de uma guerra.

No fim de janeiro, o eco dos canhões e dos cascos dos cavalos já não era longínquo. Era uma questão de tempo para que as tropas, de um modo ou de outro, invadissem as ruas de Reims em busca de comida, abrigo, suprimentos e, não havia dúvida, de todo o vinho que pudessem carregar.

Se suas adegas fossem saqueadas, ela nunca mais se ergueria. Seria o fim do empreendimento com que ela e François haviam sonhado em seus primeiros dias de casamento, quando a vida parecia cheia de possibilidades. Barbe-Nicole preocupava-se particularmente com o destino do vinho fabricado no lendário ano do cometa, a safra de 1811, que tinha a doçura do mel e lentamente adquiria tonalidades de ouro nas frias adegas. Ela suspeitava vagamente de que aquele seria o vinho que a tornaria famosa. Assim, antes que as tropas chegassem, ela mandou emparedar as entradas das adegas. O vinho poderia esperar na escuridão até que a guerra terminasse.

A chegada das tropas era inevitável. Napoleão empenhava-se numa batalha sangrenta contra a coalizão, nos campos que se estendiam para além de Reims. Seria naquela paisagem fria e úmida da Champagne de sua infância que o império finalmente escaparia de suas garras. Mas ele não desistiria facilmente. Os franceses cercaram os exércitos russo e prussiano na cidade de Montmirail e as tropas derrotadas recuaram para Reims. Ao cair da noite, as ruas ecoavam o som agourento de metal, de cascos de cavalos batendo nas pedras e dos passos de 15 mil homens exaustos, com frio, sonhando com suas casas no leste. A ocupação havia começado.

Em seu escritório, Barbe-Nicole ouvia o caos das ruas, as vozes que se elevavam ocasionalmente em coros marciais, gritando palavras que ela não conhecia. Ela aguardava a batida à porta, exigindo a entrega de caixas e caixas de vinho. Se iam pagar ou não era outra história. Àquela altura ela já devia saber que três mil soldados aliados estavam instalados em Épernay, que já havia sido ocupada, e que tinham saqueado as adegas de Jean-Rémy. Antes que a guerra terminasse, ele teria perdido mais de meio milhão de garrafas de champanhe.

Desesperada, Barbe-Nicole escreveu à prima residente em Paris, Mademoiselle Gard, ou Jennie na intimidade da família, dizendo que previa o pior. "Tudo vai mal", Barbe-Nicole queixou-se. "Passei muitos dias ocupada, murando minhas adegas, mas sei muito bem que isso não evitará a pilhagem. Se acontecer, estarei arruinada, portanto é melhor me resignar e trabalhar para sobreviver. Não lamentarei minhas perdas, a não ser pela minha pobre filha, para quem teria sido melhor que essa infelicidade houvesse aparecido há cinco ou seis anos, porque então ela nem chegaria a conhecer os prazeres que perderá, o que a tornará miserável. Mas vou lutar para viver sem tudo isso, vou sacrificar tudo, tudo, para que ela seja menos infeliz." Haveria perdas devastadoras para todo o restante da família. A fábrica têxtil de seu irmão em Saint-Brice foi destruída pelas tropas invasoras e muito da indústria de Reims ficou seriamente prejudicada.

Quando os russos finalmente chegaram, ela não deixou de se surpreender, e mais surpresa ainda ficou ao ver que eram cavalheiros. Enquanto os líderes dos exércitos prussiano e cossaco deixaram seus homens sob rédeas soltas para invadir e pilhar, os russos foram mais contidos; estavam determinados a assumir o controle administrativo de Reims. Houve uma séria escaramuça burocrática quando o príncipe russo Sergei Alexandrovich Wolkonsky, comandante dos exércitos, deixou claro que não haveria saques nem confiscos. O príncipe comunicou aos prussianos que suas ordens vinham diretamente do czar. Não haveria pilhagem em Reims. E "quanto à sua insolente ameaça de enviar tropas para Reims", disse ele aos comandantes prussianos, "tenho forças aqui para recebê-los".

Para Barbe-Nicole, era uma ironia agridoce. Suas adegas não seriam saqueadas e eles comprariam seu vinho. Ela passara anos lutando para vender seu champanhe e Louis atravessara metade do continente à procura de clientes, chegando a regiões tão distantes quanto a Turquia e a Albânia. A cada vez ele retornava decepcionado e desencorajado. Agora, aqui mesmo na porta de sua casa, estava um exército pronto a comprar, não a safra especial de 1811 que ela guardava a sete chaves, mas a reserva de vinhos que não conseguira tirar da adega nos longos anos de guerra. Os soldados, desejando acreditar que a guerra estava chegando ao fim, bebiam com entusiasmo. Vendo-os engolir seus vinhos,

Barbe-Nicole encarou filosoficamente: "Hoje, bebem; amanhã, pagam!"

Mais ironicamente ainda, embora Barbe-Nicole não soubesse, a chegada dos russos veio a ser uma grande oportunidade de marketing para os vinhateiros de toda a Champagne. A Viúva Clicquot já era um nome conhecido na Rússia imperial, já havia conquistado uma fatia significativa do mercado nos dias anteriores ao bloqueio das fronteiras e ao colapso econômico em consequência da guerra. Uma fama que certamente seria esquecida nos anos seguintes. Agora, aqueles homens jamais esqueceriam seu champanhe. Diante da destruição de suas adegas, Jean-Rémy também percebeu esse potencial e previu: "Esses mesmos oficiais que me arruínam hoje farão minha fortuna amanhã. Todos os que bebem do meu vinho são vendedores que, ao retornar a seu país, farão meu produto famoso." Barbe-Nicole se beneficiaria desses mesmos embaixadores.

Os russos, no entanto, não eram os únicos a saborear o champanhe da Viúva Clicquot no inverno de 1814. No início de março, sob o comando do general Corbineau, o exército francês retomou Reims. Houve quem fizesse pilhéria, dizendo que Barbe-Nicole e outros produtores haviam feito sua parte no esforço de guerra, dando de beber aos aliados os fortes vinhos locais. Quando os franceses entraram em Reims, "foi feita cerca de uma dúzia de prisioneiros, rendidos pacificamente à primeira artilharia. No momento do ataque das tropas francesas restavam alguns bêbados, nenhum soldado. Totalmente embriagados, eles não tinham ouvido a ordem 'Aos cavalos!'". Claro que as tropas francesas também não perderam tempo comemorando a vitória. Conta-se que naqueles dias é que foi inventado o termo *sabrage*, que significa abrir garrafas de champanhe a golpes de sabre. Segundo a lenda, "... a fim de proteger suas terras, Madame Clicquot deu champanhe e copos aos oficiais de Napoleão. Montados a cavalo, eles não conseguiam segurar o copo enquanto abriam a garrafa". Então usavam o sabre para cortar o gargalo. Assim nasceu o *sabrage*.

Os prisioneiros russos também não permaneceram cativos por muito tempo. A vitória francesa durou pouco. Uma semana mais tarde, os franceses foram obrigados a recuar, e os russos voltaram a ocupar a cidade. Finalmente, em meados de março, Napoleão, furioso e desesperado, jurou que dormiria aquela noite em Reims, a cidade que fazia reis. Com esse juramento, Napoleão esperava ser recebido elegantemente no Hôtel Ponsardin, onde ele e Josefina haviam estado como convidados do charmoso Nicolas, em tempos mais promissores.

Mas Nicolas Ponsardin não precisava de um cometa nem da supersticiosa sensibilidade dos camponeses, que viam no astro um portentoso augúrio, para saber que Napoleão não seria imperador por muito tempo. A coalizão encurralara os franceses e a derrota parecia inevitável. Ainda assim, no passado, apesar de enfrentar obstáculos considerados intransponíveis, Napoleão havia vencido. Quem poderia afirmar que ele não conseguiria novamente realizar o feito?

Não pela primeira vez em sua vida animada, Nicolas se viu numa posição política delicada e perigosa. Sem querer ofender Napoleão, caso ele saísse vitorioso, Nicolas também não se mostrava disposto a se alinhar com alguém que não tinha probabilidade de manter o poder por muito tempo mais. Piores ainda seriam as consequências se a cidade caísse nas mãos dos inimigos do imperador. Napoleão fizera de Nicolas prefeito da cidade, numa demonstração de especial favor. Se os ventos da política soprassem numa nova direção, ele seria alvo de retaliação. Portanto, Nicolas acatou uma sensata insinuação de que poderia se ausentar da cidade. Para garantir sua estratégia, escreveu uma carta a Napoleão prometendo que a cidade de Reims e seus governantes eram seus fiéis aliados e sumiu, deixando o imperador entregue à própria sorte. Bem antes da chegada de Napoleão, Nicolas mandou preparar sua carruagem e partiu numa longa viagem de negócios à longínqua cidade de Le Mans. E só voltou a Reims quando a cortina desceu depois do último ato.

Nas primeiras horas da madrugada, muito antes do amanhecer, Napoleão passou pelos triunfais portões da cidade, os mesmos que outrora haviam recebido os reis que chegavam para a coroação. Apesar do frio e da escuridão, a cidade vibrava. Multidões se aglomeravam ao longo da estrada para dar boas-vindas ao imperador com aclamações, faixas, discursos exuberantes e toda a pompa e circunstância possível diante do aviso em cima da hora e dos anos de guerra. Foi Barbe-Nicole quem recebeu o imperador à porta do Hôtel Ponsardin, desertado por seu pai. Ela disse a Napoleão que a família estava à espera para cumprimentá-lo a pequena distância dali, na casa de seu irmão, Jean-Baptiste.

Que teria Napoleão pensado ao saber que o Hôtel Ponsardin estava vazio? É difícil imaginar que um homem astuto como ele deixaria de perceber que a ausência significava falta de confiança. Ou talvez não fizesse diferença. Nicolas havia encarregado o filho da responsabilidade política e social da ocasião, e Napoleão foi bem recebido como convidado da família, na elegante mansão da rue de Vesle, onde Jean-Baptiste, o irmão de Barbe-Nicole, morava com a esposa, Thérèse.

Napoleão passou três noites com a família Ponsardin. Para Jean-Baptiste e Thérèse foram dias inesquecíveis, com visitas de gente importante e jantares sofisticados, além da excitação de estarem no centro dos acontecimentos mundiais. Mas foram também dias estressantes. Era tarefa difícil proporcionar distrações ao imperador em meio a uma guerra que caminhava para a derrota.

Thérèse se esmerava na elegância e perfeição da hospitalidade. Seguindo o costume, ela enchia com as próprias mãos o travesseiro do imperador com as plumas mais macias. Enquanto isso,

Jean-Baptiste deve ter percebido como era politicamente delicada a ausência do pai. Apesar do desprezo que sentia pelo imperador em virtude da ruína comercial que havia criado, Barbe-Nicole era sensata o suficiente para evitar complicar ainda mais a situação já difícil da família com qualquer demonstração de desrespeito. Apenas a irmã Clémentine, uma das socialites mais badaladas de Reims, talvez tenha usufruído toda aquela honra sem restrições.

Enquanto recebia a hospitalidade da família Ponsardin, durante dias do declínio do império francês, Napoleão certamente tomou o champanhe de Barbe-Nicole. De fato, ele deve ter provado a divina safra de 1811. Para um hóspede tão poderoso quanto o imperador da França, homem famoso por seu amor ao champanhe, Barbe-Nicole não faria por menos. Talvez ela quisesse mostrar que Jean-Rémy Moët e Memmie Jacquesson não eram os únicos que sabiam fabricar vinhos maravilhosos.

Certamente ela não explicou a Napoleão o simbolismo do cometa gravado nas rolhas daquela safra, o cometa cujo aparecimento levara os camponeses que trabalhavam nas vinhas a profetizar a queda do império. Nas semanas e nos meses seguintes, Napoleão deve ter se lembrado daqueles dias com a família Ponsardin e do champanhe da jovem Viúva Clicquot como seu último sabor de vitória. Três semanas mais tarde, sua carreira meteórica chegaria ao fim e ele se veria destituído do poder e condenado ao exílio.

Antes, porém, Napoleão visitou Jean-Rémy, o que deve ter deixado Barbe-Nicole bastante irritada. Ao deixar a casa dos Ponsardin, ele se dirigiu imediatamente para Épernay, onde fez uma última visita a seu velho amigo. A despeito do champanhe que sem dúvida tomaram, foi um encontro grave e sombrio. Napoleão tinha bastante experiência em guerra para saber o que teria que enfrentar.

Dizem que Jean-Rémy encontrou o imperador estudando atentamente um mapa. Ao levantar os olhos para encará-lo, Napoleão calmamente retirou do peito sua própria insígnia da Legião de Honra, o pequeno ornato de cinco estrelas que caracterizava o título de nobreza na França imperial, e prendeu-o no casaco do amigo, dizendo apenas: "Se o destino intervier para abater minhas esperanças, pelo menos quero poder recompensá-lo por seus leais serviços e sua coragem incansável, mas, acima de tudo, pela excelente reputação por você conquistada, aqui e em outros países, para os vinhos franceses." Napoleão foi um amante do vinho até o fim. E, como sempre, leal a Jean-Rémy Moët.

Napoleão abdicou do trono francês no início de abril. Os russos passaram novamente por Reims, comemorando ruidosamente o fim da guerra. Barbe-Nicole também tinha motivos para comemorar. Os oficiais brindavam ao fim dos combates com seu champanhe. Em toda a cidade "oficiais russos... levavam aos lábios uma taça da bebida. Dizia-se até que muitos preferiam o pipocar das rolhas de Reims ao dos canhões do imperador". Ao fim de tantos anos de batalhas, os ingleses não estavam menos exuberantes. Na segunda semana de abril, Lord Byron escreveu ao seu amigo Thomas Moore: "Ficamos no clarete e no champanhe até as duas." O champanhe começava a se tornar sinônimo de comemoração na cultura de massa.

Sabendo que a guerra chegava ao fim, Barbe-Nicole sentia-se feliz. Logo estaria livre para corresponder ao amor dos russos pelos vinhos finos franceses. "Após tanto sofrimento de nossa cidade, enfim, chegou a hora de podermos respirar com liberdade e esperar que haja uma paz geral e permanente. E, consequentemente, tranquilidade também para a atividade comercial, há tanto tempo estagnada. Graças a Deus, fui poupada. Meus bens e minhas adegas estão intactos e estou pronta a retomar toda a atividade que as recentes mudanças permitirão."

Que o fim das guerras napoleônicas tenha acontecido na região da Champagne foi mero acaso. Foi também um momento de importância vital na história do vinho, um momento que forjou sua identidade cultural. O vinho da Champagne já era apreciado como a bebida das festividades desde os primeiros dias de sua história, mas centenas de pequenos obstáculos haviam restringido maior expansão comercial. Por muitos séculos fora apreciado apenas pelos conhecedores mais ricos e mais exigentes. No auge da produção, na França de antes da guerra, o total nunca fora superior a 400 mil garrafas. Poucas décadas após a derrota de Napoleão, essa produção já era mais que dez vezes maior, chegando a cinco milhões.

Por mais que Barbe-Nicole desprezasse Napoleão, foi o apoio do imperador à indústria e quase 15 anos de reformas que mudaram desde as leis na Europa até a condição das estradas através do império que tornaram possível outro futuro, e sua própria fama. Os eventos daquela primavera na região, ocasião em que meio milhão de soldados e alguns lordes ingleses de menor importância comemoraram com champanhe o fim de um império, transformaram o espumante em fenômeno cultural internacional, rico de significados e de simbolismo universal.

Ainda assim, quando o czar Alexander encomendou provisões para um banquete oferecido a 300 mil tropas reunidas no Camp Vertus, o champanhe veio das adegas de Jean-Rémy Moët. Que até o czar favorecesse seu concorrente deve ter sido muito irritante para Barbe-Nicole. Talvez essa preferência tenha servido para focalizar suas energias no retorno imediato aos negócios e na reconquista da fatia do mercado russo que ela e Louis – e François antes deles – haviam lutado tanto para abrir.

Levaria tempo para que as injunções políticas fossem resolvidas, mas quando a guerra finalmente chegasse ao fim, o que ela sabia que iria acontecer, seria um novo começo para a companhia. Barbe-Nicole aproveitou a ocasião. No fim de abril, antes mesmo que a paz estivesse garantida, ela já havia aberto as adegas e voltado ao trabalho, verificando as longas fileiras de barris para ver o estado de cada safra, fazendo ajustes e tomando notas para começar o trabalhoso processo de trasfegar os vinhos.

Se a ocupação de Reims não fora um benefício, também não fora um desastre. "Devemos dar graças aos Céus", ela escreveu. "Não tenho perdas a lamentar e não vou me queixar de despesas de que ninguém estava a salvo." Mandou os empregados retornarem imediatamente aos vinhedos, já se preparando para o futuro, para o momento em que as proibições comerciais na França fossem revogadas e ela pudesse recomeçar a enviar seus vinhos aos clientes.

Mas Barbe-Nicole não ficaria passivamente à espera da sorte. Logo, ela começou a arquitetar um plano ousado, cuja execução seria a maior aposta de toda a sua carreira. Ela estava numa encruzilhada e sabia disso. No momento em que os Bourbon voltaram a ocupar o trono da França, trabalhando em completo segredo e contando apenas com a cumplicidade de Louis, seu homem de confiança, e de Monsieur Boissonet, seu distribuidor na Rússia, Barbe-Nicole decidiu furar os bloqueios mais uma vez, adiantando-se à restauração oficial do comércio internacional.

Como descobrira naquela primavera, os russos adoravam seus champanhes mais doces e encorpados. Se conseguisse fazer entregas antes dos concorrentes, haveria uma nação inteira à espera dos primeiros sabores legalizados do champanhe francês. Era um projeto arriscado, perigoso, e se falhasse seria o fim.

O que estava em jogo não podia ser maior. Era um grande carregamento transportado sem autorização e sem seguro. Estava infringindo tanto a lei quanto as regras do senso comum. Seu plano era fretar um navio para enviar muitos milhares de garrafas de champanhe até o porto aberto de Königsberg (atual Kalingrado, na Rússia), zarpar no momento em que os outros portos fossem abertos e fazer a travessia da pequena distância até a Rússia. Se o cargueiro fosse descoberto navegando sem licença, a carga seria confiscada e destruída. E muito da maravilhosa safra de 1811 estaria perdida para sempre.

Pior ainda, se seus concorrentes viessem a saber do projeto, ou se estivessem tramando a mesma coisa, o resultado seria a ruína imediata. Nada a deixaria mais furiosa do que Jean-Rémy se apossar novamente da melhor parte do mercado russo. Barbe-Nicole sabia que o sucesso não dependia apenas de fazer com que seus vinhos chegassem à Rússia, mas que chegassem na frente, semanas antes de outros carregamentos, de modo que seu champanhe fosse o único encontrado nos portos e armazéns.

Mal Napoleão abdicou, ela começou a escrever cartas para providenciar um fretamento secreto. Em abril, recebeu boas notícias de Louis, dizendo que Monsieur Rondeaux, um mercador marítimo, podia ajudá-la. Se ela conseguisse mandar a carga rapidamente para Rouen, haveria lá um barco pronto para transportar os vinhos para a Rússia. Eles já tinham elaborado um plano de emergência para a eventualidade de a Rússia ainda estar inacessível. Se fosse necessário, os vinhos poderiam ser vendidos em Königsberg ou enviados a outros portos ao longo do Canal. Ela havia aprendido bem a lição de Amsterdã: jamais deixar vinho estragando num depósito.

Louis acompanharia o carregamento. A princípio, ela pensara em mandar seis mil garrafas, mas na última hora surgiram imprevistos. Embora as tropas tivessem deixado Reims e o vinho pudesse ser enviado em segurança, havia poucos homens aptos a trabalhar nas adegas depois da guerra. "Você sabe", ela disse a Louis, "que nossos vinhos precisam de cuidados especiais e devem ser novamente engarrafados antes do embarque. Como não tenho mão de obra suficiente para completar essa operação indispensável, sou obrigada a adiar a entrega." Por fim, quando chegou o momento de embarcar os vinhos no trem com destino a

Paris e depois a Rouen, a contagem final era de 10.550 garrafas de seu melhor champanhe. Tinham recebido a notícia de que não havia mais bloqueio nos portos no mar Báltico, mas que o vinho francês engarrafado ainda estava proibido na Rússia.

Mesmo assim, Barbe-Nicole tinha certeza de que os russos receberiam bem os seus vinhos. Muito em breve outros comerciantes estariam enviando carregamentos, mas levariam semanas para arranjar um navio, e ela saíra na frente. Era uma verdadeira corrida para a Rússia. Jean-Rémy já escrevera ao conde Tolstoy, o grande marechal do palácio imperial em São Petersburgo, solicitando permissão para enviar ao czar 30 mil garrafas de espumante. Esperando passar livremente pela alfândega, dentro de poucas semanas ele estaria colocando milhares de garrafas no mercado russo.

No dia 20 de maio, Louis e os vinhos de Barbe-Nicole partiram de Reims para Paris com destino à cidade costeira de Rouen. A ansiedade era febril. Não havia meio de saber se os concorrentes haviam tido a mesma ideia. Talvez Barbe-Nicole e Louis já estivessem atrasados. Talvez os vinhos se perdessem antes de chegar à Rússia, vítimas das incertezas e da longa viagem por mar, já que haviam sido embarcados numa época muito avançada daquela quente primavera, o que era sempre um risco para os vinhateiros.

Louis passaria semanas viajando sob condições severas. Em Paris, comprou provisões para o restante da viagem, alimentos básicos, como presunto defumado, biscoitos, chá e maçãs. Ele precisava também levar sua própria cama e alguns artigos de conforto pessoal para o navio. Barbe-Nicole havia sido solidária. Entre as caixas de vinho, reservara uma surpresa para Louis. Em suas palavras, era algo para "esquentar a goela": uma dúzia e meia de garrafas do excelente tinto de Cumières, meia dúzia de garrafas de conhaque para aquecer as noites frias e um pequeno exemplar encadernado em couro de *Dom Quixote*, de Miguel de Cervantes, o famoso romance espanhol sobre as aventuras de um impetuoso cavaleiro determinado a combater as batalhas mais absurdas. Em vista dos riscos e da impetuosidade da aventura a que se lançavam, era um presente bastante apropriado, revelando o humor contundente de Barbe-Nicole.

Às onze horas da noite do dia 10 de junho, Louis e a carga finalmente zarparam a bordo do *Zes Gebroeders*, sob as ordens do comandante Cornelius. O ar áspero da noite enchia os deques inferiores. O navio estava infestado de insetos e piolhos. Louis ficou tão preocupado com o conteúdo das frágeis caixas de vinho balançando nos porões do navio que decidiu passar aquelas noites terríveis junto à carga. Dificilmente poderia ser pior. Louis sabia muito bem que as garrafas estouravam facilmente; se fossem muito sacudidas com o balanço do navio, caixas inteiras poderiam ser destruídas.

Para o insone Louis, foi uma longa viagem. Para Barbe-Nicole, em Reims, os dias e as noites foram ainda mais longos. No dia 3 de julho, quase um mês depois, o *Zes Gebroeders* finalmente atracou em Königsberg, porto no mar Báltico que até então era território prussiano. Fora uma travessia árdua, com a temperatura cada vez mais elevada, e seria bom que findasse ali. Talvez as garrafas tivessem estourado, e os vinhos, derramado. Talvez as mudanças de temperatura tivessem deixado o vinho turvo ou podre. Após anos de guerra e a terrível depressão do comércio, a companhia não podia se permitir mais qualquer margem de erro.

O dia em que os vinhos foram descarregados amanheceu extremamente quente. Louis desembrulhou a primeira garrafa com o coração na mão. Surpreendentemente, as garrafas retiradas do invólucro de palha estavam absolutamente cristalinas. Nenhuma havia quebrado na primeira caixa. O mesmo se via na segunda e também na terceira caixas. Estavam em perfeito estado, "tão fortes quanto os vinhos da Hungria, dourados como ouro e doces como néctar", ele escreveu. E a melhor notícia: "Em muitos anos, nosso navio é o primeiro a viajar do porto de Rouen para o norte, carregado de vinhos da Champagne."

O plano secreto teve bom resultado. Nenhum dos concorrentes de Barbe-Nicole havia suspeitado e, poucos dias depois de sua chegada, o champanhe produzido pela Viúva Clicquot gerou uma competição desenfreada entre os clientes. Antes que Louis enviasse o carregamento para a cidade imperial de São Petersburgo, e antes mesmo que todas as caixas fossem descarregadas do *Zes Gebroeders*, os clientes já o assediavam no hotel, implorando para comprar ainda que poucas garrafas. Nas docas, à medida que diminuía o estoque destinado a Königsberg, os comerciantes quase chegavam às vias de fato na disputa pelas garrafas. Demonstrando o grande tino para negócios que Barbe-Nicole sempre admirara nele, Louis escreveu, com muito humor, que agora mostrava-se um vendedor inflexível, cobrando preços que ela nunca imaginara possíveis: o absurdo de 5,5 francos por garrafa, o equivalente a 100 dólares atuais. Era também o que pagava a seus vinheiros por uma semana inteira de trabalho árduo.

Ao ser informada de tamanho sucesso, na luz difusa do seu escritório, Barbe-Nicole deve ter afastado uma mecha de cabelos das faces e se permitido um largo sorriso de satisfação. Naquele momento, deve ter pensado em François, no longo verão em que haviam percorrido os campos da Champagne inspecionando as vinhas de Bouzy, ou quando haviam parado para admirar as colinas silenciosas. O sonho do casal era fabricar seus próprios vinhos e ali, a sua frente, estava a prova de que não tinham sonhado em vão. Mas nem mesmo Barbe-Nicole poderia ter imaginado o que viria a seguir. Em sua primeira noite de triunfo, quando mal começava a entender que estava diante de algo realmente grande, algo maravilhoso, ela deve ter tomado a pena e colocado no papel o projeto da partida imediata de outro carregamento de seu excelente champanhe.

Capítulo 10

Um cometa sobre a Rússia: a safra de 1811

O sucesso trouxe também novos desafios e oportunidades ao mesmo tempo arriscados e animadores. Como o pai, Barbe-Nicole não era uma idealista passiva. Sempre mantinha a calma, principalmente em situações de crise. Numa época de turbulência social e incerteza econômica, Nicolas Ponsardin era um sobrevivente. Sua filha seria ainda mais do que isso.

O primeiro carregamento foi um sucesso espetacular, talvez sua maior cartada em quase seis anos na direção da companhia. Estava se tornando uma celebridade na região. Quando seus concorrentes em Reims souberam da audaciosa operação, houve murmúrios de espanto e – que mudança agradável – até de inveja profissional. Louis não tardou a escrever, com sua língua afiada, contando fantasias de deixar os concorrentes mortos de inveja: "Estou cansado de vê-los nos deixando em paz e levando o dinheiro. Quando chega a hora certa... a celebridade é o resultado natural, e é isso que procuro para você; melhor ser alvo de inveja do que de piedade; enquanto eles resmungam, nós enchemos os bolsos, e quando tivermos raspado até o fundo da panela, vamos rir muito da cara feia que eles vão fazer, torcendo as mãos em suas tocas. Você [pode estar] certa... da confiança exclusiva da Rússia

[e] de sua conta bancária." De fato, em questão de semanas ela faturou o equivalente a mais de um milhão de dólares.

Agora Louis podia dizer que tinham vendido todo o estoque de 10.550 garrafas do champanhe da Viúva Clicquot. Algumas foram vendidas no instante em que ele aportou, garantindo dinheiro suficiente para cobrir os custos da viagem e ainda um pequeno lucro em caso de acidente. O restante ele enviou para o distribuidor na Rússia, Monsieur Boissonet, com preços ainda mais altos. Nos dois mercados, houve uma corrida para comprar champanhe. Excitada, Barbe-Nicole escreveu: "Meu Deus! Que preços! Que novidade! Estou no auge da alegria e da satisfação. Que felicidade essas mudanças trouxeram. Depois dos terríveis momentos que passei, os Céus derramaram suas bênçãos sobre mim. Devo-lhe mil agradecimentos."

Se essa notícia de sucesso financeiro era fabulosa, mais gratificantes ainda eram os comentários positivos. Apaixonada pela atividade vinícola, Barbe-Nicole reconhecia que era uma proprietária irrequieta e às vezes intrometida. Não era capaz de se ater apenas às tarefas do escritório, deixando o trabalho da safra nas mãos dos empregados. Perfeccionista irremissível, nada lhe escapava. Agora constatava que essa vigilância lhe rendia dividendos.

Louis escreveu de Königsberg relatando que, quando os clientes provaram o vinho de Barbe-Nicole, um burburinho tomou conta das ruas da cidade. A safra de 1811 da Viúva Clicquot, o vinho do ano do cometa, era extraordinária. "Eles me adoram aqui", dizia Louis, "porque adoram meus vinhos... que espetáculo!" Os brindes no aniversário do rei da Prússia foram todos com seu champanhe, e "dois terços da alta sociedade de Königsberg... depois de provar seu néctar... estão a seus pés. De todos os vinhos finos que viraram as cabeças do norte, nenhum se compara ao *cuvée* 1811 de Madame Clicquot. Delicioso ao paladar, é um assassino, e quem quiser experimentá-lo deve se fazer amarrar à cadeira, porque, depois de prestar respeitos à garrafa, estará catando respingos debaixo da mesa".

Louis não estava brincando ao dizer que quem bebia o champanhe de 1811 podia amanhecer dormindo debaixo da mesa. O champanhe não só era delicioso, mas também muito forte. As uvas doces e suculentas daquela safra perfeita haviam criado um vinho altamente alcoólico. Sua excelente *mousse* fazia com que as rolhas saíssem voando com um alegre e ressonante estampido. O que os ingleses haviam descoberto no fim do século XVII, que tornara possível o início da produção do champanhe, fora simplesmente o fato de que adicionar açúcar aumentava tanto o teor alcoólico quanto as borbulhas.

Em São Petersburgo, o vinho da Viúva Clicquot era uma sensação ainda maior – se é que se podia imaginar – e atingia preços mais altos do que ela jamais sonhara. Algticuns dos mesmos oficiais aristocratas que haviam aprendido a apreciar o champanhe Veuve Clicquot durante a ocupação de Reims agora se dispunham a pagar qualquer preço por uma garrafa. O próprio czar Alexander veio a declarar que não tomaria nenhum outro. Por toda parte se ouviam o nome da Viúva Clicquot e louvores ao seu divino champanhe. Vendo que o mercado russo estava a seus pés, Louis escreveu uma última carta de Königsberg. Rindo da situação, ele contava que, naquele momento, estava indo às lojas comprar vinhos para sua própria festa de despedida. Depois de vender até a última garrafa, ele estava de partida para São Petersburgo, ansioso para pegar novos pedidos. Pouco depois, voltava a escrever: "Já tenho em meu portfólio [pedidos para] um novo assalto às suas adegas." Barbe-Nicole estava preparada – e os outros também.

Passados os primeiros momentos de inimaginável prazer com a leitura daquelas cartas que relatavam seu sucesso, sobreveio uma imensa sensação de alívio. O jogo secreto em que se arriscara fora muito, muito maior do que se poderia suspeitar. Seria o suficiente para que até o mais tranquilo dos homens – ou mulheres – de negócios passasse noites sem dormir, em pânico. Agora sua vitória seria ainda mais impressionante do que os concorrentes poderiam imaginar.

Antes que soubesse que seu champanhe alcançaria o preço absurdo de 5,5 francos por garrafa, e que seria vendido até num quarto de hotel, e antes mesmo que soubesse que os vinhos haviam sobrevivido à perigosa travessia marítima nos últimos dias daquela guerra que definira toda uma geração, ela já fazia planos para um segundo carregamento, maior do que o primeiro. Mais garrafas daquela safra mágica de 1811, que quem teve a sorte de provar afirmava que era nada menos que espetacular.

Enquanto Louis e o primeiro carregamento já embarcados no porão agitado do *Zes Gebroeders* faziam a incerta travessia para Königsberg, os comerciantes de Reims tomaram conhecimento de que o czar havia revogado a proibição para as garrafas de vinhos franceses. A medida havia sido calculada para pôr fim ao sonho napoleônico de transformar o champanhe em artigo de luxo característico da França. Agora, Napoleão fora derrotado e São Petersburgo tinha sede de champanhe.

A notícia do fim da proibição se alastrou pelas redes comerciais da cidade com intensidade febril. Nos escritórios e nas docas ao longo do rio, de onde os vinhos partiam para a longa e vagarosa jornada até Paris e seguiam para a costa, só se falava em exportação e nos preços espantosos que o champanhe alcançaria quando toda a Europa passasse a comemorar o fim daquela guerra agonizante. Nas adegas, milhares de garrafas eram preparadas para a viagem.

Barbe-Nicole compreendeu rapidamente que precisava tomar outra decisão crucial. Em poucas semanas seria impossível fretar um navio. Em toda a França, os comerciantes se apressavam a colocar seus produtos no mercado externo e não haveria barcos suficientes para todos. Se seus vinhos sobrevivessem à viagem e Louis fosse bem-sucedido, em breve não haveria meio de enviar mais caixas, a não ser que ela agisse imediatamente. Ela sabia que a vantagem de ter chegado na frente logo estaria perdida. Não era só uma questão de vendas, mas da partilha do mercado. Ela não queria apenas vender 10 mil garrafas, mas conquistar o mercado inteiro.

O risco de enviar um segundo carregamento no escuro significava que, se Louis fracassasse em Königsberg, sua ruína financeira seria terrível, e talvez irremediável. Ela precisava contratar um comandante de navio antes mesmo de saber exatamente como iria pagar as contas. Era preciso ousadia e determinação, mas Barbe-Nicole viu que não tinha muita escolha. Ela não chegara até ali para perder sua primeira grande oportunidade em anos por falta de coragem.

Felizmente Barbe-Nicole não hesitou. Quando os concorrentes souberam que ela havia passado à frente de todos eles no mercado internacional, quando começaram a se atropelar à procura de navios para embarcar seus vinhos, ela, pela segunda vez, já havia se adiantado. Monsieur Clérout, comandante do *La Bonne Intention*, já estava à espera em Rouen, pronto para transportar outras 12.780 garrafas da lendária safra de 1811. A viagem seria arriscada para aqueles vinhos delicados. Desta vez ninguém os acompanharia.

Agora, seu maior inimigo não era mais o terror do clima econômico dos dias de guerra. Era o calor do verão. Temperaturas extremas, quentes ou frias, estragavam o vinho. O transporte de champanhe só podia ser feito com segurança em duas estações do ano. No alto verão, era um modo certo de fazer com que toda a carga acabasse em cacos de vidro. O vinho congelado tinha o mesmo destino. Mas durante a primavera e o outono, quando o tempo permitia, os vinhos eram transportados nas barcas que navegavam pelo grande rio que percorre toda a região da Champagne. O segundo carregamento, em pleno verão, já saía muito tarde.

Mesmo na estação correta, eternos problemas impediam que o vinho chegasse em bom estado. Barbe-Nicole não dispunha das vantagens das tecnologias atuais, nem dos transportes modernos. Seu espumante, embalado apenas em palha trançada e em caixotes de madeira, tinha que sobreviver à lentidão e aos solavancos da viagem pelas estradas e docas da Europa, sem proteção contra variações de temperatura, atrasos ou roubos. Os vinhos transportados em barris, que eram fáceis de abrir e tornar a selar durante a viagem, também estavam sujeitos à adulteração. Quando os transportadores ficavam com sede, serviam-se de uns goles para aliviar a jornada e completavam o nível com água. Ou pior.

Mas, inacreditavelmente, o segundo carregamento também sobreviveu. Agora, era vitória após vitória. Ao escrever à prima Jennie que, morando em Paris, ainda sofria com a escassez dos tempos de guerra, Barbe-Nicole sentia-se tonta com a rapidez das mudanças em Reims. "Se os negócios continuarem como estão desde a invasão dos aliados, se minha filha se casar algum dia", ela escreveu em novembro, "poderei viver, se não como rica, pelo menos com opulência, e minha casa será sempre um porto seguro onde você poderá se abrigar sem depender de ninguém. Esperemos juntas o que a Divina Providência nos reservou. E vamos vivendo um dia após o outro, sem desesperar. Você se lembra de como eu estava desolada nessa época do ano passado... Tinha perdido as esperanças de fazer qualquer coisa mais [e] o avanço dos russos sobre o Reno foi a gota d'água. Agora, passados todos esses contratempos, vieram os bons negócios que tenho feito e ouso esperar por mais. Talvez vocês também venham a ter uma dose de boa sorte. Pelo que sei, não podemos ter má sorte para sempre. Portanto, querida amiga, tenha coragem, paciência e resignação."

Na verdade, sua sorte não havia terminado. Nem estava perto de terminar. Aqueles dois audaciosos carregamentos iam torná-la uma das mulheres mais famosas na Europa, e seu vinho viria a ser um dos produtos mais valorizados do século XIX. Nas palavras de Louis, seu sucesso nasceu de "sua judiciosa maneira de operar, de seu excelente vinho e da maravilhosa similaridade de nossas ideias, que produziu a mais esplêndida unidade de ação e execução. Trabalhamos bem e devo um milhão de agradecimentos às ações da Divina Providência, que houve por bem fazer de mim um instrumento de seu bem-estar no futuro. Nenhum sofrimento me impediria de fazer tudo de novo, para justificar a confiança ilimitada que você depositou em mim e que deu tão felizes resultados. Certamente, você merece toda a glória possível, depois de todos os seus revezes, sua perseverança e seu óbvio talento".

Como Louis bem sabia, nem os números obtidos com as vendas nem a excelente qualidade dos vinhos a tornariam uma lenda no mundo dos negócios. O que a tornou famosa foi a incrível audácia que colocou seu champanhe em primeiro lugar na Rússia. O envio secreto dos vinhos foi o golpe certeiro que transformou o nome da Viúva Clicquot em marca de luxo num dos maiores e mais elegantes mercados do mundo.

Inicialmente, a celebridade que se seguiu pouco tinha a ver com a mulher Barbe-Nicole. Como disse o poeta Lord Byron, depois que seu espirituoso livro de aventuras de viagens, intitulado *Childe Harold's Pilgrimage*, se tornou o maior best-seller em 1812, ela também podia dizer que acordou um belo dia e descobriu que era famosa. Mas, diferentemente do que ocorreu com o jovem lorde devasso e despreocupado, poucas pessoas que repetiam o nome da Viúva Clicquot nos primeiros anos de sua meteórica ascensão no cenário mundial conheciam a história da mulher por trás da obra. Essa curiosa manifestação de anonimato que seria seu destino – um estilo pragmático de viver na obscuridade, marcado por sua decisão de usar permanentemente os negros trajes do luto – talvez tenha contribuído para que uma companhia dirigida por uma mulher pudesse florescer na Europa cada vez mais conservadora do pós-guerra.

Ao mesmo tempo, vale a pena lembrar, mesmo que de passagem, um aspecto muito especial das primeiras décadas do século XIX. Naqueles anos, a produção do champanhe, assim como tantas outras pequenas indústrias na Europa pós-revolucionária, deixou de ser um processo artesanal rural para se tornar um grande negócio. As vinícolas familiares do século XVIII ou estavam a ponto de se tornar grandes firmas comerciais ou estavam prestes a desaparecer. Na geração anterior, a fabricação do vinho estava nas mãos de produtores rurais que cultivavam as vinhas e também, especialmente no caso do champanhe, o engarrafavam. François fazia parte do pequeno grupo de distribuidores que, por cautela, começaram a tirar dos plantadores esse estágio do processo. Deve ter havido momentos em que ele se perguntou se o aumento do lucro justificava os novos riscos. Mas o que François havia começado, Barbe-Nicole tomou como missão pessoal e singular. Foi o que a elevou a uma posição importante na evolução do champanhe.

Afinal, o champanhe não continuaria a ser um empreendimento familiar e artesanal por muito tempo. O futuro dos negócios era o modelo manufatureiro. A indústria do champanhe estava em franca ascensão e os beneficiados por esse modelo seriam os empresários que começavam a tomar controle do processo de produção. Barbe-Nicole, que sempre tivera prazer em assistir às colheitas e aprender o trabalho nas adegas, estava na vanguarda desse movimento. Ela não somente engarrafava a maior parte de seus vinhos, mas também se dedicava pessoalmente à mistura e ao envelhecimento. Com mentalidade de filha de negociante, ela exigia o melhor, sem piedade dos fornecedores. Nos arquivos da companhia, em Reims, há páginas e páginas de correspondência com reclamações do formato das garrafas e da qualidade das rolhas que encomendava. Os fornecedores não tardaram a entender que, se fosse o único meio de obter o que queria, ela vinha em pessoa fazer suas reclamações. Em breve, ela também compraria outros vinhedos para ter maior quantidade de suas próprias uvas.

O mundo dos negócios sofria mudanças e a indústria de vinho também. Hoje isso parece óbvio, mas no início do século XIX o capitalismo ainda era uma ideia relativamente nova. "O mercado mundial, que lentamente adquiria existência, atuava como uma locomotiva do crescimento protoindustrial" na França. A cultura de massas emergia. Nesse clima de mudanças rápidas no mundo dos negócios, Barbe-Nicole teve a sorte de ter não tanto François como marido, mas Philippe como sogro e Nicolas como pai. A criativa participação de ambos na incipiente industrialização do mercado têxtil e na nova economia dos tempos de paz na Europa se combinava a um desejo à moda antiga de apoiar uma filha empreendedora, precisamente no momento em que isso se tornava socialmente inaceitável. Foi a grande chance de Barbe-Nicole. Anos mais tarde, seria bem mais difícil para uma mulher entrar no universo comercial, e, anos antes, ela não saberia como aquele mundo passaria por transformações. O antigo modelo de mulheres da burguesia que participavam de empreendimentos de família havia desaparecido, e o mais impressionante nessa história é que Barbe-Nicole tinha uma posição única para inventar um novo modelo.

Se Barbe-Nicole houvesse tentado dirigir uma companhia no século XVIII, ninguém hoje se lembraria da Viúva Clicquot. Nem mesmo no mais aconchegante bistrô campestre não encontrei até hoje ninguém na região que soubesse contar a história da viúva Blanc ou da viúva Robert. Ironicamente, a ascensão do capitalismo e o fim das mulheres burguesas à frente de negócios familiares vieram de mãos dadas. Como diz um estudioso: "A maioria dos historiadores de gênero, e mesmo historiadores do comércio, concorda que essas mulheres desapareceram entre o fim do século XVIII e meados do século XIX, derrubadas pelo impacto combinado das diferentes esferas ideológicas e de mudanças estruturais, como a industrialização, o uso do capital extrafamiliar e a 'revolução administrativa'." Se Barbe-Nicole se agarrou ao antigo modelo de mulheres na esfera comercial, deve ter lutado muito. Mas não se tornou uma das mais famosas de seu século.

Em vez de se ater ao modo antigo e se recolher à segurança de um papel empresarial modesto, fora de moda mas ainda assim tacitamente aceitável para uma mulher, Barbe-Nicole tornou-se uma industrial entusiástica. Não foi apenas a primeira mulher a construir uma casa de champanhe fundada nos novos princípios mercantis, mas uma entre os poucos empresários que o fizeram. Ela não se destacou apenas como mulher de negócios, mas nos próprios negócios. Quando vemos os nomes de champanhes famosos nas prateleiras dos supermercados, as chamadas *grandes marques*, não é surpresa encontrar os nomes de seus concorrentes no século XIX. Jean-Rémy Moët e seu genro, Pierre-Gabriel Chandon. Jules Mumm. Louis Roederer. Charles Heidsieck. Os pioneiros Ruinart, da família de sua avó. Formaram um pequeno grupo de empresários que modernizou a indústria do champanhe e fez grandes fortunas. E a Viúva Clicquot estava entre eles desde o começo.

Capítulo 11

A filha do industrial

Aos trinta e tantos anos, Barbe-Nicole havia alcançado algo espetacular. No início do verão de 1815, estava à frente de um império comercial de renome internacional. Foi uma das primeiras mulheres da história moderna a conquistar essa posição. Os obstáculos superados foram imensos. Não era apenas um telhado de vidro, mas toda uma cultura industrial que falava cada vez mais alto que as mulheres não tinham lugar no mundo dos negócios e da economia, e não poderiam galgar sequer o primeiro degrau da escada corporativa.

Infelizmente, mulheres como Barbe-Nicole ainda são uma raridade no atual mundo dos vinhos. E são ainda mais raras no mundo do champanhe. Na França, são poucas mulheres que administram propriedades vinícolas, lugares lindos, prestigiados, como o Château Margaux ou o Château Mouton Rothschild. Mas não são casas de champanhe. Somente à frente do Champanhe Veuve Clicquot Ponsardin há hoje uma mulher, e mesmo assim de pouco tempo para cá.

Mas Barbe-Nicole não se limitava à direção administrativa da companhia produtora de um champanhe mundialmente famoso. Ela desempenhava um papel central na fabricação do espumante que levava seu nome. Hoje, não existe em toda a Europa uma mulher que acumule essas duas funções. Quem quiser encontrar um equivalente atual da Viúva Clicquot não deve ir à Champagne, mas aos vinhedos ainda emergentes do norte da Califórnia, nas verdejantes encostas cobertas de carvalhos da região de Napa e Sonoma. Nos anos 1970 e 1980, o colapso da indústria vinícola da Califórnia teve um efeito semelhante ao da crise na Champagne dos anos 1780 e 1790. A "indústria em recessão" abriu as portas para novos empresários do setor, principalmente para as mulheres.

Em minhas viagens para encontrar a Viúva Clicquot, tentando saber como teria sido para Barbe-Nicole a primeira década na direção de sua própria companhia, descobri algumas dessas vinicultoras modernas. O que mais me impressionou foi que apresentavam o mesmo charme severo e o mesmo estilo sério que foram a marca registrada de Barbe-Nicole. Uma das mais charmosas é Eileen Crane, vinicultora e presidente da Napa Domaine Carneros, a quem procurei movida por um dado curioso na história da companhia. A Domaine Carneros foi fundada, nos anos 1980, pela casa de champanhe que pertenceu ao primeiro sócio de Barbe-Nicole, Alexandre Fourneaux, conhecida hoje como Champanhe Taittinger.

Visitei a Domaine Carneros numa bela tarde quente de outubro. Quem nunca passou pelos vinhedos logo depois da colheita mal sabe que esse recanto da Califórnia tem uma vegetação que rivaliza com as alamedas da minha terra natal, a Nova Inglaterra. Nos dias que antecedem as chuvas que encharcam as colinas calcárias, as videiras vão ficando alaranjadas e vermelhas. A sede da Domaine Carneros tem como pano de fundo esse quadro de folhas coloridas. É um grande castelo francês, ou pelo menos uma boa imitação, elevando-se no meio dos campos.

É um prédio que Barbe-Nicole teria reconhecido imediatamente. Aqui, no árido Oeste americano, a companhia ergueu uma réplica do Château de la Marquetterie, que ainda existe na cidade de Pierry, no coração da Champagne. A cada outono, Barbe-Nicole passava por ele ao partir rumo ao sul, a caminho dos vinhedos de Côte des Blancs, famoso pelas uvas *chardonnay*. O Château de la Marquetterie foi construído nos anos 1750, no local da antiga propriedade dos monges de Saint-Pierre aux Châlons. Recebeu o nome por causa dos grandes vinhedos onde as uvas pretas *pinot noir* e as brancas *chardonnay*, depois de colhidas, eram colocadas de modo a imitar um tabuleiro de xadrez – como uma peça de marcenaria revestida com pedaços de madeira de cores diferentes conhecida como "marchetaria". Nos primeiros dias do terror revolucionário, quando a família de Barbe-Nicole se viu envolvida no perigoso turbilhão da política jacobina, o proprietário do castelo ficou entre os milhares de vítimas da guilhotina, em 1793. Mas o *château* já era conhecido pelo que representava na história do champanhe. Foi ali, a pouca distância de Hautvillers, que o monge do século XVII Jean Oudart, irmão religioso de Dom Pérignon e provavelmente um de seus colaboradores, conduziu um dos primeiros e menos lembrados experimentos com o vinho espumante, então conhecido simplesmente como *vin mousseux*.

Acho que Barbe-Nicole reconheceria também Eileen Crane. Ela me recebeu em seu escritório sobre a varanda da Domaine Carneros, onde os visitantes apreciam seu champanhe em mesinhas de café enquanto ela discorre apaixonadamente sobre o espumante. Fala que o champanhe não se destina somente aos ricos e famosos, mas a todas as pessoas comuns da classe média que comemoram pequenos luxos, maravilhosos e simples como o início de um fim de semana. Barbe-Nicole tinha a mesma opinião. Eileen diz que as pessoas ainda se preocupam com o champanhe: como abrir, como servir. Acham que precisam se vestir a rigor e usar os copos corretos. A verdade é que o espumante é tão bom com pizza quanto num banho de espuma. Até o lendário conhecedor de vinhos Hugh Johnson nos diz que "qualquer copo bem grande é bom para champanhe". E quem irá discordar dessa pérola de sabedoria? Barbe-Nicole, com seu desdém pelas frivolidades e seu amor pelo champanhe, concordaria.

Ironicamente, os copos que usamos para tomar champanhe hoje fazem parte do legado da vinhateira Barbe-Nicole. Isso porque, além de uma brilhante mulher de negócios, ela foi também pioneira em técnicas inovadoras na história comercial do espumante. Quando perguntei a Eileen Crane qual era o melhor copo para o champanhe, ela deu uma gargalhada e disse que sua irmã tem uma coleção de taças variadas, antigas e modernas, todas diferentes, que usa nas festas. Cada convidado escolhe a de sua preferência. Eileen concorda que é o melhor método. Mas explica que nos primórdios, antes mesmo das *coupes* de meados do século XVIII, os primeiros copos para champanhe eram uma versão em miniatura das tulipas que usamos hoje para tomar chope, feitos de vidro fosco. Era esse o costume porque durante muito tempo o champanhe foi servido como se serve o chope hoje, carbonatado e menos transparente. Barbe-Nicole tinha obsessão por produzir um vinho tão claro e borbulhante quanto água mineral gasosa. Não fosse sua dedicação total a esse elemento do artesanato, o champanhe jamais viria a ser um produto de luxo acessível ao mercado da classe média.

Barbe-Nicole merece o crédito por três realizações: "internacionalizar o mercado do champanhe", "estabelecer a identificação da marca" e "desenvolver o processo conhecido por *remuage sur pupitre*", que quer dizer, literalmente, "mexer sobre carteira escolar". Em 1815, quando seu sucesso em Königsberg já era lenda comercial, ninguém duvidava de suas proezas internacionais. Panfletos da época anunciavam seus feitos, dizendo que ela conquistara a Rússia com seu champanhe. De uma perspectiva cultural e comercial, não era exagero. Nos primeiros anos de fama, a Viúva Clicquot já se tornara sinônimo de seu famoso vinho em grande parte da Europa. Os jovens ricos que frequentavam os clubes de Londres passaram a pedir simplesmente "uma garrafa da viúva" quando o nível da espuma baixava em suas taças. Na Rússia, ficou conhecida como Klikoskaya e seu nome foi homenageado em algumas das maiores obras da literatura russa do século XIX. Mas o que tornou Barbe-Nicole mais famosa na história da vinicultura foi sua última realização: a descoberta do *remuage*. É um processo eficaz para clarificar o champanhe, retirando os resíduos das leveduras presos na garrafa depois da segunda fermentação. Sem esse processo, o champanhe não teria se tornado o vinho mais famoso do mundo.

Depois do grande feito na Rússia, Barbe-Nicole descobriu que tinha uma nova série de problemas. A produção lhe trazia cada vez mais preocupações. À medida que Louis capitalizava seu sucesso em São Petersburgo, choviam pedidos. O problema agora era atender a todos. "É cruel", escreveu Louis, "ter que recusar pedidos, como terei que começar a fazer, quando posso colocar facilmente 20 ou 30 mil garrafas."

O tempo não ajudava. A colheita do outono de 1815 foi um fiasco. Certamente haveria problemas de suprimento quando as garrafas chegassem ao mercado, em 1817. Em termos mais imediatos, a péssima colheita significava uma séria possibilidade de fome para os camponeses. A situação era tão grave que o pai de Barbe-Nicole lançou uma campanha de caridade entre os empresários da região, a fim de levantar fundos para ajudar os pobres, chegando a arrecadar 60 mil francos, o que seria bem mais que um milhão de dólares hoje. Os empresários de Reims, e Barbe-Nicole em particular, tinham bons motivos para tentar melhorar a triste condição dos trabalhadores. A produção do vinho exigia um trabalho intenso. Naquele inverno, era impossível encontrar cereais nos mercados e a situação nos campos já era perigosa. Barbe--Nicole sabia que teriam mais problemas na primavera. É claro que seus problemas eram pequenos, se comparados aos dos camponeses. Mas ainda assim eram bastante graves, porque, no início de 1816, não havia nas adegas nenhum champanhe pronto para entrega. Todas as reservas haviam sido vendidas. Depois de anos de luta para permanecer no mercado, nada era mais frustrante do que recusar pedidos. E o pior era que, sem champanhe para entregar, Barbe-Nicole se arriscava a perder os clientes conquistados em suas audaciosas aventuras. E justamente no momento em que o espumante passava a ser considerado um produto de luxo no mercado internacional. Ela precisava de champanhe, de um champanhe excelente, e depressa.

Mas não se pode apressar o nascimento de um bom vinho. Preocupada, na luz difusa de suas adegas, Barbe-Nicole sabia que a única esperança era achar um meio de solucionar o pior problema do engarrafamento: a tediosa demora do despejo dos vinhos. Na segunda fermentação, quando açúcar e leveduras eram adicionados ao vinho já engarrafado para criar borbulhas, era preciso deixar o champanhe descansar até que se formasse uma camada de resíduos. Todos os métodos para removê-los depois apresentavam desvantagens. A *transvasage*, que consistia em despejar o vinho de uma garrafa para outra, eliminava um pouco da espuma e desperdiçava grande quantidade de bom vinho. Além disso, a técnica de despejo das garrafas, que eram empilhadas deitadas, exigia que fossem viradas e sacudidas delicadamente, o que lhe custava uma fortuna em mão de obra e, o que era pior, demorava uma eternidade. O filtro de *colle* afetava a qualidade do champanhe e, dependendo de quem o manuseava, podia ser bastante perigoso. Como diz Robert Tomes em *The Champagne Country* (1867): "O jeito antigo, que envolvia emborcar a garrafa para soltar os sedimentos, usava drogas e clarificantes que podiam ser venenosos, [e] levava muitos meses."

Certamente haveria outro meio de clarificar, um meio mais rápido, que lhe permitisse produzir vinhos de melhor qualidade, em grande quantidade e a bom preço. Nas adegas, quando tentava apressar os vinheiros, eles lhe diziam que não era possível.

— Vocês só fizeram 50 mil garrafas, e eu pedi o dobro! — ela dizia.

— Madame, não se pode vender vinho turvo — eles respondiam.

— Não. Quero vender vinhos muito claros e em quantidade suficiente.

— Não é possível. Ninguém conhece outro método além do que usamos — eles respondiam.

— Pois vou descobrir um outro — ela afirmava.

E os empregados riam, deixando Barbe-Nicole aborrecida e determinada.

Pouco tempo depois, Barbe-Nicole surgiu com uma ideia, brilhante em sua simplicidade. Se estocassem as garrafas, não empilhadas deitadas, mas emborcadas — *sur pointe* —, os resíduos ficariam no gargalo, mais perto da saída no despejo. Quando contou sua ideia aos trabalhadores da adega, eles riram e disseram que não daria certo, que só poderia dar o dobro do trabalho. "Grande coisa", cochichavam. "E o vinho vai assentar mais depressa? Que idiotice. Ainda está turvo, e vamos ter que esperar até que os sedimentos se depositem no fundo de novo. Que bobagem. É uma grande bobagem."

Mas Barbe-Nicole estava decidida a encontrar uma solução para essa nova crise. Em segredo, mandou que colocassem sua pesada mesa de cozinha na adega e recortassem no tampo buracos do tamanho exato para caber o gargalo de uma garrafa emborcada em determinado ângulo. Com o auxílio de seu mestre de adega e colaborador, Antoine Müller, ela teimou em conduzir o experimento e, "indo discretamente à adega enquanto os vinheiros jantavam, dia após dia, ela tirou pessoalmente centenas de garrafas das prateleiras" e colocou-as emborcadas de modo que os sedimentos caíssem para a rolha. Apenas seis semanas mais tarde, Barbe-Nicole teve a surpresa e a satisfação de descobrir que bastava um gesto rápido para tirar e recolocar a rolha para que todo o resíduo espirrasse para fora, sem afetar o vinho e sem demora no trabalho. Com o novo sistema, ela podia acelerar a produção e preservar seu lugar arduamente conquistado no mercado de exportação. Acima de tudo, ela sabia que significava crescimento e uma imensa vantagem, desde que não deixasse o segredo cair nos ouvidos da concorrência.

Havia um concorrente em particular que Barbe-Nicole desejava superar: Jean-Rémy Möet, seu maior rival na Rússia. Tivera profunda satisfação ao chegar à sua frente na abertura do mercado de São Petersburgo. Mas sabia que Jean-Rémy estava trabalhando com o talentoso inventor e amante de vinhos André Julien para descobrir um modo de aperfeiçoar o processo de *transvasage*. Dizia-se que alguns faziam experimentos nas adegas com sifões, "tubos rígidos equipados com uma válvula", que evitaria a perda das preciosas bolhas na passagem do champanhe de uma garrafa a outra, e que Jean-Rémy vinha testando novos *colles* botânicos. A indústria estava se transformando, mas precisava de inovações para ganhar impulso. Agora que o mercado do champanhe se expandia, a questão era descobrir novas técnicas para a produção em massa do delicado vinho – e quem seria o primeiro a descobri-las.

Ao saber desses novos experimentos, Barbe-Nicole interrompeu todo o trabalho em suas adegas para que os outros não passassem a adotar imediatamente seu processo de despejo dos vinhos. Houve resmungos discretos. Ela pediu aos empregados que não revelassem seu segredo, crucial para a companhia, tão importante para o futuro de seus negócios quanto os planos secretos que levaram seu vinho à Rússia antes que seus concorrentes o fizessem. Que a *remuage* tenha permanecido em segredo por quase uma década é um sinal da lealdade que ela inspirava, e um efeito do sistema de generosa participação nos lucros de alguns empregados que ocupavam posições-chave.

O processo de finalização do champanhe que ela e Antoine Müller descobriram é usado até hoje. Em seu livro *A History of Champagne* (1882), o aficionado Henry Vizetelly descreve a *remuage* a que assistiu no século XIX: "um sedimento marrom estava se formando... para se livrar de uma tarefa delicada e tediosa. Quando se aproxima a época de preparar o vinho para o embarque, as garrafas são colocadas *sur pointe*." Empregados da adega, chamados *tiradores*, emborcam cuidadosamente as garrafas e as deixam "inclinadas numa só direção durante pelo menos um mês ou seis semanas" até que os sedimentos "formem uma espécie de bola lamacenta... finalmente expelida com um estouro quando a rolha provisória é removida". Nas adegas de Barbe-Nicole, a rolha era retirada com uma faquinha em forma de gancho e os resíduos eram liberados. Completavam o nível com um pouco mais de vinho, o *liquour d'expédition*, e selavam a garrafa novamente com as rolhas da marca, usando uma ferramenta a que chamavam secamente de guilhotina, "da qual a ideia do trágico instrumento é derivada", diz Robert Tomes. Barbe-Nicole ainda se lembrava dessas imagens, vistas na infância.

Hoje, o método de tiragem usado nas adegas de Barbe-Nicole ainda é empregado em muitas casas de champanhe. No entanto, em anos mais recentes tem havido um movimento por parte de grandes indústrias para introduzir um sistema de rotação mecânica das caixas, conhecido como *giropalettes*. Dizem que um trabalhador experiente pode virar manualmente até 50 mil garrafas por dia. São esses funcionários especializados que mantêm a tradição na França, embora certamente as casas de champanhe não usem mais mesas de cozinha. Nos anos 1830, os vinicultores da Champagne passaram a recorrer a prateleiras inclinadas chamadas *pupitres*. A palavra significa "escrivaninha", mas, de fato, elas mais parecem antigas carteiras escolares, podendo ser encontradas em adegas e antiquários em qualquer parte do mundo onde se fabrique o champanhe.

Poucos meses depois de sua descoberta, Barbe-Nicole teve o prazer de constatar que seria capaz de produzir uma quantidade muito maior de champanhe transparente. Talvez tenha tido também o prazer de ouvir falar que Jean-Rémy estava desesperado. Anos depois, ele escreveria que "precisamos puxar pelo cérebro para obter um resultado tão bom" quanto o da Viúva Clicquot. O brilho e a transparência dos vinhos de Barbe-Nicole eram impressionantes. Infelizmente, o clima de intensa competição despertava sentimentos igualmente impressionantes, embora menos agradáveis, em Jean-Rémy Möet. Suas cartas revelam uma amarga condenação a Barbe-Nicole, indicando o forte preconceito baseado no estereótipo de gênero que ela continuava a enfrentar como mulher de negócios. "A aventura de Madame Clicquot", ele escreveu, "é infame." Talvez fosse uma aventura infame para uma mulher. E como diz o biógrafo de Jean-Rémy, essas cartas têm "eloquência suficiente para mostrar a rivalidade que existia entre Jean-Rémy Möet e a Viúva Clicquot... Um clima de imitação que flertava com a espionagem reinava entre as duas casas".

Clima de espionagem à parte, Jean-Rémy não descobriria o segredo de Barbe-Nicole tão cedo. Ele só adotou a técnica em 1832. Enquanto isso, a descoberta da *remuage* deu à Viúva Clicquot a margem de que ela precisava para se tornar, e permanecer, uma grande figura internacional numa indústria cada vez mais burguesa. Durante a segunda década do século XIX, o champanhe deixou de ser uma curiosidade regional, conhecida apenas nas cortes europeias, para se tornar o vinho mais identificado como ícone de comemorações e de estilo. Nos anos 1860, Robert Tomes escreveu: "Somente nos últimos cinquenta anos, o comércio do champanhe se tornou importante... Sua origem data de muito pouco antes do século XVIII e, ainda no meio daquele século, era tão raro que apenas uns poucos ricos e apreciadores privilegiados o degustavam. Möet e Chandon, em 1780... consideraram uma proeza arriscada quando produziram seis mil garrafas em um ano." No ano seguinte à lendária safra de 1811, Barbe-Nicole mal conseguia vender 20 mil garrafas. Nos anos 1820, líderes da indústria, como Barbe-Nicole e Jean-Rémy Möet, exportavam mais de 175 mil garrafas por ano. Números que nunca regrediram. Mas para Barbe-Nicole os mares nem sempre seriam calmos.

Capítulo 12

Os aristocratas do vinho

Quando seu olhar pousou nos convidados reunidos na íntima festa de família naquela noite de inverno, Barbe-Nicole captou o piscar dos olhos experientes de seu pai do outro lado da sala e sorriu discretamente. Sabia o que ele estava pensando e ambos tinham a mesma expressão divertida, percebendo a tensão na mesa de jogos no canto extremo da sala. Dois rapazes interessantes disputavam a atenção de sua filha Clémentine, agora com 17 anos, que acabara de chegar do colégio interno em Paris.

O que estava sentado ao lado de Clémentine, fazendo truques com as cartas, parecia estar ganhando, mas talvez só por enquanto. Barbe-Nicole já o ouvira confessar que viajaria logo pela manhã e perderia a chance de dançar com Clémentine no baile da semana seguinte. Provavelmente ele se referia à festa em casa de sua vizinha, Marie Andrieux. Barbe-Nicole conhecia bem Marie e podia até dizer que eram amigas. Conheciam-se havia muitos anos. Mas às vezes Barbe-Nicole preferia a companhia de Florent Simon, o marido de Marie, que era um homem com ambições políticas e vice-prefeito de seu pai. Era também um homem de negócios, e seu negócio era o champanhe. Marie ocupava-se principalmente em receber num dos salões mais sofisticados da cidade. Estava sempre organizando festas e bailes. Clémentine, que nunca fora graciosa nem confiante em ocasiões sociais, já se sentia ansiosa ao pensar no baile, como se sentia a respeito de qualquer festa. Até um simples jogo de cartas, como o *whist*, a deixava em lágrimas na hora de dormir, com vergonha da sua própria deselegância. "Não chore, Mentine", sua mãe lhe dissera recentemente. "Você vai ser mais graciosa depois que se casar." Clémentine só fungara mais baixinho.

Insinuando-se por ali estava o homem que Barbe-Nicole denominava simplesmente subprefeito de Clémentine. O subchefe de polícia de Reims vinha cortejando sua filha incessantemente havia semanas. Era agradável vê-lo meio por baixo porque, não importava quantos bons partidos encantassem Clémentine, Barbe-Nicole tinha a firme intenção de escolher com quem ela se casaria, e por quanto. O ansioso subprefeito não tinha a menor chance.

O rapaz charmoso agora ao lado de sua filha também estava fora de questão. Infelizmente. Ele era imensamente rico e, quando pediu a mão de Clémentine, Barbe-Nicole ofereceu o generoso dote de 100 mil francos em dinheiro – mais de dois milhões de dólares – como presente de casamento. A família dele, entretanto, propunha três vezes essa quantia, apesar de saber que Clémentine herdaria uma fortuna considerável de Nicolas, que a tinha nomeado herdeira, e outra de sua mãe, pelo fato de ser filha única. Barbe-Nicole fizera uma contraproposta, oferecendo uma pensão de 100 mil francos por ano, mas parecia que ainda não fora o suficiente. Num momento de frustração, Barbe-Nicole protestara contra a indignidade de vender meninas "como repolhos na feira".

Indignidade à parte, ela sabia que casamento era uma questão de mercado. Seu próprio casamento com François fora resultado de negociações semelhantes. Mesmo assim, Barbe-Nicole confessou a sua prima Jennie que estava aflita. "Essa conversa de casamento durante o mês inteiro está fazendo minha cabeça rodar tanto que não consigo dormir", ela escreveu a Mademoiselle Gard. Durante toda a primavera, Barbe-Nicole acompanhara Clémentine de festa em festa, esperando que a moça despertasse o interesse de um pretendente aceitável. Para uma jovem como Clémentine, não era pouco o que estava em jogo. Esperava-se que as moças arrumassem um marido no ano seguinte ao que saíam do colégio, principalmente se fossem as herdeiras de uma grande fortuna. Senão, seria uma vergonha. Mas, festa após festa, Clémentine parecia não ter sorte.

Até que, certa noite, inesperadamente, Barbe-Nicole descobriu um novo candidato. Ele estava sentado em sua sala de estar. Para um jovem de sua classe, ele tinha poucas posses e homens de poucas posses não frequentavam a imponente casa dos Clicquot. Mas não se tratava de um jovem comum. Seu nome era Louis Marie-Joseph Chevigné, conde de Chevigné. Nicolas aprovou o plano. Desde aqueles longos anos antes da revolução, ele sonhava com o poder e a aristocracia. Agora que o império de Napoleão fora relegado à lembrança, era um alívio saber que o rei Luís XVIII havia confirmado seu título de barão Ponsardin. Mas um barão não era nada comparado a um conde, e Nicolas, como toda a família Clicquot-Ponsardin, foi tomado de imediata simpatia por aquele nobre de 24 anos, longos cabelos escuros e exuberante sexualidade.

Barbe-Nicole também simpatizou com ele. Na verdade, talvez tenha simpatizado um pouquinho demais com Louis de Chevigné. E ele certamente entendeu que a mão de Clémentine dependia, e muito, dos agrados que fizesse à sua mãe. Segundo pelo menos um relato das histórias da família, Barbe-Nicole "estava encantada". Cartas de amigos mostram que Louis tinha uma visão calculista naquela história. Ele se dispunha a casar com Clémentine porque ela lhe traria a riqueza ou, como um de seus amigos resumiu, "boa vida agora e opulência no futuro". Quem o conhecia não poderia acreditar que seria um marido fiel. Mas Louis era charmoso, tão charmoso que nada mais parecia importar, tanto para a desengonçada Clémentine quanto para sua mãe, que, famosa pela cabeça firme, havia dispensado pretendentes bem mais ricos antes que o resoluto conde chegasse a Reims.

Talvez a trágica história de vida de Louis tenha comovido Barbe-Nicole, pois lhe recordava sua própria infância durante a revolução, e o terror que poderia ter sido seu destino se não fossem a presteza e o tino político de seu pai. Enquanto a empreendedora família Ponsardin não só havia sobrevivido, mas até prosperado com a revolução, a de Louis fora destruída. Em 1793, o ano dos expurgos mais violentos, seus pais desprezavam a turba de republicanos. Eles tinham uma vida de esplendor e privilégios inimagináveis. A bela mãe de Louis passava as noites "comparecendo aos bailes de Maria Antonieta, [e] convidada para o teatro em Versalhes". Seu pai, o conde, passava os dias "nas carruagens de Luís XVI e... acompanhando Sua Majestade nas caçadas". Haviam nascido para reger a França e proteger o rei. Seu pai unira-se às forças da realeza para sufocar a insurreição democrática, sem saber que a esposa, assim como tantas outras damas e outros cavalheiros naqueles dias de terror, passaria seus últimos dias numa prisão imunda, faminta e maltratada.

Louis tinha poucos meses de idade quando chegou a ordem de prisão. Naqueles dias, as prisões eram repentinas, arbitrárias e violentas. Os revolucionários chegavam numa casa, arrastavam suas vítimas para carroças e desfilavam com elas pelas ruas, entre xingamentos e coisas muito, muito piores. Uma inglesa que assistiu a uma prisão escreveu, horrorizada: "Não era incomum que o mandato ordenasse a prisão do 'Cidadão Fulano e de todos os que estivessem em sua casa'. A neta de [um aristocrata] foi levada à noite numa carroça, sem qualquer consideração por idade, sexo ou enfermidades, apesar da chuva torrencial; e depois de dormir sobre palha em vários cárceres na estrada, foi depositada aqui, [onde] nossa santa mãe Guilhotina está em ação. Naqueles três dias, ela fez a barba de 11 padres, um *cidevant* [ex] nobre, uma freira, um general e um belo inglês, de mais de 1,80m de altura, tão alto que tiveram que enfiar sua cabeça no cesto!"

Quando vieram buscar a mãe e a tia de Louis, a condessa de Marmande, os cinco filhos do casal Chevigné – Louis e suas quatro irmãs mais velhas – também foram levados para a prisão, onde aguardariam o julgamento por traição ao Estado e a quase inevitável execução em praça pública. Mas antes que a guilhotina – considerada naquele ano de loucuras um instrumento de racionalidade e justiça – os pegasse, a mãe, a tia e três irmãs de Louis morreram das terríveis doenças que grassavam nas celas sujas. Em suas horas finais, a mãe de Louis tomou uma decisão dolorosa. Implorou a uma mulher que passava pelo corredor que levasse seus filhos sobreviventes, o bebê Louis e sua irmã de nove anos, Marie Pélagie. Talvez ela esperasse que ficassem com o pai. Mas ele também morreria antes do fim do verão, e as crianças ficariam órfãs, dependentes da caridade de estranhos. Por sorte, duas mulheres ricas da cidade de Nantes conseguiram levá-los em segredo. Madame Andigné adotou sua irmã e Madame de Rouillon prometeu cuidar de Louis – que era herdeiro do extinto título de conde e correria grande perigo se fosse descoberto – até que algum parente, que conseguisse escapar da guilhotina, viesse buscá-lo.

Afinal, tanto Louis quanto Marie Pélagie e um tio, o conde de Chaffault, sobreviveram ao terror daqueles anos. Mais tarde, a jovem Marie Pélagie se casou, tornando-se Madame Urvoy de Saint-Bedan, enquanto Louis, já sob os cuidados do tio, aos 13 anos foi mandado a um colégio imperial, em Nantes, onde se formaria como oficial da guarda militar. Entretanto, mesmo servindo a Napoleão, ele continuava monarquista de coração. Nos últimos dias do império, quando Bonaparte retornou do exílio para sua batalha final em Waterloo, Louis, então com 22 anos, lutou pela restauração dos reis da França. Como recompensa, Luís XVIII devolveu todos os títulos ao jovem conde, embora ninguém pudesse restituir-lhe a fortuna da família. Jovem aristocrata empobrecido, com uma renda anual nada principesca de oito mil francos (uma renda nem tão pobre de 160 mil dólares por ano), Louis retirou-se para a pequena propriedade do tio em Boursault, uma pequena cidade montanhosa à margem sul do rio Marne, no coração vinícola da Champagne.

Agora Louis se encontrava no salão de uma das famílias mais ricas de Reims, pedindo uma filha única em casamento. Com quase 40 anos, Barbe-Nicole estava tão enamorada do sonho de poder e aristocracia quanto o pai. Ironicamente, essa mulher altamente independente nunca considerou a possibilidade de sua filha seguir-lhe os passos. Nem lhe passava pela cabeça Clémentine permanecer solteira e assumir o comando daquele império comercial feminino. Também não cogitava que Clémentine se casasse com algum rico empresário que lhe permitisse ocupar a posição passiva de sócia silenciosa, tal como ela própria em seus primeiros anos de casamento com François. Muito menos agora, quando havia a chance de fazer dela uma condessa, casando-a com um homem dotado do carisma de Louis de Chevigné. Mas a decisão de Barbe-Nicole não era totalmente romântica. Uma filha condessa seria também muito bom para os negócios. Naqueles anos de grande expansão da indústria do champanhe, "obter um título de nobreza era uma boa estratégia de marketing", que acrescentava charme e fascínio ao nome da companhia e traria mais dinheiro para seus cofres.

No fundo, o casamento foi um acordo comercial. E um sinal da atração de Barbe-Nicole por Louis foi que ele conseguiu ficar com a melhor parte nesse acordo. Ela havia recusado se desfazer de 100 mil francos para casar Clémentine com o dono de uma enorme fortuna. Mas Louis, que não possuía terras, pediu ostensivamente a mesma quantia, sabendo intimamente que "a mãe de uma filha única daria por amizade o que não prometeria por escrito". Na correspondência entre Louis e seus amigos, durante a negociação, ninguém duvidava de que, quanto mais Barbe-Nicole se encontrasse com Louis, "menos capaz ela seria de negar".

Tinham razão. A princípio, ela relutou. Alguns dizem que a tímida Clémentine, talvez cansada daquele desfile de pretendentes, pela primeira vez insistiu e ameaçou voltar para o convento e lá ficar para sempre. Barbe-Nicole já não podia dizer "não" àquele jovem conde encantador. Ainda queixou-se uma última vez, alegando que mais de 100 mil francos poriam em risco seu confortável estilo de vida no campo. "Não vou me deixar empobrecer", ela escreveu à prima, "seria ruim demais ter que pedir esmola à própria filha." Em seguida, ofereceu a Louis 200 mil francos e uma renda anual de 20 mil, além de acomodações na casa de sua família na rue de l'Hôpital durante os próximos anos. E Louis sabia que haveria mais dinheiro quando Barbe-Nicole morresse. Um de seus amigos lembrou-lhe, friamente, que valia a pena "esperar pelo restante da herança, que não deveria demorar".

O noivado foi anunciado oficialmente em julho e logo deram início aos preparativos para um casamento luxuoso na catedral de Reims. Nos elegantes convites, que ainda podem ser vistos numa das genealogias da família Clicquot, Barbe-Nicole comunicava que a cerimônia seria realizada em Reims no dia 10 de setembro. Como convinha à dignidade de Monsieur le Comte, Louis começou imediatamente a reclamar que os vestidos de Clémentine não eram sofisticados nem ricos o bastante para impressionar seus amigos aristocratas. Barbe-Nicole não tardou a conceder ao futuro genro o direito de decisão até sobre o vestido de noiva, e um generoso orçamento para sua confecção. Enquanto sua prima encomendava sedas e rendas em Paris, Barbe-Nicole desistiu de qualquer controle e entregou a ela seu talão de cheques. "Entenda-se com Monsieur de Chevigné sobre o enxoval", escreveu. "Sei muito pouco sobre essas coisas, [a não ser que] geralmente é um dinheiro jogado fora."

Mas no auge dos preparativos chegou uma notícia terrível. Em agosto, a poucas semanas do casamento, o irmão de Barbe-Nicole, Jean-Baptiste, foi encontrado morto. Não há registro da causa de sua morte. Não havia mais condições de realizar a cerimônia suntuosa e caríssima que Louis de Chevigné tanto se empenhava em providenciar. A família estava de luto e as convenções sociais exigiam uma respeitosa demonstração de recolhimento e austeridade nos meses seguintes. Em vez de ser o maior evento da estação, o casamento de Clémentine, assim como o de sua mãe, foi celebrado numa sóbria missa restrita à família.

Embora jamais tivesse desejado tamanho infortúnio a seu tio e a sua tia Thérèse, Clémentine deve ter sentido um secreto alívio por não mais ter que suportar os rigores de um grandioso acontecimento social. Embora fosse bonitinha, a educação no convento e a mãe dominadora a tornaram uma jovem obediente, inocente e insegura, sempre ansiosa por se comportar adequadamente. Seu marido era gracioso e elegante por natureza, e muito cioso de que a esposa tivesse a mesma aparência.

A educação no convento também não a preparara para a vida sexual e não havia dúvida de que Louis era um homem ardente. É difícil não se apiedar da pobre Clémentine. Depois da noite de núpcias, a jovem estava envergonhada. Passaram-se semanas antes que Barbe-Nicole relatasse que "Clémentine já não tem timidez com o marido, ela já o trata por *tu*". Que Clémentine tenha começado a vida de casada usando o tratamento formal francês, e não o familiar *tu*, é um triste indício de quão pouca experiência tinha com homens. Pragmática como resultado da experiência do seu próprio casamento e de anos de luta no mundo dos negócios, Barbe-Nicole não estava exatamente morrendo de preocupação.

Muito mais envergonhada Clémentine ficaria se soubesse do teor das cartas trocadas entre Louis e seus amigos no primeiro ano de casamento. O charme dissoluto de que ele se orgulhava era mais grosseiro do que afetuoso. Clémentine engravidou imediatamente. Pouco depois havia referências indiscretas do amigo Richard Castel à "bela cesta de trigo" da condessa e aos progressos de Louis na cama. O que não era nada em comparação com o que ela teria que enfrentar. As referências obscenas à vida íntima do casal eram um mero prelúdio dos maliciosos contos eróticos que Louis viria a publicar nos anos seguintes. Talvez ele já estivesse colhendo o material. Como disse um visitante que conheceu Louis em Reims, "o comte de Chevigné, que ainda não tinha escrito suas fábulas [eróticas], talvez ainda [estivesse] ocupado em vivê-las".

Clémentine e Louis se casaram no auge da estação da colheita, e os três – o jovem casal e Barbe-Nicole – passaram juntos as primeiras semanas de lua de mel na casa da família em Bouzy, onde podiam assistir à *vendange* e visitar a salinha da prensa, onde anos antes Barbe-Nicole aprendera alguns segredos do ofício. Pelo menos ali Barbe-Nicole dava as ordens. Imaginando que teria participação no negócio do champanhe, Louis começou a percorrer os vinhedos, fazendo perguntas aos camponeses. Por mais que Barbe-Nicole adorasse o genro, por maior boa vontade que tivesse para satisfazer todos os seus caprichos, até os mais caros, ela não tinha intenção de deixá-lo tomar sua empresa. No começo, essa foi a única fonte de tensão entre eles. Logo haveria outras.

As outras tensões sempre se referiam a dinheiro. Ficou-se sabendo que Louis não era apenas playboy, mas também jogador.

Naqueles dias, homens de alta posição apostavam somas elevadíssimas. Em Londres, a duquesa de Devonshire, ancestral da falecida princesa Diana, perdeu milhões na mesa de "faraó" e seu marido foi obrigado a hipotecar propriedades da família, preservadas durante muitas gerações. Até o humilde sanduíche é um sinal daqueles tempos. Foi inventado quando lorde Sandwich, decidido a arruinar-se num "inferno", como eram chamadas as salas de jogo, recusou-se a interromper uma partida para jantar, e o garçom lhe trouxe um pedaço de carne entre duas fatias de pão. Alguns sugerem que o jogo "era um protesto contra a modernidade burguesa e capitalista". Nesse caso, a rebeldia de Louis seria parte da afirmação de sua própria identidade aristocrática – identidade complicada por seu casamento com uma herdeira da alta burguesia. O mais estranho é que a pragmática e severa Barbe--Nicole achava divertidos e atraentes os homens que se arriscavam. Talvez essa inclinação tivesse origem em sua infância, quando os segredos da família Ponsardin e as ambições políticas de seu pai criavam uma atmosfera de perigo e excitação.

Pouco mais tarde, Louis passou a desejar uma casa grandiosa para receber a sociedade em suas viagens a Paris. O casal ainda morava com Barbe-Nicole, mas, depois do nascimento da filha de Clémentine, batizada Marie-Clémentine, no outono de 1818, eles começaram a passar os invernos na nova casa, comprada na capital. Barbe-Nicole, que desde menina não voltara a Paris, às vezes ia junto. Incapaz de recusar ao genro qualquer um de seus dispendiosos caprichos, ela comprou-lhes também uma casa de campo perto da propriedade de seu tio, no vale do Marne. Era um pequeno castelo encravado no topo de um monte rochoso, em Boursault, onde Louis esbanjava em jantares e festas, e sonhava com projetos caríssimos de reformas e expansão.

Hoje, a propriedade de Barbe-Nicole em Boursault é fechada ao público, mas quem vai à pequena cidade na encosta consegue enxergar a casa original, que se avista da pequena vinícola existente em suas terras mantida pelos atuais moradores. O champanhe produzido no Château de Boursault não chegou a causar impacto no mundo dos vinhos, muito embora o pequeno restaurante em frente à igreja, praticamente o único da cidade, seja uma das pérolas ainda não descobertas da culinária caseira da França rural. Mas o espumante de Boursault é um dos poucos vinhos da região 100% proveniente das vinhas da propriedade. É agradável pensar que é feito com os frutos das videiras que Barbe-Nicole outrora cultivou. Cercada por sinistras muralhas de pedra, a casa é uma imponente estrutura cinzenta, com bonitos torreões redondos e um grande pátio com piso de cascalho. Acres de jardins silenciosos se alongam por detrás da casa. Para Barbe-Nicole, o castelo tinha a interessante vantagem de estar situado bem no meio dos vinhedos da família Möet. Pelo menos era uma chance de se sobrepor a Jean-Rémy. Literalmente.

Vivendo agora em estilo aristocrático, orgulhosa da posição de sua família já que o pai era prefeito de Reims e a filha era condessa, não se pode dizer que Barbe-Nicole refreasse os gastos. Contudo, mesmo vendendo quase 12 milhões de garrafas por ano, ela precisava sacrificar uma parte de suas reservas financeiras para sustentar os luxos do genro. Louis, por sua vez, sempre tivera a intenção de obter mais e mais. Não é de surpreender que, naqueles primeiros anos do casamento da filha, Barbe-Nicole tenha concebido a ideia de passar a empresa a alguém a quem pudesse confiar a direção.

Agora, ela sentia urgência em pensar no futuro. Philippe Clicquot, que a apoiara desde os primórdios de seu empreendimento, morrera no fim de 1819, na casa da família na rue de la Vache. Quase exatamente um ano depois, após o longo sofrimento de uma doença, seu pai falecera, aos 73 anos de idade. De uma hora para outra, ela se viu privada de seus dois melhores conselheiros, sem a presença dos dois homens de quem ela sabia que podia depender. Uma solene procissão, formada pelos dignatários da cidade e pela Guarda Nacional, acompanhou o caixão de Nicolas. Ele foi lembrado, com notável franqueza, como um homem "flexível e pragmático em suas crenças... de grande inteligência, com pendor para a autoridade e o poder". Mas também como honesto, decente e, como atesta um dos seus biógrafos, "seletivo em suas amizades".

Inesperadamente, Barbe-Nicole herdou o complexo do Hôtel Ponsardin. A herança era destinada a Jean-Baptiste, único filho homem de Nicolas, mas Jean-Baptiste havia morrido. Com a morte do pai, cabiam-lhe a casa da família e as responsabilidades sociais de quem possuía uma das maiores propriedades na cidade.

Algum dia também aquela mansão pertenceria a Louis e Clémentine, além da casa de Barbe-Nicole na rue de l'Hôpital, das terras em Oger e Bouzy, da casa em Paris e do castelo no rochedo de Boursault. Mas, em 1821, Louis vinha tentando convencê-la a lhe dar uma nova propriedade, onde se entregaria aos passatempos de um cavalheiro, dedicando-se à botânica e à jardinagem. Ela acabou por ceder, comprando-lhes outra grande propriedade ao norte de Reims, em Villiers-en-Prayères. Àquela altura Barbe-Nicole já havia tomado sua decisão sobre a companhia. Clémentine e Louis jamais chegariam perto dela.

Louis Bohne seria o candidato óbvio para assumir a direção quando ela se aposentasse. Juntos haviam colocado a Veuve Clicquot Ponsardin e Companhia no lugar de destaque internacional que agora ocupava, e ela devia muito do seu luxo fabuloso a ele e a seu grande talento de vendedor. Sabia que Louis Bohne se preocupava com o legado do champanhe com uma paixão tão grande quanto a dela. Mas ainda naquele inverno, Barbe-Nicole se defrontaria com a súbita notícia de sua morte. Depois de tantos anos atravessando um continente devastado pela guerra, depois de todos os perigos que havia enfrentado como suspeito de espionagem na Rússia durante o auge dos conflitos, Louis acabou morrendo da maneira mais prosaica: escorregou no gelo e caiu de uma ponte.

Diante disso, Barbe-Nicole pensou em outro de seus empregados, um sonhador de fala rápida chamado George Christian von Kessler, que havia sido seu vendedor durante os magros anos anteriores ao sucesso na Rússia. Desde 1815, ele tinha uma participação minoritária na administração. Em dezembro, ela surpreendeu toda a empresa e a família ao anunciar que, nos próximos três anos, com pouco mais de 40 anos de idade, ela pretendia se aposentar e doar toda a companhia para George.

Decisão tão extraordinária que leva a pensar se não haveria algo mais no relacionamento de Barbe-Nicole com George von Kessler. Não existem provas concretas, mas naqueles tempos de anjos domésticos e boas mães, elas não poderiam mesmo existir. Porém, é difícil imaginar que Barbe-Nicole tenha abdicado de toda ideia de sexualidade aos 27 anos. Além disso, George ficara viúvo pouco tempo antes e a dor abre caminho para que as pessoas se encontrem. Ou talvez a história seja ainda mais simples. Havia boatos de que Barbe-Nicole tinha uma fraqueza constante por homens jovens e bonitos. E quem poderá culpá-la? Muitos homens ricos passam a vida inteira seduzindo secretárias. Pelo menos, Barbe-Nicole era absolutamente fiel aos homens que admirava.

Apesar disso, se uma promoção seria compreensível, doar a companhia da família era uma decisão espantosa. Igualmente inacreditável era a ideia de que Barbe-Nicole pensava em se aposentar naquele preciso momento. No início do século, quando ela e François davam os primeiros passos na produção e venda do vinho espumante, havia dez casas de champanhe. Em 1821, em grande parte graças a seu próprio sucesso e ao de seus concorrentes, havia agora mais de 50, todas lutando para produzir vinho suficiente para atender a fabulosa demanda desse produto de luxo. Já se viam sinais de que um vasto novo mercado começava a aprender a apreciar a bebida. Nos anos 1820, os americanos já clamavam por espumante e, como disse Charles Heidsieck, "não existe outro país em que se ganhem fortunas com tamanha facilidade, apenas enviando um produto que agrada às pessoas e vende bem".

Barbe-Nicole, é claro, já tinha sua fortuna, e as pressões da direção de um negócio cada vez mais complexo e exigente eram reais. Diante de perspectivas complicadas pela dor e pela depressão – e se os boatos tiverem algum fundo de verdade, também pelos envolvimentos amorosos –, ela tentava divisar os rumos de seu futuro. Sofrera grandes perdas, o suficiente para abalar qualquer um. Entretanto, no verão de 1822, menos de um ano depois de seu comunicado, Barbe-Nicole revogou abruptamente sua decisão de doar a empresa a George, o que serviu para alimentar o falatório nos escritórios comerciais de Reims. As más línguas observavam que, talvez não por coincidência, fora contratado naquele ano um jovem funcionário para a equipe da Viúva Clicquot. Era um belo alemão de 20 anos, chamado Matthieu-Édouard Werler, que logo tratou de mudar seu nome para um mais francófono, Édouard Werlé.

Ao relatar a história do champanhe no fim do século XIX, o escritor americano Robert Tomes resume a situação: "Werler... chegou a Reims como um rapaz pobre, vindo do ducado de Nassau. Contratado para trabalhar para a Viúva Clicquot como rapaz para todo serviço pela mixaria de uns dois dólares por semana, sua inteligente atividade logo lhe valeu rápidos avanços. Os boatos em Reims afirmam que os olhos azuis, as faces coradas e os ombros largos da juventude não só conquistaram os favores da até então desconsolada viúva, como causaram um vívido apreço mais por suas qualidades morais e intelectuais na tesouraria, dando um irresistível impulso a seu progresso." Em pouco tempo ele passou a ser sua companhia constante nas adegas, tendo sob sua responsabilidade os grandes vinhedos e a escolha dos vinhos. Algum dia, ela o nomearia seu sucessor. Por enquanto, novamente energizada, Barbe-Nicole desistira da ideia de uma aposentadoria prematura.

Só podemos imaginar o que George von Kessler pensou daquela reviravolta da sorte e dos boatos que circulavam em Reims sobre Barbe-Nicole e sua atração pelo belo rapaz. Considerando que havia perdido o presente de uma importante companhia internacional, é fácil pensar que se sentisse um tanto desesperado. Mas não pediu demissão. Em vez disso, uniu-se a Louis de Chevigné para encorajar Barbe-Nicole a expandir os negócios em novas direções. Provavelmente, já estava claro tanto para Louis quanto para Kessler que haviam perdido a companhia para Édouard Werlé. Talvez Von Kessler preferisse adotar outra linha empresarial e Barbe-Nicole tenha pensado que ele seria mais adequado em outra função, fora de suas adegas. Talvez tenha pensado que lhe devia isso. Seja como for, no verão de 1822, Barbe-Nicole se lançou em dois novos empreendimentos. Retomou a indústria têxtil que fizera a fortuna dos Ponsardin e dos Clicquot e, em junho, inaugurou o Banco Veuve Clicquot e Companhia, o que veio a ser a mais desastrosa decisão comercial de toda a sua vida.

Capítulo 13

Flertando com o desastre

Foi uma ocasião infeliz para tomar decisões tão importantes. Ainda desorientada com a morte do pai e com o inesperado falecimento de Louis Bohne, Barbe-Nicole estava à deriva. Ou talvez, depois de quase uma década de um sucesso fabuloso após outro, ela tenha se deixado iludir pela traiçoeira crença de que nada poderia trazer-lhe sérios prejuízos. Determinada a tomar uma decisão definitiva quanto ao futuro, ela começou por fazer de Édouard mestre da adega no verão de 1822. Antoine Müller estava saindo da empresa e Barbe-Nicole resolveu dar a promoção a Édouard, apesar do fato de que o jovem funcionário, filho de um chefe de correios, trabalhava com ela havia apenas um ano e quase não tinha experiência na produção do champanhe.

Aquele verão foi também uma temporada de grandes gastos para Barbe-Nicole. O melhoramento do sistema de *remuage* trouxera maior eficiência à casa Veuve Clicquot Ponsardin. Ela conseguira transformar a pequena atividade da família em uma potência industrial. Ao contratar George, ela abrira caminho para uma revolução administrativa e podia se vangloriar dos lucros. Mas, ironicamente, isso também contribuíra para pôr fim à tradição dos empreendimentos familiares e, em particular, à tradição da mulher de negócios. O resultado de tudo isso foram enormes lucros. Barbe-Nicole já figurava entre os industriais mais ricos da Champagne e uma das mulheres mais ricas da alta burguesia francesa.

Ela estava mais interessada em comprar propriedades. A casa que ela e François haviam herdado na rue de l'Hôpital era muito boa para a burguesia emergente, bastante espaçosa e elegante para sua pequena família: Clémentine, Louis e a pequena Marie-Clémentine. O conde e a condessa de Chevigné, como Louis e Clémentine eram conhecidos agora, passavam a maior parte do inverno em Paris e a maior parte do verão no castelo em Boursault, ou na propriedade em Villiers-en-Prayères. O novo projeto de Barbe-Nicole era transformar a casa da família em escritórios para o incipiente Banco Veuve Clicquot Ponsardin e Companhia. Sua residência seria agora a mansão palaciana conhecida em Reims como Hôtel le Vergeur, uma ampla construção horizontal com três cumeeiras e vigas de madeira lavrada. O interior era uma alegoria fantástica da grande catedral de Reims. O teto de uma das salas era decorado com figuras esculpidas em madeira, imagens de faces contorcidas, macacos e até dragões. A mansão original, datada do século XIV, foi destruída na Primeira Guerra Mundial, mas o prédio foi restaurado e hoje abriga um museu histórico regional. Comprometida com o projeto de expansão dos negócios, ela montou novos escritórios da vinícola na rue du Temple, não muito distante da casa de sua infância. Hoje, os prédios que se elevam discretamente por trás de portões de ferro e de um pátio sombrio com piso de seixos são os escritórios do universo corporativo que leva seu nome.

Mas um fato não mudou no mundo dos negócios: o principal motivo da falência de empresas sólidas ainda é a ambição expansionista. E Barbe-Nicole estava não apenas desenvolvendo sua companhia, mas abrindo duas novas empresas no período de um verão. É fácil compreender sua tentação. Nos primeiros anos da Revolução Industrial, o sistema bancário moderno estava na primeira infância, e durante muitos anos Barbe-Nicole e Louis Bohne haviam precisado recorrer às linhas de crédito dos bancos parisienses. A produção de champanhe obrigava as grandes casas a investir um enorme capital nas adegas, às vezes durante anos, enquanto os pagamentos que vinham do exterior levavam quase o mesmo tempo para ser quitados.

Mais importante ainda, ter um banco era um passo importante rumo à integração vertical da companhia. Era uma ideia central no modelo manufatureiro. Na verdade, os "banqueiros desempenhavam um papel secundário... no ciclo produtivo" do champanhe. Sem uma linha de crédito, às vezes era impossível levantar dinheiro suficiente para dar continuidade à produção do novo champanhe enquanto os vinhos já prontos envelheciam na adega. Durante muitos anos Barbe-Nicole desempenhou funções comparáveis às de um banco. Seus empregados, querendo ou não, tinham sido seus primeiros clientes. Em geral, um *voyageur* (vendedor viajante) ou um *commis voyageur* (funcionário viajante) emprestava suas próprias economias ao empregador e recebia em troca 5% de juros. Era parte do acordo. Homens como Louis, predecessores do atual gerente geral, recebiam um salário e tinham participação nos lucros, mas precisavam investir na companhia que ajudavam a construir.

Fundar um banco para atender a outros empresários da Champagne era uma extensão lógica dessa prática. Desde 1819, Jean-Rémy Möet financiava seus próprios custos de produção e Barbe-Nicole estava decidida a passar-lhe à frente. Obviamente, o próximo passo seria tomar o controle do lado financeiro do comércio de vinhos, principalmente porque isso significava lucros adicionais.

Sua decisão em retomar o comércio têxtil era ainda mais óbvia. Afinal, com a morte do pai e a do irmão, o lucrativo investimento da família na manufatura de roupas desapareceria. A mecanização da indústria têxtil e a ascensão do que o poeta William Blake chamou de "negras fábricas satânicas" traziam a chance de se ganhar muito dinheiro. Barbe-Nicole tinha plena confiança no projeto e o entusiasmo de George alimentava essa confiança.

A princípio não havia razão para que ela duvidasse de seu tino empresarial e das promessas do futuro. O champanhe a tornara imensamente rica, ela era uma das mais famosas empresárias do momento e sua casa era uma das mais esplêndidas da cidade. Tão esplêndida que, em 1824, quando Carlos X foi coroado rei na catedral de Reims, seguindo a antiga tradição francesa, um membro da família real ficou hospedado em sua casa. Era Luís Felipe, duque de Orléans, que simpatizava com a república e viria a ser o último rei da França.

Quando o banco foi inaugurado, jorraram depósitos e investimentos. Tendo George na posição de sócio e gerente, passaram a expandir também a companhia têxtil, adquirindo novas fábricas na Alemanha e financiando essas compras com grandes empréstimos do banco. A partir daí, a história é previsível. George arriscava o dinheiro dela muito mais que o dele, e em breve começaram os maus investimentos. Em 1825, três anos depois dessa aventura financeira, foi preciso encarar os fatos. O negócio do champanhe ainda ia muito bem, mas as fábricas têxteis no exterior estavam em péssima situação. E o banco logo seria arrastado pelos prejuízos.

Tarde da noite, enquanto examinava os livros, preocupada com os números e abalada pelas dúvidas, os resultados só lhe traziam dor de cabeça. Num período de poucos anos, Barbe-Nicole se viu com quase 14 milhões de dólares no vermelho. Ela não questionava sua capacidade como mulher de negócios. Se as fábricas estivessem situadas em Reims, ela poderia intervir pessoalmente e ainda salvar a situação, mas como eram em lugares distantes, ela precisava confiar a administração a outros. Uma mulher, mesmo uma matrona viúva, não viajava sem a companhia de um parente homem, e não há registro de que Barbe-Nicole tenha algum dia saído da França. O fato de ter comandado por décadas um negócio internacional e de ter conquistado mercados que nunca visitou torna sua história ainda mais impressionante.

Mas agora Barbe-Nicole questionava seu próprio discernimento. Desde que não se envolvesse emocionalmente, era uma excelente juíza do caráter das pessoas. Mas tinha um lado terno e generoso que punha tudo a perder. Em essência, era o caso com Louis de Chevigné. Era doloroso decepcioná-lo quando ele cismava com alguma nova extravagância. Então, ela não o decepcionava. Sabia-se que o mesmo acontecia no trabalho. Era parte do seu charme. Quando um jovem chegava choroso e trêmulo de medo para entregar uma partida de garrafas com defeitos de fábrica, e portanto inúteis, todos sabiam que Barbe-Nicole não tinha coragem de recusar a entrega, com pena do rapaz. É verdade que as garrafas nem eram retiradas da embalagem. No dia seguinte, eram devolvidas à fábrica com um bilhete ríspido. Mas ela não suportava ver o rapaz chorando.

Algo em seu relacionamento com George havia impedido que ela julgasse friamente esses investimentos. E pagaria caro por essa indulgência. Tal como Louis de Chevigné, George estava sempre disposto a fugir dos problemas, e durante meses eles discutiram sobre os investimentos. Édouard insistia para que ela desse fim à hemorragia financeira do banco e Barbe-Nicole sabia que era hora de tomar uma decisão difícil. Na primavera de 1826, ela decidiu parar de jogar dinheiro fora. Ela e George teriam que se separar. Na verdade, muitas coisas chegariam ao fim naquele ano, e os prejuízos estavam apenas começando.

A pior das perdas foi de ordem pessoal. Houve outra morte na família, e de maneira tão terrível que a imagem a assombrou por muito tempo. Em maio, seu sobrinho Adrien, de 24 anos, morreu em consequência do ataque de um cão raivoso, deixando a família sofrendo sobre seu corpo retalhado e pelo horror da sua morte.

A viúva de seu irmão ficou inconsolável. Como não havia outros filhos homens, no período de uma década o nome da família Ponsardin chegou ao fim.

As outras perdas foram menores, mas não menos verdadeiras. Naquele verão, Édouard casou-se com uma jovem chamada Louise-Émilie Boisseau. A nova Madame Werlé era parente próxima de um concorrente, produtor do champanhe Roederer, e Édouard, que não se acanhava de preferir as boas coisas da vida, casou-se munido de todas as intenções de um arguto homem de negócios. Barbe-Nicole conhecia seu trabalho, comandando os funcionários com mão de ferro, e deve ter imaginado que Louise-Émile teria maus pedaços pela frente. Mas se os boatos em Reims fossem verdadeiros e Barbe-Nicole e Édouard tivessem um flerte as coisas deveriam ter sido bem mais complicadas.

Houve também o colapso de seu relacionamento com George. Depois de meses de discussões sobre negócios e dinheiro, e da decisão de tomar caminhos diferentes, pouco restou da velha amizade. Agora, George ficara noivo da filha de um importante membro do governo na Alemanha e havia poucas chances de voltar a vê-lo. Ao liquidar a sociedade, ele concordou em ficar com as fábricas estrangeiras e desapareceu para começar a nova vida. Com a ajuda de um pequeno capital de sua família, ele recuperou as fábricas e pouco depois fundou sua própria casa de champanhe, de pouco sucesso no século XIX, mas que hoje é a mais antiga e prestigiada produtora de espumante da Alemanha.

Em Reims, Barbe-Nicole ficou com o banco. Ao descobrir que fechar um banco é muito mais difícil do que abrir, ela ofereceu a Édouard uma participação nos lucros da companhia para que ele assumisse parte daquela complexa administração. Naquele momento, ela geria outro grande empreendimento. Somente a companhia de champanhe tinha centenas de empregados em diferentes épocas do ano. Além do lento processo de liquidação do banco, havia outras preocupações. A indústria do champanhe vinha sofrendo rápidas mudanças e era uma luta constante para continuar na vanguarda e manter a posição competitiva que a havia tornado uma das grandes figuras na indústria.

Mais irritante ainda era o problema de impostores que vinham usando seu nome para vender champanhe ruim na Rússia, cobrando o preço do legítimo e prejudicando o que sustentava suas vendas: sua reputação. O alto preço de uma garrafa de vinho Veuve Clicquot contribuía para aquilo que um entusiasta definiu como "a superioridade da marca". Barbe-Nicole já sabia o que a historiadora Kolleen Guy descobriu recentemente: "O preço do vinho [da Champagne] depende [dependia] principalmente da reputação do fabricante; o vinho com marca e rótulo de um produtor conhecido e considerado bom [era vendido] pelo dobro do preço do mesmo vinho com marca desconhecida." A dificuldade era que, impostores e fraudes à parte, a única maneira de um cliente reconhecer uma garrafa do champanhe Veuve Clicquot era a marca gravada a fogo na rolha. Imagine como seria se, hoje, ao comprar uma garrafa de champanhe, a única marca estivesse na rolha, coberta por papel-alumínio. O papel-alumínio é sucessor do selo de cera usado para proteger as garrafas em tempos antigos. Barbe-Nicole os usava sempre.

Comprar vinho nos anos 1820 era comparável a uma degustação de olhos vendados hoje. Os rótulos, chamados de *étiquettes* na França, estavam apenas começando a aparecer nas adegas. Barbe-Nicole enviou as primeiras garrafas com rótulos em 1814, quando os clientes ainda pagavam preços astronômicos pela lendária safra de 1811 das uvas rosadas de Bouzy, mas suspeitavam cada vez mais do que haveria dentro daquelas garrafas caríssimas. Os simples rótulos brancos enfeitados com florezinhas, informando a data e a localização dos vinhedos, serviam apenas como uma garantia da safra. As garrafas somente eram rotuladas a pedido dos clientes e quase uma década se passaria antes que as *étiquettes* se tornassem comuns, tanto nas adegas quanto na Champagne.

Mas Barbe-Nicole começou a se perguntar se não devia proteger seu nome com um pouco mais de agressividade. Assim, para combater a fraude e de olho no futuro, ela tratou de registrar sua marca do cometa na rolha segundo os trâmites legais.

A fabricação do champanhe também se tornava cada vez mais mecanizada no fim dos anos 1820. Barbe-Nicole sabia que seu sistema de *remuage*, que começava a surgir em outras adegas da Champagne já que o segredo da técnica havia vazado, muito contribuíra para o aumento da produção. Agora que não podia mais contar com a vantagem de seu método secreto, havia a possibilidade real de ficar para trás. As garrafas usadas pelos fabricantes de champanhe, feitas à máquina em diversos tamanhos e formas, já eram produzidas em massa. Era possível estocá-las em maior quantidade nas adegas, sem maiores perigos.

André Julien vinha trabalhando nas adegas de Jean-Rémy Möet havia mais de uma década, tentando descobrir novos equipamentos que acelerassem o processo de despejo, e agora, em 1825, surgiam as primeiras máquinas de engarrafamento na terra do vinho. Dois anos mais tarde, foi criado um instrumento para arrolhar as garrafas. Na década de 1830, a monumental *A History and Description of Modern Wines* (1833), de Cyrus Redding, elogiava as novas prensas equipadas com "dois cilindros de madeira girando em direções opostas". Nos anos 1840, Adolphe Jacquesson, filho da fornecedora predileta de Napoleão, Memmie, patenteou o invólucro de arame que prende a rolha do champanhe, ainda hoje conhecido como *muselet*, e sua rodelinha de metal, chamada *capsulet*. Jean-Baptiste François revolucionou a indústria ao descobrir como medir o açúcar residual, o que permitia melhor controle da *mousse* e menos quebras de garrafas. Já o dr. Jules Guyot mudou a paisagem dos vinhedos em todo o mundo quando mostrou aos vinicultores as vantagens do plantio em fileiras, como vemos hoje, em vez dos tradicionais canteiros circulares. Todos assistiam à corrida para o estágio final de industrialização do champanhe – um vinho famoso por ser artesanal, que ainda hoje não pode ser produzido apenas por máquinas.

Enquanto Barbe-Nicole se deparava com essas novas despesas, tendo que decidir quanto investiria na mecanização das adegas, outra bomba estourava no mundo financeiro. Em 1827, a França atravessava uma terrível recessão. Dois anos mais tarde, quando Édouard ainda trabalhava para livrá-la dos investimentos no Banco Veuve Clicquot Ponsardin e Companhia, a depressão andava a pleno vapor. Em todo o país, a lavoura se perdia, trazendo miséria a inúmeras famílias de camponeses. Nos centros industriais, como Lyon e Reims, até os teares paravam de ranger em decorrência da crise na indústria têxtil. Barbe-Nicole arriscara muito dinheiro no empreendimento bancário e, no fundo, sabia que havia se exposto demais.

Naquele inverno, ela viajou muitas vezes para visitar Clémentine e Louis nas propriedades de seu tio em Vendée. Subitamente, enquanto estava longe demais para tomar alguma providência, veio o desastre. Vinham investindo a maior parte das reservas de capital do Banco Clicquot na grande firma Poupart de Neuflize, uma instituição financeira sólida, há longa data vinculada ao mercado francês de lãs. Eles não sabiam que a Poupart de Neuflize, assim como muitos bancos europeus naquele inverno, estava à beira da falência. Quando a firma quebrou, as contas foram congeladas e os investidores entraram em pânico. Na mesma hora, Édouard foi cercado por clientes que exigiam fazer retiradas, provocando uma corrida ao banco da Viúva Clicquot. Seria certamente a ruína financeira de Barbe-Nicole.

Sabendo que ela e a companhia estavam diante da bancarrota, Édouard tomou a impetuosa decisão de arriscar seu dinheiro para salvar o dela. Graças à sua participação nos lucros e a seu casamento prudente, ele já possuía uma considerável fortuna. Reunindo as escrituras de suas propriedades, ele partiu imediatamente para Paris. Eram quase 150 quilômetros de distância até a capital, horas de viagem em carruagem pelas estradas poeirentas da França pós-napoleônica. Atravessando os acres de vinhedos à saída de Reims, Édouard deve ter pensado na tolice de terem entrado numa jogada tão alta, quando tinham a certeza de um futuro tranquilo. À medida que os campos da Champagne iam sendo substituídos pelos terrenos mais planos das cercanias de Paris, seus pensamentos se concentraram no que diria quando chegasse a seu destino, o escritório de seu antigo sócio, Rougemont de Lowenberg, um banqueiro especializado em oferecer linhas de crédito a comerciantes de vinho. Precisava convencer o cauteloso financista a lhe dar dois milhões de francos em dinheiro, o equivalente a 44 milhões de dólares. Louis teria que levar o dinheiro a Reims ainda naquela noite ou Barbe-Nicole seria obrigada a declarar falência. E o champanhe da Viúva Clicquot se tornaria coisa do passado.

É claro que Édouard conseguiu. Ele transmitia bom senso e disciplina. O banco emprestou imediatamente à companhia um milhão de francos em dinheiro e abriu uma linha de crédito para mais um milhão. Era o que Édouard precisava para salvar os negócios. Quando Barbe-Nicole recebeu a má notícia, ele já estava no saguão do banco, cansado mas resoluto, pronto a pagar todos os saques. Quando os clientes tiveram certeza de que seu dinheiro estava a salvo, a corrida terminou. Barbe-Nicole arcou com um prejuízo equivalente a quase 5,5 milhões de dólares, mas continuou no mundo dos negócios.

Quando soube do que havia escapado, ela decidiu sair do setor bancário tão logo quanto possível. Levaria mais de uma década para se recuperar daquela aventura temerária, mas agora não havia dúvida quanto à estratégia de sua companhia. Seu único foco seria o champanhe, e apenas o melhor, conforme sua famosa declaração. Ao expandir demasiadamente seus recursos, ela arriscara e quase perdera tudo: sua casa palaciana no Hôtel de Vegeur, a propriedade de amplas janelas que se abriam sobre a vastidão das vinhas, em Oger. Teria perdido também o castelo em Boursault e o estilo de vida grandioso que continuava a bancar para Clémentine e o perdulário conde de Chevigné. E teria perdido as esperanças de um magnífico casamento, em algum dia não muito distante, para Marie-Clémentine, então com 11 anos.

Sobrevivera à tempestade graças a Édouard. Mesmo assim, a saúde financeira da empresa havia sofrido um severo golpe. Acima de tudo, a dissipação de suas energias significava que a casa Veuve Clicquot, pela primeira vez desde o grande triunfo na Rússia em 1814, perdia terreno para os concorrentes. Em 1821, ela vendera a impressionante quantidade de 280 mil garrafas de champanhe, mas agora, exatamente 10 anos depois, as vendas caíam abaixo de 145 mil garrafas – muito menos do que Jean--Rémy podia se vangloriar em qualquer ano da década de 1820. Se quisesse recuperar o que perdera e continuar à frente de uma das maiores casas de champanhe do mundo, Barbe-Nicole precisaria trabalhar para reconquistar sua posição. E, mais uma vez, precisaria começar a reconstruir os negócios em meio à turbulência política.

A crise econômica de 1829, que quase liquidou o banco Clicquot, foi um mero sinal de problemas bem maiores. Tal como nos anos que precederam a sangrenta revolução de 1789, o desespero diante das circunstâncias econômicas levava à raiva e à ação. Nos dias quentes e poeirentos de julho de 1830, com a derrota final de Napoleão, os Bourbon reinavam novamente na França. Imaginando tirar vantagem do período de férias de verão que esvaziava a cidade de Paris, Carlos X anunciou medidas repressivas que limitavam a liberdade da imprensa, restringiam o direito de voto apenas aos cidadãos mais ricos e – o mais revoltante – impediam que a burguesia afluente ocupasse os cargos públicos mais elevados.

O resultado foi a fúria burguesa. Banqueiros e empresários pararam a cidade. Fecharam escritórios e fábricas, sabendo que isso levaria a oscilante economia a uma paralisação total. Os jornalistas responderam colocando toda a culpa no rei. Comparados aos eventos sanguinários de 1789, foram protestos contidos, direcionados à economia, mas que provocaram um verdadeiro incêndio quando deixaram de ser apenas um protesto burguês. Mais da metade da população parisiense já vivia em extrema pobreza. Naquele mês de julho, numa cidade de 755 mil habitantes, 227 famílias pediram cartões de pão, que permitiam aos indigentes comprar comida com um pequeno desconto. Após anos de luta contra o alto índice de desemprego, outros milhares de trabalhadores e diaristas se viram sem trabalho. O resultado foi outra revolução.

Durante os três dias conhecidos na França como *les trois glorieuses*, os três gloriosos, os tumultos tomaram as ruas de Paris. Ao chegar à cidade, François-René de Chateaubriand descreveu a cena. O rapaz que conduzia sua carruagem "já tinha tirado o casaco de botões de flores-de-lis [da realeza]". A antiga bandeira tricolor da revolução mais uma vez tremulava ao vento, pendurada em janelas e telhados. "Nuvens de fumaça rosa aqui e ali entre as casas, tiros de canhão e sons de mosquetes se misturavam ao barulho dos sinos de alarme... Eu vi o antigo Louvre cair." Em poucas horas, lembrando muito bem o destino de seus antepassados Bourbon, o imperador bateu em rápida retirada para fora do país.

Barbe-Nicole preocupava-se e tinha boas razões para isso. Se a batalha das classes trabalhadoras pelas ruas de Paris se alastrasse para outros grandes centros comerciais, como Reims, desta vez não haveria como lançar mão da astúcia. Ali perto, em Épernay, os vinheiros já haviam se revoltado e a prefeitura fora saqueada. Nas províncias do leste da França, o ódio aos Bourbon e a seus partidários era particularmente intenso. Seu pai havia escapado na revolução anterior, ainda tão vívida em sua memória, escondendo a lealdade da família à monarquia. Mas a família de Louis de Chevigné não sobrevivera. Barbe-Nicole sabia que estavam à beira de uma revolta camponesa. E agora sua filha era condessa. Suas raízes burguesas não bastariam para salvá-los. A única saída seria manifestar apoio aos revoltosos, e Louis de Chevigné fez o melhor que pôde. O conde, cuja mãe dançara nos bailes de Maria Antonieta, declarou-se ser liberal e populista.

Para um homem de sua classe não era uma decisão fácil, muito pelo contrário. Naquele momento da história política francesa, não se tratava de uma escolha entre a monarquia e a república. Se assim fosse, Louis teria apoiado o rei. Todos os laços de família o ligavam à monarquia. Em 1830, tratava-se de escolher entre dois tipos de rei: a suntuosa e autocrática aristocracia do *Ancien Régime* e seus herdeiros hereditários ou uma nova concepção de reinado, com valores burgueses.

Para Louis, a escolha se resumia a duas partes da extensa família que compunha as classes dominantes na França: os "legitimistas", porém repressivos Bourbon, ou o radical, e até revolucionário, Luís Felipe, duque de Orléans, que fora recebido na casa da família de Barbe-Nicole menos de uma década antes. Luís Felipe levava uma vida que parecia saída de um romance. Era difícil resistir a seus encantos. Durante os turbulentos anos da Revolução Francesa, fora um ardoroso defensor das reformas e da liberdade, a ponto de se unir aos radicais jacobinos e, surpreendentemente, votar a favor da execução de Luís XVI. Pouco depois, no entanto, era seu pescoço que estava em risco, obrigando o jovem duque de 19 anos a fugir para um exílio de pobreza e perigos. Forçado a viver disfarçado, às vezes como um vagabundo de rua, e depois arrumando um emprego mal pago de professor de escola – primeiro na Suíça e depois nos Estados Unidos –, Luís

Felipe viajou pelo mundo até a queda de Napoleão, mais de 20 anos depois, o que lhe permitiu voltar à França. Então, novamente no primeiro plano da aristocracia e regalando seus anfitriões com histórias fabulosas, durante sua breve hospedagem o duque encantou Barbe-Nicole e família tal como encantou o povo francês. Ele tinha o apoio da burguesia e era querido pela classe trabalhadora. Já se dizia que ele devia ser o rei.

Mesmo sabendo que alguns membros de sua família considerariam a atitude como traição, o conde de Chevigné apoiou a revolução orleanista. Quando a Guarda Nacional foi reabilitada para lutar pelos direitos democráticos do povo, Louis estava entre eles, agitando a bandeira tricolor de uma geração anterior mais radical. Mas, como confessou a seu velho amigo Richard Castel, isso era complicado. "Meus sentimentos estão divididos", escreveu, "mas lamento acima de tudo os laços de família; [mesmo assim] tive grandes compensações nos dias de julho e nas provas de afeição que me foram dadas."

Se Louis hesitou em tomar essa decisão, Barbe-Nicole não titubeou. Nicolas Ponsardin não era o único pragmático ferrenho da família. Nessa revolução, tal como acontecera na outra, sua família prosperaria. Na verdade, os anos seguintes trariam uma idade de ouro para o empresariado da alta classe francesa. Luís Felipe, duque de Orléans, viria a ser conhecido como "o rei burguês". Como definiu um historiador, "o reinado de Luís Felipe foi um *régime* comercial", cuja palavra de ordem era *enrichissez--vous*, ou "enriqueçam". Embora os trabalhadores franceses lutassem nas ruas, fora a burguesia quem dera início àquela segunda revolução e quem seria sua primeira beneficiária. Luís Felipe reinou em relativa tranquilidade por quase 20 anos, e a maior parte desse período foi de uma nova expansão econômica. Barbe-Nicole, agora com um único foco profissional, se dedicaria mais uma vez a restaurar uma das lendas empresariais da Europa.

Capítulo 14

O império do champanhe

Foi uma sorte Barbe-Nicole ter redirecionado suas energias. Havia uma brecha de oportunidades que estava se fechando rapidamente. Contando com o apoio de Luís Felipe, a indústria do champanhe sofreria transformações drásticas nas décadas seguintes. Durante o século XIX, a maioria das casas conhecidas hoje se firmou como sérias concorrentes de alcance global. Já no início do verão de 1831, quando as uvas amadureciam nos campos e as adegas ainda estavam silenciosas, o rei fez sua primeira visita à região vinícola da Champagne. Outras se seguiriam. Luís Felipe rivalizava com Napoleão em sua paixão pelo champanhe, que sempre fora a bebida dos reis. Sentindo o crescimento da indústria, Barbe-Nicole decidiu ter um novo sócio, pois precisava de ajuda para recuperar a fortuna da companhia. Pela segunda vez, excluiu Louis e Clémentine do mundo do comércio e da indústria. Em troca de um investimento de 100 mil libras, meros dois milhões de dólares, ela deu a Édouard Werlé 50% da companhia. Como era um casamento financeiro, daí por diante a empresa teria o nome dele acrescentado ao da Viúva Clicquot.

Com Édouard como sócio igualitário numa companhia que já tornara um nome conhecido em grande parte do mundo, o conde

Louis de Chevigné se viu sem sorte. Édouard aconselhara Barbe-Nicole a fechar a torneira quando o investimento têxtil começou a drenar seus recursos e lhe deu o mesmo conselho com relação ao charmoso genro. Mas Barbe-Nicole não sabia recusar nada a Louis, cujos pedidos eram constantes. Ele queria remodelar os vastos jardins do castelo em Villiers-en-Prayères. Precisava de mais dinheiro para manter seu aristocrático estilo de vida. E é claro que vivia precisando pagar dívidas de jogo, o que era ponto de honra entre cavalheiros. Édouard acabou se habituando a lidar com as demandas mais exorbitantes de Louis.

O trabalho incessante de Barbe-Nicole havia criado um mundo de privilégios e facilidades para o conde e a condessa de Chevigné. Enquanto a viúva, agora na casa dos 50 anos, continuava a trabalhar da madrugada até a noite, labutando 14 horas por dia na tentativa de fortalecer a companhia depois da catástrofe bancária, Louis e Clémentine podiam dançar a noite inteira e dormir até o meio-dia. Levavam uma vida de aristocratas ricos em plena era de fervilhante industrialização.

Mesmo assim, deve ter doído saber-se excluído dos negócios com tanta franqueza e determinação. Ao se associar a Édouard, Barbe-Nicole havia efetivamente doado metade dos negócios imensamente lucrativos da família a um homem que tinha começado a carreira como um funcionário bonito e inteligente em seu escritório. Alguns ainda se lembravam dos rumores sobre a ascensão meteórica do rapaz, e talvez houvesse mesmo um elemento emocional na decisão de Barbe-Nicole. Certamente, se fosse uma simples questão de cifras, se ela quisesse retirar seu dinheiro e se aposentar, poderia ter vendido a companhia por uma quantia bem maior do que o modesto investimento de Édouard. Mas Barbe-Nicole sabia que ele havia sido mais que um empregado leal na década anterior. Encontrara nele um parceiro empreendedor, em quem podia confiar totalmente. E não esqueceu que ele a salvara.

Sem a intervenção de Édouard nas alarmantes primeiras horas da corrida ao banco, não sobraria muito da companhia para tentar passar adiante. Tendo chegado tão perto de perder tudo, Barbe-Nicole tomou novo fôlego e encontrou um novo sócio para a empresa. Estava cheia de ambição, de ânimo competitivo, e ia liderar a reformulação do modelo comercial do século XIX.

Sempre alerta às mudanças no clima empresarial, mais uma vez Barbe-Nicole estava à frente das tendências que emergiam. Em parte, foi o que a tornou uma lenda. Nos anos seguintes, o modelo manufatureiro exigiria que se pensasse, não mais em termos de unidade familiar, mas em termos de uma corporação, trazendo o que os historiadores chamam de "revolução administrativa", ou seja, a ascensão de homens de negócios assalariados e a classe dos executivos que conhecemos hoje. Ironicamente, foi esse novo modelo de uma classe administrativa que assinalou o fim das tradicionais oportunidades nos negócios de família para as mulheres da burguesia sem formação profissional. Barbe-Nicole vinha tomando as mais sábias decisões para se manter competitiva num mercado em mudança, e precisava de alguém disposto a dedicar ao trabalho as mesmas horas exaustivas que ela impunha a si mesma. Jamais seria o estilo do belo conde. Ao trazer Édouard para a companhia, primeiro como diretor profissional com participação nos lucros e depois como sócio executivo, ela dava um passo a mais para transformar a vinícola da Viúva Clicquot num verdadeiro legado. Foi uma decisão inteligente. De fato, "em meados da década de 1840, [até] empresas administradas pessoalmente... se tornaram especializadas, tendo em geral uma única função e um único produto". Era o que a economia da industrialização exigia, para logo em seguida exigir também uma equipe de diretores em tempo integral. Seriam profissionais capazes de administrar grandes empresas. Ironicamente, porém, Barbe-Nicole estava ajudando a estabelecer uma tendência que fecharia a porta para outras jovens mulheres competentes, mas desconhecidas, que buscavam uma chance de entrar no mundo dos negócios.

NA DÉCADA SEGUINTE, Barbe-Nicole dedicou-se a reconstruir o império do champanhe. Quase o deixara escapar das mãos e agora estava determinada a assegurar seu futuro. Era um momento crítico na história da companhia. Se ficasse para trás naquela conjuntura, os vinhos da Viúva Clicquot poderiam facilmente ter o mesmo destino dos vinhos da viúva Binet, que já fora considerada líder de produção na cidade de Reims. Nada restava da história ou dos negócios da viúva Binet.

No fim dos anos 1830, o mundo comercial mudava rapidamente. O sucesso exigia que se caminhasse pela estreita faixa entre o artesanal e o industrializado. Os primeiros trilhos de ferrovias já vinham sendo colocados na França e as melhorias para modernizar o sistema de canais que ligavam a província à capital já estavam em andamento na Champagne. Logo as locomotivas a vapor mudariam o clima industrial e as paisagens da Europa, mas o primeiro trem só chegaria a Reims mais de uma década depois. Por enquanto, Barbe-Nicole e Édouard dependiam de ultrapassados meios de transporte: barcas e carroças, para levar seus delicados vinhos aos portos e a Paris. Mas a chegada das ferrovias significava também o crescimento do mercado de massa e a necessidade de anunciar o produto. Nos anos seguintes, resultaria na implantação do rótulo nas garrafas. Até então Édouard viajava e trazia clientes para a companhia, como Louis Bohne fizera antes dele. Édouard cumpriu a função com o mesmo talento, e logo as vendas duplicaram.

Barbe-Nicole trabalhava com uma intensidade furiosa, e mesmo não sendo como as outras avós de sua geração, a família estava sempre em seus pensamentos. Pensava principalmente na maternidade. Sua mãe, Jeanne-Clémentine, havia falecido tranquilamente em 1837, aos 77 anos, deixando Barbe-Nicole e sua irmã órfãs, mas não menos abaladas por serem adultas. Barbe-Nicole sabia que fora o fim de um estilo de vida, o fim de suas próprias raízes burguesas. Crescera num mundo diferente do que o que sua filha habitava agora. E estava feliz por isso. Naqueles dias incertos da ocupação de Reims, sua maior preocupação fora a vida de luxos que a filha perderia. Agora, acreditava que os negócios, se fossem reabilitados, garantiriam o conforto da família. Nas mãos de Édouard, seriam uma garantia contra as incertezas do futuro, uma fonte silenciosa de riquezas.

No verão de 1839, essas mesmas riquezas mereceram comemoração e maior dedicação à família. Sua neta Marie-Clémentine, agora com 21 anos, casou-se em grande estilo. Vendo os preparativos durante todo o inverno, Barbe-Nicole sorria ao pensar na felicidade que Nicolas teria tido. Pois Marie não somente era filha de um conde, mas também estava se casando com um, o piedoso e convencional Louis Samuel Victorien de Rochechouart de Mortemart, de uma das mais famosas famílias da nobreza francesa. Nos retratos, ele sempre aparece sentado absolutamente ereto, cercado pelo esplendor do seu afortunado direito por nascimento. Era um homem gentil, dotado de sensibilidade artística, apaixonado pelo cultivo de orquídeas raras e lindas, e com notável talento como artista amador. Depois da cerimônia solene na catedral, uma longa procissão de carruagens subiu a encosta a caminho de Boursault para uma festa suntuosa, regada a caixas e mais caixas dos mais finos champanhes da Viúva. Barbe-Nicole deu à neta um magnífico presente de casamento: o próprio castelo.

O sério conde era o marido perfeito para a robusta Marie, que logo lhe deu uma filha. A primeira bisneta de Barbe-Nicole foi chamada de Pauline. Em 1841, Marie deu à luz um menino, batizado, com pouca imaginação, como Paul. Mais tarde, Marie--Clémentine teria outra filha, Anne, a predileta de Barbe-Nicole.

A casa de champanhe da Viúva Clicquot, como continuou a ser conhecida, apesar do nome de Édouard nos documentos da firma, recuperara a antiga solidez. Fora preciso uma década de cuidadosa administração e muito trabalho, mas a companhia não só se recuperou como prosperou. Voltou a ser reconhecida como uma das mais importantes casas de champanhe da região e, consequentemente, do mundo.

Os lucros traziam maior riqueza a Barbe-Nicole. Estava claro que a única opção era continuar a expandir a empresa e aumentar a equipe administrativa. Era claro também para Barbe-Nicole que Édouard não precisava de sua presença todos os dias. Ela jamais estaria pronta a sair inteiramente da empresa que havia criado e não estava sequer remotamente preparada para vendê-la.

Mas em 1841, aos 64 anos, a Viúva Clicquot se aposentou. Já era tempo. De Épernay veio a notícia da morte de seu velho concorrente, Jean-Rémy Möet. Era o fim de uma geração. Sua própria geração. Jean-Rémy deixou a companhia nas mãos competentes de seu filho Victor e de seu aristocrático genro, Pierre-Gabriel Chandon de Briailles, que, juntos, deram continuidade aos negócios com o famoso nome de Möet et Chandon. Barbe-Nicole sabia que, mais cedo ou mais tarde, ela também teria que confiar a companhia inteiramente às mãos de Édouard.

E decidiu não esperar, pelo menos formalmente. Mas seu afastamento nunca chegou a ser uma aposentadoria de fato. Barbe-Nicole era viciada em trabalho e tinha a intenção de continuar a orientar os negócios a que dedicara sua vida inteira. O afastamento significava apenas que ela poderia passar mais tempo em Boursault. Nos anos 1840, ela ficava somente em Reims nos meses de inverno. Aos 64 anos, Barbe-Nicole devia se sentir velha. Mas se Louis de Chevigné pensava que não tardaria a herdar sua fortuna, estava profundamente enganado. Ao contrário das expectativas, numa época em que as mulheres francesas viviam, em média, menos de 45 anos, Barbe-Nicole ainda teria uma longa vida pela frente. A casa de champanhe que transformara de um pequeno negócio familiar em um dos maiores impérios comerciais do mundo ainda seria um ponto central em sua vida. Anos depois, o viajante Robert Tomes se lembrava de "Madame Clicquot [como] uma velha senhora de 89 anos, com jeito de gnomo, enrugada, cuja alma estava inteira nos negócios, perscrutando todos os dias, até o último de sua vida, os livros da casa comercial que leva seu nome".

Só então Barbe-Nicole deixou que Édouard assumisse inteiramente a direção da companhia e aprovou a entrada de mais dois sócios. Monsieur Dejonge tornou-se o equivalente a um diretor financeiro, responsável pela cada vez mais complexa contabilidade da companhia. Depois, com a promoção de Édouard ao posto que conhecemos hoje como diretor executivo, foi aberta vaga para um novo mestre de adega, encarregado da supervisão da fabricação dos vinhos. A função – e a sociedade – coube a Monsieur de Sachs. Rodeado por tantos condes e barões e querendo ser tratado com a mesma solene dignidade, o novo mestre de adega fez questão de lembrar que tinha um ancestral nobre na Alemanha. Nas palavras de quem foi a Reims na ocasião, "ele também é alemão e sobrinho, acredita-se, de [Édouard] Werler. Apesar da bazófia de um título germânico, não estava melhor de vida na juventude do que seu pobre e intrépido tio".

Nessa organização da companhia, Barbe-Nicole era o conselho diretor composto por uma só mulher. Em nível internacional ela já se tornara um ícone, embora muito frequentemente um ícone sem rosto. E estava se tornando apenas um nome aos olhos do mundo, ainda que um nome famoso e elegante. Em 1842, não somente a palavra *Clicquot* era sinônimo de champanhe, mas a expressão "uma garrafa da Viúva" começava a ter um papel cultural maior. O champanhe Clicquot já aparecia em algumas das maiores obras literárias do século. Mas, ao se aposentar, Barbe-Nicole estava desaparecendo do olhar público. Enquanto seus parceiros continuavam a expandir a companhia, que não tardaria a atingir números acima de 400 mil garrafas de champanhe por ano, Barbe-Nicole tentou encarnar o papel de avó. "Tenho aqui netos e bisnetos à minha volta", ela escreveu à prima naquele ano. "É um lembrete de que não sou jovem e logo estarei pensando em fazer as malas e dizer adeus, o que farei o mais tarde possível." Nesse ponto ela fez jus às suas palavras.

Por mais que tentasse se enquadrar, entretanto, no modelo doméstico de avó do século XIX, Barbe-Nicole não conseguiu. Após uma vida inteira de dias tomados pelo trabalho, ela precisava de mais do que crianças alegres para ocupar seu tempo. Louis de Chevigné havia se entregado ao paisagismo em seus jardins e a escrever maus poemas. Barbe-Nicole retomou sua paixão por comprar e decorar casas. Com a revitalização do champanhe Veuve Clicquot Ponsardin e Werlé, que agora faturava mais de 30 milhões de dólares por ano, o dinheiro não era problema. E para livrar o conde e a condessa de Chevigné da humilhação de morar num castelinho rural, ela se ofereceu para construir um novo castelo, imenso, para moradia da família.

Perfeitamente entrosadas com a nobreza da França, as famílias Chevigné e Mortemart frequentavam os círculos mais faustosos, e Barbe-Nicole apreciava as alegres e luxuosas recepções que Louis, principalmente, tinha prazer em oferecer. No começo de dezembro de cada ano, no dia de Santa Bárbara, a santa de seu nome, Louis prodigalizava em comemorações para agradar à sogra e improvisava versos elogiosos para seu divertimento e de seus nobres admiradores. Assim como o pai, e mais recentemente Édouard Werlé, Barbe-Nicole caiu em todas as tentações da aristocracia. "Estou fazendo preparativos", escreveu, "para me mudar para o campo e Monsieur de Mortemart... virá em visita com um de seus amigos e seu cunhado, o marquês d'Avaray. Visto que meu castelo é muito pequeno, não posso receber muitos hóspedes ao mesmo tempo. Mas estamos construindo um novo, que poderá abrigar até 20 convidados e outros tantos criados, o que me poupará de muitos constrangimentos e me permitirá receber mais hóspedes sem ter que ceder minha própria cama."

A construção da nova mansão levou anos e centenas de milhares de francos. O custo da obra significava que Barbe-Nicole tinha toda a liberdade para concretizar suas fantasias. Ela sempre tivera preferência pelo estilo renascentista. O Hôtel le Vergeur tinha fachada clássica, mas a nova mansão não seria apenas a casa luxuosa de um rico mercador, como era a de Reims. Ela queria um palácio. O arquiteto Jean-Jacques Arveuf-Fransquin projetou um castelo que imitava – e se igualava – os famosos castelos do vale do Loire. Erigido em pedras de uma quente tonalidade dourada e encimado por torres vazadas, é um castelo delicado, etéreo.

No século XIX, corria uma anedota sobre sua construção entre a população local. Dizia-se que Barbe-Nicole, "não contente... com a antiga casa lá embaixo, ergueu uma imponente estrutura no topo do monte. Este... parece mais um verdadeiro castelo, com torreões multifacetados que a imaginação do aspirante a arquiteto, auxiliada pela riqueza dos Clicquot, permite. Sua grandiosa amplidão e luxuosos complementos são uma maravilha para qualquer *badaud* [turista] parisiense ou visitante rústico. Entre suas atrações está a sala de jantar, adornada com um elaborado armorial entalhado em madeira, no qual estão interligadas as iniciais C e M, dos nobres nomes de Chevigné e Mortemart. Certa vez um grupo de camponeses foi visitar o castelo... Chegando à sala de jantar, com indisfarçável orgulho em servir a tão distinto senhor, o cicerone apontou para os brasões entalhados encimados por uma coroa dupla e ostentando as iniciais C e M em dourado".

"Veja", disse o cicerone, "essas letras significam *Chevigné* e *Mortemart*."

"Ah, que nada!", replicou um camponês... "Querem dizer *Champanhe Mousseux*. Não foi daí que veio a fortuna?"

Barbe-Nicole podia ser agora mãe de uma condessa, mas os moradores da região não deixavam ninguém esquecer que ela e sua família tinham raízes burguesas. Eles sabiam muito bem que todo aquele esplendor fora comprado com champanhe e não com títulos de nobreza.

Mais de um século depois, um de seus descendentes recordava sua infância em Boursault: "Era um grande castelo, todo branco, encravado na encosta de uma colina coberta de árvores... no meio de um grande parque com aromas de água fresca, groselha, mel e flores." Um visitante descreve a "sala de jantar... adornada com tapeçarias modernas e painéis ricamente esculpidos... uma chaminé monumental em pedra da Borgonha". Sua sobrinha Juliette lembra que a sala de jantar "se abria para uma biblioteca situada numa das torres", um testemunho do eterno amor de Barbe-Nicole pelos livros e pelos romances de cavalaria.

Hoje, só é possível entrever a distância o castelo de Barbe-Nicole, sobre um paredão rochoso, no ponto em que o parque mergulha colina abaixo e a estradinha que o contorna se agarra convenientemente a um monte mais alto. Ou, então, é preciso se arriscar a pedir autorização ao atual proprietário da vinícola situada logo após o portão do parque, um homem bonito e simpático, determinado a proteger a privacidade dos moradores. Num fim de tarde, depois de explicar minha obsessão, fomos recompensados com a mais breve das visitas: 10 minutos no terreno para ver a casa e dar uma espiada pelas janelas. O castelo emerge com imponência dos parques que contornam a propriedade. Quando o olhar percorre as curvas do caminho que leva à grandiosa entrada da frente, ainda se pode ler a inscrição em latim que ela mandou gravar: *Natis Mater*, Mãe de seus Filhos. Barbe-Nicole era extremamente generosa, mas também dominadora e insistente.

Durante muitos anos, ela assumiu o papel de matriarca, elevando lentamente sua família da burguesia afluente para as classes dominantes. Ironicamente, foi em parte sua rejeição pelos estereótipos da época que lhe deu esse poder e estatura doméstica. Certamente algumas coisas escapavam a seu controle e parece que a vida amorosa da jovem Marie-Clémentine estava entre elas. Ninguém sabe se foi um caso de amor frustrado ou apenas uma obsessão unilateral. Mas hoje há outra maneira de ver o Château de Boursault. O grande industrial e pioneiro das ferrovias Albert Deganne, admirador apaixonado de Marie, a quem a família havia recusado como pretendente em 1839, depois de quatro anos de corte ininterrupta, construiu uma réplica exata do castelo no sudoeste da França, junto à praia da cidade e da estação de repouso de Arcachon. O castelo de Deganne, um extravagante sinal de sua dedicação à então já amatronada Marie, é preservado hoje como um dos suntuosos cassinos da cidade. No interior, em meio ao incômodo tilintar dos caça-níqueis, é difícil imaginar muitas semelhanças entre esse castelo e o sossego rural de Boursault. Mas à calma distância da mesa de um café numa noite de verão, diante de dois cálices de coquetéis absurdamente caros, é encantador.

Estranhamente, outra coisa que Barbe-Nicole não conseguia controlar eram os hábitos perdulários e a sexualidade de Louis de Chevigné. Jogador inveterado, ele estava sempre em débito. Considerando que era um homem rico, com uma sogra que bancava seu estilo de vida, Louis devia ter um azar constante. É bem possível que lastimasse a decisão de sua sogra de deixá-lo fora do gerador econômico da família. Com seu férreo controle das despesas da companhia, Édouard também podava os excessos do estilo de Louis. Ele sabia que podia contar com seu charme para convencer, até certo ponto, a *chère maman*, mas começava a se perguntar se já não atingira esse ponto. O problema era que Louis sempre parecia estar devendo dinheiro a alguém. Não eram dívidas da vida cotidiana, como maiores despesas com os jardins ou vestidos elegantes para Clémentine ou Marie, mas dívidas de jogo. Havia também contas de outras dúbias diversões noturnas, que um aristocrata da alta-roda podia facilmente contrair depois de uns drinques a mais.

O que um nobre ocioso podia fazer senão transformar suas paixões em débitos? Além do jogo, Louis tinha três paixões: usar roupas caras, escrever maus poemas e bancar o playboy. Ao visitar a família em Boursault, Charles Monselet lembra que "o conde de Chevigné... era a própria imagem de um dândi, com a beleza óbvia de um homem da moda, a gordura dos ricos... Sua riqueza lhe permitia entregar-se aos prazeres da poesia". Cortar despesas de alfaiate era impensável. Suas traduções de alguns poemas do latim clássico foram recebidas com polidez, mas seus amigos achavam seus versos obscenos muito perspicazes. Uma de suas marcas registradas eram os versinhos de ocasião e ele colecionava suas melhores composições. Tais prazeres se concentravam em poemas cada vez mais maliciosos. Nos primeiros anos de casamento com Clémentine, ele deliciara os amigos com detalhes íntimos, e os amigos escreviam pedindo mais. Desde então, se dedicava a escrever versos eróticos com pretensões entre o filosófico e o libertino.

Infelizmente, Louis não era bom poeta, mas a falta de talento nunca impediu um homem rico de publicar. Em 1836, ele reuniu alguns poemas eróticos impressos em Paris, no livro intitulado *Les contes rémois* (*Os contos de Reims*). Uma crítica resume seu talento com grande eloquência, como "imitações de Bocage e de La Fontaine... sem a inteligência e a graça, mas com toda a grosseria desses autores". Foi uma vergonha para Clémentine. Embora Louis não tivesse colocado nome na página de rosto, todo seu círculo social sabia que ele era o autor. Tinha orgulho da obra.

Barbe-Nicole, de mente sofisticada mas conservadora, não achou engraçado e deve ter esperado que a pequena edição desaparecesse aos poucos. E isso teria acontecido se Louis não precisasse novamente de dinheiro.

Em 1843, justamente quando a construção do castelo em Boursault estava começando, Louis anunciou uma segunda edição ampliada de seus contos. Em 1858, ele publicaria uma terceira edição, ilustrada. Seriam apenas as primeiras de muitas edições, para vergonha da família, nos anos que se seguiriam. Em vez de chamar Louis às falas, Barbe-Nicole encontrou a solução que julgou mais simples. Cada vez que era lançada uma nova edição – e foram dezenas nos 20 anos seguintes –, Barbe-Nicole comprava na gráfica todos os exemplares que encontrasse. Era uma boa estratégia, mas não teve muito sucesso em tirar de circulação os excitantes poemas de Louis. Ainda hoje, em alguns antiquários, exemplares dos *Les contes rémois* em edições do século XIX podem ser encontrados sem muita dificuldade e a preços surpreendentemente modestos. Talvez Louis nunca tenha suspeitado de que a sogra estivesse por trás do sucesso de vendas de cada nova edição, mas as publicações ainda eram uma espécie de complexa chantagem emocional, que mantiveram seus bolsos cheios por muitos anos.

Capítulo 15

A grande dama

Durante o primeiro quarto de século de vida de Barbe-Nicole, escassos são os detalhes que refletem a mulher por trás do nome. E no último quarto de século também. Quando se aposentou e voltou a ser mãe e avó, uma mulher que construía e decorava casas, que dava festas elegantes e apreciava o convívio com a família, que fazia e contribuía para obras de caridade, ela retomou, pelo menos nas aparências, o papel tradicional de uma dama do século XIX. Após a saída da esfera pública dos negócios, sua vida, por mais extraordinária e reconhecida que tenha sido, se esconde no reino obscuro da história sem registro. O nome permaneceu, é claro. Todos ainda conheciam o vinho da Viúva Clicquot. Mas poucos registraram as impressões pessoais da mulher Barbe-Nicole.

Até os fatos históricos mais básicos, contudo, mostram que os anos que se seguiram a 1850 foram tristes na casa dos Clicquot-Mortemart. No começo daquele ano, Marie-Clémentine tinha três filhos pequenos. No fim, ela havia enterrado a filha mais velha, Pauline, aos 10 anos de idade. A família foi tomada pelo medo de perder outros. Medo que não tardou a se concretizar. Três anos mais tarde, o pequeno Paul adoeceu com o que os médicos chamavam de congestão cerebral, possivelmente em consequência do cólera pandêmico que grassou pela Europa nas décadas de 1840 e 1850. O menino, então com 12 anos, sofreu horrivelmente por vários dias com infecções devastadoras. Mais tarde, sua irmã Anne, nascida em 1847, registrou em suas memórias os detalhes de sua morte:

"Tinha seis anos quando meu irmão Paul adoeceu. Amava tanto meu irmão que desobedeci às ordens e entrei em seu quarto... e me escondi atrás dos móveis." Quando a família descobriu a menina atemorizada, o pai, desolado, teve que carregá-la para fora do quarto à força, chorando e esperneando, enquanto implorava: "Paul *quer* que eu fique lá." Ela se lembrava das últimas palavras do irmão, pedindo que saísse do quarto. O perigo de contágio era grande demais e ninguém suportava pensar na perda das duas crianças. Na manhã seguinte, ela acordou com os pais junto à sua cama, chorando em silêncio. Tinham vindo comunicar que Paul estava morto. E certamente tinham vindo para ter certeza de que a filha ainda vivia. Em breve, teriam motivos para se preocupar com ela também. Dias depois viu-se que Anne havia contraído a doença e parecia que não ia sobreviver. Nas escuras salas vazias do andar de baixo, Barbe-Nicole, Louis e Clémentine faziam vigília na casa silenciosa.

Anne recuperou-se da doença, mas a família jamais seria a mesma. Depois da morte de Paul, a vida no castelo de Boursault passou a ser isolada e solitária. Ao enfrentar tragédias anteriores, Barbe-Nicole havia sido forte e determinada, mas nada podia fazer para amenizar a dor e a aflição da neta. Marie-Clémentine e o conde de Mortemart viviam aterrorizados com a possibilidade de a doença levar a única filha que lhes restava, e subitamente o mundo além dos muros dos jardins de Boursault parecia um lugar muito perigoso. Em vista dos casos de cólera ainda frequentes em 1854, eles adiaram as idas costumeiras a suas propriedades mais distantes. Sabendo que tantos morriam com a epidemia em toda parte da França, acabaram-se as festas e os hóspedes e cada viagem era um convite à desgraça. Quando saíam do castelo, adentravam apenas um pouco mais a zona rural ao norte, até o refúgio da família em Villiers-en-Prayères, com seus imensos jardins e terras ainda mais extensas. Era uma vida de proteção a uma menina cuja frágil existência era alvo dos piores medos da família.

Anne recorda a infância austera, criada "por pais tristonhos e avós idosas", sem amigos de sua idade, numa casa cada vez mais cheia de tensões, principalmente entre os dois homens, que não se davam bem. O conde de Mortemart era sério, religioso, e vivia a ponto de brigar com Louis de Chevigné, que se deliciava com a postura de libertino espirituoso e irreverente. Também no campo político, não concordavam. Marie-Clémentine, que na melhor das circunstâncias era uma mulher tímida, não suportou a pressão e entrou em crise de ansiedade depressiva. "Minha querida mãe tinha uma personalidade tão fraca", escreveu Anne, "que sempre pensei nela mais como uma criança aos meus cuidados", e "nem sempre a vida era fácil". Sua avó, Clémentine, também era tímida e nervosa. Barbe-Nicole não. E continuava adorando Louis de Chevigné, o que não contribuía para aliviar as tensões na família. Frequentemente "reinava a animosidade".

Talvez em virtude dessa infelicidade doméstica, o retrato de Barbe-Nicole, pintado na década de 1850, não mostre sequer o esboço de um sorriso. É um famoso retrato da Viúva Clicquot, obra do artista francês Léon Cogniet e reproduzido em sua única biografia da época, escrita por Victor Fiévet e intitulada *Madame Veuve Clicquot (née Ponsardin), son histoire et celle de sa famille* (1865). Há também uma reprodução desse retrato numa publicação em língua inglesa, lindamente ilustrada, intitulada *Facts About Champanhe and Other Sparkling Wines, Collected During Numerous Visits to the Champagne and Other Viticultural Districts of France... with One Hundred and Twelve Illustrations* (1879). Hoje, ambos são exemplares muito raros, tão escassos quanto as litografias do retrato.

Em algum ponto de minha jornada de pesquisa sobre a Viúva Clicquot, paguei uma quantia exorbitante por uma reprodução grande, e linda, desse retrato. Barbe-Nicole parece olhar para fora do quadro e fico tentada a pensar que também está fora do passado. Ela está sentada numa poltrona imponente, com uma expressão severa e a triste gravidade daqueles anos, captada em suas largas mandíbulas quadradas. O olhar é inteligente mas duro, talvez um pouco cansado, e sua aparência é a de uma mulher que exige total respeito. Seus olhos ainda mostram uma faísca ameaçadora e, na pintura original, seus cabelos ruivos ainda retêm os reflexos avermelhados que os jornais de seu tempo de menina chamavam de louro ardente, sem qualquer traço grisalho, pelo menos na visão idealizada do artista. Ela usa a rendada touca branca típica de uma rica viúva francesa e um monumental vestido de renda preta com mangas carmesim, que mais parece o traje de meus sisudos antepassados puritanos do que o de uma mulher que deu ao mundo o melhor dos vinhos. É o que mais me surpreende.

Toda a sua riqueza e os privilégios aristocráticos adquiridos são deixados de lado. Apesar do luxo que vendia e do luxo de que usufruía, é o retrato de uma mulher burguesa. Em seu colo há um único objeto, um livro aberto. Sua imagem foi capturada em meio ao gesto de colocar um marcador de fita entre as páginas. Talvez – como o homenzinho elegante que me vendeu a litografia num antiquário da margem direita em Paris prefere acreditar – seja um livro sobre a fabricação de vinhos. Prefiro pensar que é uma das histórias épicas que ela amava, *Dom Quixote*, ou um romance de Victor Hugo. Ou se, naquele momento, ela se sentisse séria e estudiosa, talvez seja a *Histoire des Girondins* (1847), de Alphonse Marie Louise de Lamartine, o burguês revolucionário que durante pouco tempo chefiou o governo republicano, que mais uma vez lutou pelo controle da França e forçou a abdicação de Luís Felipe no fim da chamada Monarquia de Julho, em 1848. Por um curto período, instalou-se uma segunda república, tendo como presidente Charles Louis-Napoléon Bonaparte, sobrinho do famoso conquistador. Mas na época em que o retrato foi pintado, tal república havia terminado com um golpe de Estado palaciano e Louis-Napoléon passara a ostentar o título de imperador Napoleão III.

Ironicamente, as mulheres do povo estavam no centro da revolução de 1848. Nas palavras de um historiador, as "mulheres trabalhadoras haviam emergido como um ponto de tensão e debate nos anos precedentes". À medida que a Revolução Industrial ganhava ímpeto, moças acorriam aos novos empregos de baixos salários nas fábricas. Mas a cultura popular se revoltava mesmo contra esses avanços. Um jornalista escreveu: "A mulher não foi feita para fabricar nossos produtos, nem para ocupar nossas fábricas. Ela deve se dedicar à educação dos filhos e aos cuidados da casa." Não foi feita para ocupar nossas fábricas? Se Barbe-Nicole leu tal jornal deve ter imaginado, com desdém, o que aquele jornalista pensaria da mulher que dirige uma fábrica.

Seja qual for o livro no retrato, podemos ter certeza de que não era *Les contes rémois*, de Louis de Chevigné. Mas a pintura deve ter coincidido com a publicação da terceira edição dos poemas de Louis, em 1858, e dificilmente teria sido um ato calculado para suavizar o conflito doméstico com o genro obstinado. Enquanto as travessuras poéticas de Louis eram causa de desgosto e foco de tensão doméstica em Boursault, a colheita daquele ano foi um dos melhores acontecimentos naquela década de tristezas. O ano de 1858 produziu uma das raras grandes safras do século XIX, um vinho que rivalizava com o "mais doce dos assassinos", o champanhe de 1811, o ano do cometa.

Desde os longínquos dias de seu casamento com François, Barbe-Nicole tinha prazer em assistir à colheita, contemplando a imensidão dos campos cobertos de videiras que se estendiam como um nevoeiro verdejante às primeiras horas da manhã. Das altas janelas do castelo de Boursault, ela via o trabalho nas vinhas, ouvia os sons das vozes ao longe e do ranger das rodas das carroças, levando os pequenos cestos de uvas maduras através dos campos para a *vendangeoir*, a sala da prensa. Sentia os aromas da madeira, das frutas e das ervas do verão. Nada disso havia mudado. Nas colinas a leste, em Bouzy, ainda existiam a velha prensa de madeira, as mesmas grossas prateleiras de carvalho e o frio chão de pedra que recordavam os outonos em que ela aprendera os segredos do vinho.

Ao mesmo tempo, havia muitas diferenças. Já não se tratava de uma pequena empresa, mas de um grande empreendimento comercial. Numa era cada vez mais industrializada, o champanhe era (e continua a ser) uma contradição. É um vinho artesanal de luxo que abastece o mercado mundial em quantidades maciças. Naquela época, uma das salas da Clicquot-Werlé tinha oito prensas, capazes de processar mil barris de vinho em cada colheita. Nas extensas adegas sob a rue du Temple, em Reims, onde o *cuvée* era misturado, guindastes mecânicos suspendiam dezenas de barris das *caves* e o vinho descansava em tonéis enormes, suficientes para abastecer o mercado internacional com centenas de milhares de garrafas de seu famoso champanhe. No entanto, cada cacho de uva era colhido manualmente, com o maior cuidado. Na Champagne de hoje essa tradição ainda é respeitada.

Claro que o vinho daquela safra extraordinária não chegaria tão cedo ao mercado internacional. Os vinhos de boa safra passavam anos nas adegas de Barbe-Nicole. Ela não tinha a menor dúvida de que algum dia seriam deliciosos. Fora uma colheita rara e, em toda a região, os vinhos de 1858 viriam a ser conhecidos como champanhes de "Selo Consular", uma pequena propaganda que servia como lembrete do glamour da safra do ano do cometa.

O que tornou esse novo marketing possível foram os rótulos. Em 1814, Barbe-Nicole foi uma das primeiras a colocá-los em suas garrafas, como uma garantia direcionada a clientes difíceis. Mas ela ainda não havia aperfeiçoado esse recurso de vendas. Na verdade, ainda não havia explorado a ideia. Nem ela nem ninguém, até os anos 1850. Quando a ferrovia por fim chegou a Épernay e a Reims, a velocidade e eficácia desse moderno meio de transporte mudaram a cultura comercial. De repente, o mercado se tornou de fato internacional. Até produtos delicados como o champanhe podiam ser enviados diretamente para lojas e distribuidores do mundo inteiro, sem esperar pelos pedidos dos consumidores. Mas era preciso anunciar para que os clientes pudessem escolher. Era preciso algo que atraísse um número bem maior de compradores para os pequenos luxos da vida.

O resultado foi uma explosão de rótulos. No quartel-general da Clicquot-Werlé sabia-se que o melhor recurso de marketing era o óbvio: o nome da Viúva. Nos primeiros rótulos vinha escrito simplesmente "Veuve Clicquot Ponsardin, Reims". Édouard e os outros sócios tinham o bom senso de confiar no fato de que, em se tratando de champanhe, ela era *a* Viúva. E a Viúva *era* champanhe. Em 1860, seu rótulo já era tão mundialmente famoso quanto seu nome. "Sem dúvida, muitos notaram a palavra REIMS impressa em destaque nos rótulos das garrafas de vinho Clicquot, ou *Selo Consular*, ou em outras das numerosas marcas, menos conhecidas, de champanhe", observou um leal amante do vinho. Mas ainda não era o rótulo laranja identificado no mundo inteiro como a marca do Champagne Veuve Clicquot Ponsardin. Ele apareceria alguns anos mais tarde, como outra das mais importantes mudanças na história do espumante e na história de outra grande viúva do champanhe.

A história de Barbe-Nicole vinha chegando lentamente ao fim. Em 1858 ela estava com 81 anos. Seus vinhos já haviam conquistado um lugar entre os melhores do mundo e os negócios que ela conduzira desde o início da Revolução Industrial francesa lhe trouxeram uma riqueza além da imaginação. Em poucas décadas, seu sócio Édouard Werlé se tornara "o homem mais rico de Reims e um dos mais ricos da França, tendo acumulado, segundo se diz, uma fortuna de quatro ou cinco milhões de dólares", o equivalente a algo entre oito e dez bilhões de dólares em valores atuais. A fortuna de Barbe-Nicole era consideravelmente maior. Numa época em que poucas mulheres comandavam um império comercial, ela figurava entre os mais ricos do mundo.

Além de sempre generosa com a família, Barbe-Nicole tinha consciência social. Em suas últimas décadas de vida, embora jamais tivesse ocupado um cargo público ou exercido a influência dos homens de seu meio, ela fez grandes doações a obras cívicas e sociais. Doou 80 mil francos (mais de 1,6 milhão de dólares hoje) para a construção de um abrigo para crianças pobres e interveio para salvar da destruição o antigo arco do triunfo romano na cidade de Reims. Como o escritor Prosper Mérimée relatou a um amigo, "é um negócio de 30 a 40 mil francos... Madame Clicquot... é rainha de Reims e... fez de seu melhor empregado, prefeito... Se ela se dignar a dizer uma palavra, o arco será salvo". Seu gesto mais famoso foi a doação de uma fonte à cidade de Épernay. A água fornecida publicamente havia secado sem explicação aparente. Mas em Vauciennes, sua propriedade nas florestas entre Boursault e a famosa cidade do champanhe a leste, havia uma boa fonte, que Barbe-Nicole doou ao povo de Épernay. Sabendo que seus concorrentes também usariam a água para lavar as garrafas, ela brincou: "Ajudei o trabalho e a indústria de vocês. Nunca me acusem de inveja!" A resposta, com o típico humor ácido dos franceses, foi espalhar que a Viúva Clicquot era tão generosa que dera de beber a Monsieur Möet. Mas embora seja agradável pensar que Barbe-Nicole não era apenas uma rígida mulher de negócios, mas também uma senhora de bom coração, a verdade é que sua generosidade ajudou-a a firmar-se como uma lenda e uma instituição, a grande dama da Champagne.

Édouard também se tornara um homem importante em Reims e seu sucesso mostra o poder político que Barbe-Nicole jamais poderia ter como mulher, mesmo sendo uma grande industrial. Seguindo os passos de Nicolas, Édouard foi indicado para prefeito de Reims e manteve o cargo por quase duas décadas. Como a maioria dos integrantes da classe dominante industrial francesa, ele era um "imperialista ardoroso", que apoiou entusiasticamente o reinado de Napoleão III. Tal como Jean-Rémy Möet em outra época, Édouard se fez amigo do novo imperador, Louis-Napoléon, e foi recompensado. Não demorou muito para que ostentasse orgulhosamente a fita vermelha da distinção imperial. Como tantos empresários à frente de casas de champanhe na região, Barbe-Nicole entre eles, Édouard arranjou esplêndidos casamentos políticos para os filhos.

Mas havia algo que o imperador não faria nem por seu amigo Monsieur Werlé, algo que punha em risco o futuro da companhia. Diziam: "O imperador faz qualquer coisa por seu vinhateiro predileto, menos beber seu champanhe." Louis-Napoléon não gostava do champanhe Clicquot. Ele havia morado na Inglaterra e só bebia champanhe seco. Nas palavras de observadores da época, o problema era que, embora a "rica Viúva Clicquot [tenha sido] a mais sábia manipuladora dos espumantes de Aÿ e Bouzy de seu tempo", "o vinho Clicquot ainda é fabricado ao gosto dos russos, que preferem um champanhe doce e forte... e de modo geral, embora sem dúvida... bom vinho, sejam quais forem suas qualidades, é totalmente sufocado pela doçura. Ao contrário de outras casas, a da Viúva Clicquot não diversifica o produto para atender a preferências variadas. O vinho Clicquot vem perdendo prestígio rapidamente e não tardará a ficar obsoleto se não se adaptar ao gosto mais discriminado de quem o bebe atualmente".

Mais uma vez, precisavam se adaptar para sobreviver, embora a sobrevivência agora significasse mais do que uma vida modesta. Mas demoraram. Não parecia possível que o mercado inglês tivesse tamanha importância. Era uma parte bem pequena de suas vendas anuais, meros poucos milhares de garrafas por ano. Barbe-Nicole nunca esquecera que Louis Bohne não conseguira vender seus vinhos na desastrosa viagem de 1801.

Enquanto os diretores da Clicquot-Werlé hesitavam, resistindo às mudanças e fazendo um esforço apenas moderado para ver além do grande mercado russo que lhes trouxera fortuna, uma jovem mulher, enviuvada recentemente e com dois filhos pequenos para criar, aproveitou a oportunidade. Uma oportunidade inspirada pela própria carreira de Barbe-Nicole no ramo vinícola. Jeanne Alexandrine Louise Pommery (*née* Mélin) tinha 39 anos em 1858 e certamente sabia quem era Madame Clicquot. A Viúva Clicquot, uma das primeiras marcas do século XIX, era uma das mulheres mais famosas de seu tempo, ainda que poucos consumidores que admiravam seus vinhos conhecessem alguma coisa sobre a mulher por trás do rótulo. Diante da mesma situação que Barbe-Nicole havia enfrentado meio século antes, após a morte de François, e a despeito de uma cultura que desencorajava ativamente as ambições de uma jovem principiante nos negócios, Louise chegou à mesma conclusão. Ia dirigir a companhia da família. Sua determinação em ganhar o mercado inglês só encontrava equivalência na paixão de Barbe-Nicole em conquistar a Rússia. A decisão de vender espumante em grandes quantidades para os ingleses a tornaria a segunda grande "viúva do champanhe" naquele século e, mais do que a tímida e caseira Clémentine jamais fora, a herdeira cultural de Barbe-Nicole.

Tal como Barbe-Nicole, Louise Pommery não havia herdado uma grande empresa ou uma casa de champanhe já estabelecida. Nesse aspecto, as duas viúvas são únicas na história do champanhe. Também como Barbe-Nicole, Louise chegou à produção de vinho com muito pouca experiência direta. Seu marido, Alexandre, fora um comerciante de lãs em Reims, que dois anos antes havia se associado a um distribuidor viajante, chamado Narcisse Greno, para fundar uma companhia especializada em vinhos da região. Seu escritório, enfiado numa ruazinha à sombra da grande catedral, não ficava longe do Hôtel Ponsardin e das adegas da Viúva Clicquot. Embora fosse novato no mercado, Alexandre possuía grandes vinhedos nas montanhas perto de Reims e investira substancialmente no novo empreendimento. Tão substancialmente que, quando ele morreu, coube a Louise assumir ou liquidar a firma.

Ela a assumiu. Louise assumiu com entusiasmo o controle da Pommery e Greno. Já perto da aposentadoria, Narcisse passou com satisfação a um lugar secundário na companhia. Com seu novo *voyageur* e diretor de vendas, Henri Vasnier, irmão de um antigo colega de escola, Louise voltou sua atenção para a produção em massa do melhor champanhe. Foi um grande investimento, e não era fácil conquistar um lugar importante num mercado restrito a umas poucas empresas. Mas Louise dominava as artes do marketing e da autopromoção, além de ter um inconfundível ar de autoridade. Como disse um de seus contemporâneos, "ela estava preparada para assumir tanto uma empresa quanto um governo". Certamente, não pode haver dúvida de seu talento empresarial e de sua aguda inteligência. Em pouco mais de uma década, ela transformou a Veuve Pommery e Companhia em uma empresa imensamente lucrativa, com vendas acima de um milhão de garrafas de espumante por ano. Mais do que as atarefadas adegas da Viúva Clicquot produziam.

O sucesso de Madame Pommery se baseou na inovação, e uma de suas descobertas comerciais levaria o mundo a mudar o modo de beber champanhe. Meio século antes, no começo da Revolução Industrial, Barbe-Nicole fizera de sua empresa uma das mais importantes da Europa ao abrir caminho para a produção em massa do champanhe, contribuindo assim para criar um novo modelo de mulher de negócios. Nos anos 1850, a propaganda veio transformar novamente a indústria do champanhe e Louise estava preparada para liderar o marketing em grande escala. Quando viajou à Inglaterra para avaliar as possibilidades, voltou sabendo que havia clientes, mas clientes que desejavam algo inteiramente diferente: um champanhe fervilhante e seco. Aí estava a direção a seguir. Em 1860, ela "inventou" o champanhe no estilo que ainda hoje conhecemos como *brut*. Um vinho espumante, mas não o xarope adocicado por tanto tempo em moda. Atualmente, esse vinho leve, perfeito como aperitivo antes do jantar ou numa cesta de piquenique no verão, é o champanhe ideal para a maioria de seus fiéis apreciadores.

Em apenas uma década, Madame Pommery conquistou uma enorme parcela do crescente mercado do champanhe. Tudo aconteceu com a mesma intensidade e rapidez que Barbe-Nicole vivera no início do século. Assim como Barbe-Nicole, Louise não perdeu tempo e tratou de construir um magnífico castelo e casar sua filha com um nobre. O castelo Pommery foi pioneiro no atual turismo do vinho. Foi durante os 20 anos seguintes que se desenvolveu o entusiasmo pelos circuitos das *caves*, tal como conhecemos hoje. O *domaine* Pommery não foi construído imitando os grandes castelos do Loire, mas ao estilo das mansões da aristocracia rural inglesa, num aceno estratégico para o mercado que fez sua fortuna. Como sinal dos novos tempos, não foi construído no campo, com vista para os vinhedos e as colheitas, mas no coração comercial de Reims. Era uma fábrica, luxuosa e extravagante. Até as adegas dessa mulher de talento inato para o marketing ganharam os nomes das cidades que compravam seus vinhos: Londres, Manchester, Leeds. Em pouco tempo, ela conquistou dezenas de outros grandes centros em todo o mundo. As adegas foram decoradas com belas esculturas e os visitantes afluíam a Pommery para ver as obras de arte e, é claro, comprar seus vinhos.

Louise Pommery seguiu rigorosamente os passos de Barbe-Nicole e foi a última da geração de mulheres poderosas no ramo do champanhe. Apenas a viúva Lily Bollinger, nos anos 1940, ficaria famosa na brilhante liderança de uma das grandes casas de champanhe. Mas ela havia herdado, e não construído, a companhia. Nos anos 1880, o champanhe Bollinger já era uma indústria gigantesca, com contrato real para suprir de espumante a rainha Vitória, da Inglaterra. A viúva Bollinger já administrava uma importante corporação de família. Tanto Barbe-Nicole quanto Louise tiveram um começo profissional modesto e elevaram seu legado a dimensões espetaculares.

Mas embora Louise tenha sido a última mulher a construir um império comercial e uma das duas únicas de seu século a alcançar não somente fama internacional, mas também a desempenhar um papel dominante na indústria que ajudou a expandir mundo afora, existiam outras no setor vinícola no século XIX. As condições da esfera comercial desestimulavam as mulheres, e pouquíssimas da burguesia conseguiam manter o ritmo da industrialização na era dos grandes negócios. Mas depois do fantástico sucesso de Barbe-Nicole, outras burguesas tentaram.

Em 1808, uma mulher chamada Apolline, viúva de Nicolas-Simon Henriot, fundou uma casa de champanhe que alcançou sucesso moderado. Mas embora seja um fato incomum na região vinícola francesa, sete gerações depois seus descendentes ainda são donos da próspera loja de vinhos Champagne Henriot. Depois da morte de Louis Roederer, em 1880, sua irmã, Madame Jacques Olry, assumiu durante algum tempo uma das mais antigas e conceituadas casas de champanhe da região. Muitos afirmam que era "a maior e mais rica de todas" as empresas locais nos anos 1860. Infelizmente, Madame Olry talvez não tivesse o talento ou a sorte de Barbe-Nicole e Louise. Apesar da herança de uma das joias da indústria do champanhe, os negócios decaíram sob sua direção. E, fechando o século, Mathilde Emile Laurent-Perrier, depois da morte do marido, Eugène, deu continuidade ao champanhe sob o nome Veuve Laurent-Perrier e Companhia. Ela também fez fortuna com o *brut* que Louise inventou e prosperou durante a Primeira Guerra Mundial. Mas nos anos 1920 estava à beira da falência. Sua sucessora, a viúva Nonancourt, lutou durante décadas, tentando salvar a empresa.

O champanhe, que sempre fora um empreendimento difícil, era, em 1858, também um grande empreendimento. Os bem-sucedidos no fim do século XIX eram os muito ricos. Foram homens, e ocasionalmente mulheres, que tiveram visão e perseverança para entrar no restrito mercado de vinhos décadas antes. Agora, com os avanços da propaganda e dos transportes confiáveis, com a industrialização e as tecnologias de produção em massa nos vinhedos e nas adegas, o desafio era se manter na vanguarda de um mercado em plena expansão, que mudava com tanta rapidez quanto o mundo ao seu redor. Chegou o momento em que Barbe-Nicole e Édouard perceberam que sua maneira de fazer negócios teria também que mudar. Na década seguinte, a casa da Viúva Clicquot quebraria a tradição e seguiria o caminho aberto por Louise Pommery. O champanhe *brut*, direcionado aos "compradores da alta classe inglesa [que] exigem uma bebida seca", foi anunciado num rótulo cor de laranja. Hoje esse rótulo, "cor da gema do ovo das famosas galinhas alimentadas com milho de Bresse", e a logomarca da companhia são imediatamente reconhecidos em toda a parte pelos amantes do vinho como a marca da Viúva Clicquot.

Capítulo 16

A rainha de Reims

Sentada ereta e imóvel, Barbe-Nicole via ao longe uma nesga de céu azul entre as largas janelas. Ouvia os sons distantes dos vinheiros cumprindo suas tarefas rotineiras e os sussurros abafados da bisneta, Anne, sentada a seus pés e cada vez mais inquieta.

Este seria seu último retrato. Nos anos 1860, Leon Cogniet voltou a criar uma segunda versão da famosa Viúva Clicquot, vestida em seda pura acinzentada, com um bordado nas mãos e a menina aos pés. Embora retratada diante das janelas ensolaradas de sua casa, rodeada pela suntuosidade que era fruto do império do champanhe, a figura é de uma simples senhora caseira sentada num alpendre cercado de montanhas. O único sinal de sua grande fortuna e da empresa que a produziu é a visão do Château de Boursault perdido na distância.

Barbe-Nicole sabia que o retrato era mais imaginativo do que real. O quadro mostrava uma imagem *alfresco*, mas ela já estava muito velha para passar horas a fio sentada na varanda, enquanto o artista manuseava os pincéis. Na verdade, estava velha demais para ficar sentada ereta todo aquele tempo. E por mais que o pintor quisesse imaginá-la como uma avó sossegada, por mais que ela tentasse às vezes assumir esse papel, seu coração estava por inteiro nos negócios. Ainda estava. Muitas coisas haviam mudado nesses cinquenta e tantos anos, desde que ela dissera adeus a François e embarcara em sua própria aventura. Mas sua dedicação aos negócios jamais falhou. Fez de si mesma e de Édouard multimilionários. Viu a França se transformar numa nação industrial, atravessada por ferrovias e coalhada de centros fabris. Acima de tudo, viu muitas coisas na vida e, no período de poucos anos, sofreu mais do que merecia por mortes prematuras: o marido, o irmão, o pai e dois bisnetos. Contudo, ela ainda examinava cuidadosamente os livros de contabilidade, ainda se entusiasmava quando Édouard lhe falava sobre os planos para o futuro da companhia. Ele lhe contava também sobre suas ambições políticas e sobre sua campanha para obter um lugar na legislatura de seu amigo Louis-Napoléon. Édouard se parecia muito com seu pai, Nicolas.

Agora que era uma senhora idosa, que vivera décadas além da idade em que a doença e a morte reclamavam alguns de seus pares, Barbe-Nicole sabia que seu tempo não seria longo. Aqueles à sua volta iam falecendo pouco a pouco e era difícil imaginar quem levaria adiante a tradição da família. Sua irmã, Clémentine, resistia bravamente e às vezes as duas conversavam, rememorando todas as mudanças que haviam testemunhado e tudo o que compartilharam em oito décadas de vida. Mas Barbe-Nicole também via que sua filha, Clémentine, condessa de Chevigné, não estava bem de saúde. Clémentine morreria dentro de um ano. Em 1863, após perder a única filha, Barbe-Nicole passou a dedicar-se a Anne, uma adolescente de cabelos escuros entrando na idade adulta e que inevitavelmente estaria casada em pouco tempo. Anne e seus primos mais velhos enchiam de risos os formais salões do castelo. Agora que a mocinha estava na idade de ser apresentada à sociedade, as festas e os convidados elegantes voltaram a Boursault.

Afinal, Anne era a única herdeira de uma das maiores fortunas da França, e havia muita curiosidade para se conhecer "a pequena Mortemart".

Gente de todo o mundo também vinha conhecer a Viúva Clicquot. Segundo seu biógrafo de 1865, "visitantes locais e estrangeiros eram bem-vindos, recebidos com perfeita hospitalidade, com a graciosidade da boa educação e sofisticada espirituosidade... Todo mundo era recebido sem restrições". Com o advento das ferrovias, chegavam mais amigos de Paris e havia mais festas. E também turistas e curiosos. Boursault oferecia uma vista esplêndida do pitoresco cenário dos campos de vinhas, e a estrada de ferro passava ao pé do monte rochoso que abrigava o castelo. Nada mais fácil do que um passeio para conhecer a Viúva Clicquot. Para amantes do vinho em férias, "o Château de Boursault era um *must* em sua lista". Era o mundo à sua porta. Ou pelo menos era o que parecia.

Escritores e artistas, príncipes e políticos, todos iam ao castelo no topo do monte, onde eram recebidos com esplendor. Barbe-Nicole, bem-humorada, dizia-se despótica em um único aspecto: só podiam beber champanhe. O autocrático Luís XIV havia declarado *"L'état c'est moi"*, eu sou o Estado. A seu modo severo, Barbe-Nicole o parafraseava, dizendo *"Le vin c'est moi"*. Em suas recepções, ela conheceu alguns revolucionários. Como disse o escritor Charles Monselet depois de visitar seus salões, era fácil acreditar que a Viúva Clicquot era a fornecedora exclusiva de "todos os príncipes, czares, arquiduques, cardeais romanos, nababos e lordes" do mundo. Durante seu agradável reinado, todos juravam não beber outro champanhe senão o dela.

Mas apesar de idosa, Barbe-Nicole ainda mostrava muita vitalidade. Victor Fiévet a descreve com "traços delicados e cheia de energia... sob as rugas e a fraqueza do corpo, seu espírito permanecia dominante, o de uma rainha... A vivacidade da inteligência e a prodigiosa atividade de Madame Clicquot não a deixavam descansar. Nas horas calmas da noite, quando pegava a agulha para fazer um bordado ou uma costura, seus olhos ativos e penetrantes não se fixavam no trabalho. Ela movia a cabeça para olhar em torno, seus pensamentos vagavam e seu espírito estava em outro lugar".

Barbe-Nicole reconhecia um pouco desse espírito indócil em Anne. Se alguma razão houve para Barbe-Nicole não se casar novamente foi o fato de não suportar que alguém a restringisse. Queria ter sua própria vida, lançar-se no mundo. E imaginava o mesmo para a bisneta. Agora, na idade de se casar, Anne teimava em recusar pretendentes. Dizia que não queria saber de casamento, deixando uma fila de nobres desolados e aristocráticas mães frustradas. O rei da Sérvia e metade dos duques franceses disputavam sua mão. Anne era evasiva com todos. Barbe-Nicole assistia, se não com total aprovação, pelo menos com calorosa dose de admiração.

Os arquivos sobre a vida de Barbe-Nicole repousam num pequeno prédio à entrada dos escritórios da companhia Champagne Veuve Clicquot, em Reims. Há uma sala inteira repleta de detalhes dos negócios que ela comandou e dos vinhedos que comprou. Cada carregamento, cada pagamento, cada pedido entregue, tudo foi guardado para a posteridade e, às vezes, a voz de Barbe-Nicole parece ressoar no ambiente. Mas, em geral, os arquivistas admitem que isso não acontece. Sua rara correspondência pessoal é tão importante que nos últimos anos de sua vida ela escreveu a Anne uma carta em que fala mais claramente do que em qualquer outro documento sobre a mulher Barbe-Nicole e como gostaria de ser lembrada. É um relato de sua própria vida, chegando à sua verdadeira essência.

"Minha querida", ela escreve à sua única bisneta sobrevivente, "vou lhe contar um segredo... Você, mais do que ninguém, se parece comigo, por sua audácia. É uma qualidade preciosa, que me valeu muito no curso de uma longa vida... ousar fazer algo antes dos outros... hoje sou chamada a Grande Dama da Champagne! Olhe à volta, esse castelo, essas colinas verdejantes, tenho certeza absoluta de que você entende. O mundo está em perpétuo movimento e precisamos inventar o amanhã. É preciso passar à frente dos outros, é preciso ter determinação e exatidão, e deixar a inteligência conduzir sua vida. Aja com audácia. Talvez você também venha a ser famosa...!"

Aqui está o coração da história de Barbe-Nicole. Uma mulher que viveu com audácia e inteligência, que sabia olhar para o futuro e tomar as rédeas de seu próprio destino num momento da vida em que seria mais natural se recolher à dor, ao sofrimento, a uma inação paralisante. Anne viria a ocupar a vanguarda da moda, embora não viesse a ser tão famosa quanto sua lendária bisavó. Em 1867 ela se viu repentinamente apaixonada, depois de um acidente assustador, por um de seus companheiros de caçada, Emmanuel de Crussol. Naquele verão, ela se casou com Emmanuel, duque de Uzès e chefe da mais conceituada família nobre da França. Foi um evento magnífico, digno de um conto de fadas, com desfile de carruagens douradas e valetes empoados.

Mas Barbe-Nicole já não estava lá. Nos últimos dias de julho do ano anterior, em 1866, quando os jardins de Boursault explodiam em aromas e as uvas começavam a estufar nas videiras agarradas à encosta do castelo, a Viúva Clicquot deu seu último suspiro. Tinha 89 anos e era a única da família a não ostentar um título de nobreza. Apesar disso, após a morte ela foi lembrada como a rainha não coroada de Reims.

AO ABRAÇAR O FUTURO, Barbe-Nicole prosperou durante as longas décadas do século XIX, como mulher e como empresária. Agora o futuro estava entregue a outros, a sua bisneta Anne e a seu velho amigo Édouard. Barbe-Nicole não viveu o bastante para ver a morte de sua irmã Clémentine, em 1867, e não poderia saber que no fim da década seguinte quase toda sua família estaria extinta.

Depois de sua morte, Louis, conde de Chevigné, finalmente tomou posse da fortuna, conforme a esperançosa previsão de seu amigo em 1817, herdando também a parte de Barbe-Nicole na companhia. Herdou os vinhedos, os escritórios e as propriedades adquiridas com a imensa riqueza da família, além do Hôtel Ponsardin. Mas a decisão de excluir Louis e Clémentine do comando da empresa fora tomada anos antes. A direção da companhia estava nas mãos de Édouard. O que começou como o pequeno negócio de uma família burguesa foi transformado, cuidadosa e deliberadamente, em um moderno empreendimento comercial. Na verdade, Louis já não era mais jovem e àquela altura da vida talvez não tivesse mais competência nem energia para assumir um negócio tão grande e complexo. Quando Anne se casou ele tinha 74 anos.

Ironicamente, Louis não passou seus últimos anos de vida em repouso tranquilo entre seus poemas e seus amados jardins. O conde de Chevigné veio ao mundo em meio a uma revolução e os eventos políticos chegariam à sua porta novamente nos anos 1870. Ele pertencia ao pequeno grupo de pessoas que haviam testemunhado, em quatro ocasiões, as lutas da França para se tornar república. Na revolução de 1793, que custara tão caro à sua família, nos três dias gloriosos da rebelião de julho de 1830, no levante do verão de 1848, quando já era um ocioso homem de meia-idade, e agora, no outono de 1870, quando Napoleão III, juntamente com centenas de seus homens, foi capturado perto da antiga província da Champagne, na batalha de Sedan. O evento marcaria o fim do Segundo Império e o começo da Terceira República na França. E quase custou a vida do conde de Chevigné.

Os acontecimentos de 1870 e 1871 passaram à história como a Guerra Franco-Prussiana, conflito que vinha se formando há longo tempo. Desde o golpe de Estado de 1851 que Napoleão III sofria cerco político de todos os lados. A política nacional estava dividida entre agitadores que queriam mais direitos democráticos e imperialistas que queriam mais territórios e maior prestígio para a França no palco mundial. No exterior, alguns regimes ansiavam pela restauração da dinastia Bourbon e pelo fim do presunçoso governo Bonaparte. Por fim, tentando silenciar a oposição com o poder militar, Napoleão perdeu o jogo. O imperador recuou para um confortável exílio na Inglaterra, mas a batalha pela liderança política no país continuou. Num prelúdio da Primeira Guerra Mundial, prussianos e alemães ocuparam grande parte da Europa Central e do leste da França, incluindo a Champagne. Édouard Werlé, prefeito de Reims, foi preso, e Louis seria defrontado com algo pior. Do castelo de Boursault, encravado no topo do monte, avistava-se toda a região ao redor e uma importante ferrovia que passava pelo vale profundo onde terminavam os vinhedos. Naquele novembro, depois de um ato de sabotagem mortal nos trilhos logo abaixo do castelo, os militares bateram à sua porta pedindo o equivalente a quase 10 milhões de dólares de indenização. Se Louis não pagasse seria preso, e Boursault, juntamente com tudo o que ele tanto amava, seria destruído.

Naquele momento, Louis deve ter pensado na coragem de sua mãe enfrentando a certeza da morte numa sórdida cela de prisão. Em tudo o que sua irmã Marie-Pélagie e seu tio haviam sofrido e em seus próprios anos de vergonhosa dependência. Talvez tenha se lembrado ainda de Barbe-Nicole, que nunca recuou diante de todos os percalços. "Sou um homem idoso", disse ao conde Blücher, comandante do grupo, "e minha vida não vale essa quantia." Com todas as suas fraquezas e seu ar de superioridade, sua devassidão e sua jogatina, em muitas ocasiões Louis mostrou ser também um homem de honra e de coragem. Alguns dizem que foi mais imprudência do que coragem porque ele foi preso imediatamente. Duas semanas depois, como ainda se recusasse a pagar aos prussianos, disseram-lhe que seria executado. Não há como deixar passar a ironia: ele sobrevivera a uma revolução na primeira infância para morrer em outra na velhice. Quando lhe deram a notícia, ele não se abalou. Apenas perguntou se teria tempo de escrever uma carta de despedida para sua filha, Anne. Ela guardou para sempre essa carta, cheia de dignidade e heroísmo. Sem querer, a coragem de Louis denunciou o blefe dos prussianos. Impressionado com a postura estoica do velho conde, o comandante libertou-o. Louis teve a sensatez de desaparecer no exílio, esperando a guerra acabar.

Foi o último evento dramático de sua vida. De fato, à exceção de Anne, foi o último evento dramático para qualquer membro na família Chevigné-Mortemart. Em 1873, aos sessenta e poucos anos, morreu o conde de Mortemart. Três anos mais tarde, aos 83, o conde de Chevigné também morreria. Faleceu tranquilamente naquele outono, no Hôtel Ponsardin. Em seu testamento, talvez lembrando a sombria década de 1850, e como a vida de Anne fora preciosa para todos, ele registrou seu último adeus à jovem: "Agradeço à minha neta por toda a alegria que ela trouxe à nossa família." Agora só restavam Marie-Clémentine e Anne na família de que Barbe-Nicole cuidara durante tantas décadas. No ano seguinte, com a morte de Marie aos 55 anos, só restou Anne.

Assim como sua bisavó, a condessa Anne estava fadada a ser uma jovem viúva. Emmanuel, conde d'Uzès, morreu em 1878, deixando-a com quatro filhos e uma herança imensa, além de todas as propriedades de sua bisavó. Mas ao contrário de Barbe-Nicole, Anne deixaria sua marca de um modo muito diferente, como uma talentosa e sofisticada aristocrata, sem qualquer tendência para comandar um império de champanhe. Ela certamente não tinha inclinação para assumir o papel de capitalista burguesa. Deixando sua participação na companhia aos cuidados de administradores, ela foi viver em suas propriedades no sul da França e em Paris. Boursault entrou em decadência e o Hôtel Ponsardin foi vendido para a prefeitura de Reims. Os vinhedos da família Clicquot e as propriedades que Barbe-Nicole lentamente havia adquirido passaram às mãos de Édouard. Seriam seus descendentes, o filho Alfred, assim como os filhos e genros que o sucederiam, que levariam os vinhos da Viúva Clicquot para o século XX, enfrentando as pragas que invadiram os vinhedos, duas guerras mundiais que transformaram a região novamente em campo de batalha, atravessando a Revolução Russa e o colapso do mercado que havia feito sua fortuna. Por mais de 130 anos não haveria outra mulher na direção da casa que Barbe-Nicole construíra desde a origem até se tornar uma das grandes lendas comerciais mundiais. No entanto, mesmo ao colocar a companhia nas mãos dos homens à sua volta, Barbe-Nicole, talvez involuntariamente, abriu o caminho para novas gerações de mulheres no mercado.

Posfácio

Uma das definições da palavra *viúva* no *The Oxford English Dictionary* é champanhe. Mas esse pequeno verbete – "a viúva: champanhe. De 'Veuve Clicquot', nome de uma firma de comerciantes de vinho" – conta uma história maior do que o que lá está escrito. Para alguns, talvez seja apenas o nome de uma empresa. Na história oficial da língua inglesa não existe testemunho linguístico da celebridade e das realizações de Barbe-Nicole Clicquot Ponsardin. Mas quando jovens lordes sequiosos nas salas de jogo da Londres do século XIX pediam uma garrafa da viúva, ela ainda era uma mulher. No fim do século, isso havia mudado. A história da viúva se tornou a história de uma empresa, e não da mulher de negócios que lhe deu o nome. Isso é surpreendente. Barbe-Nicole teve uma vida admirável, quebrou todos os padrões. No entanto, minha busca pela riqueza e intensidade da vida e da mulher por trás do rótulo consistiu, mais do que eu gostaria de admitir, num olhar perdido pelas esquinas e tortuosas estradinhas campestres. A outra parte foi passada sob o piscar das luzes fluorescentes das bibliotecas.

O trabalho nessas bibliotecas não seguiu um rumo constante. Tudo indica que as cartas pessoais de Barbe-Nicole não sobreviveram. Os arquivos da companhia, em Reims, embora repletos de tesouros para economistas e historiadores da economia, ofereceram poucos segredos do tipo que eu procurava. A pesquisa das antigas biografias não me tomou mais do que uma tarde. Depois de ter viajado oito mil quilômetros, encontrei um único volume da mais antiga delas, um breve relato da vida de Barbe-Nicole, publicado em 1865 por um historiador da região. Uma biografia dos famosos descendentes de Édouard Werlé, escrita pela esposa do presidente da companhia na década de 1950, que é um panfleto de 53 páginas. O único resumo biográfico impresso atualmente é parte de um catálogo que conta a história da empresa, encontrado na mesa de um café e intitulado simplesmente *Veuve Clicquot: La grande dame de la Champagne*. Certamente, devo muito a todos eles.

Tendo em conta a celebridade e as realizações de Barbe-Nicole, seus registros biográficos são surpreendentemente escassos, e escrever este livro foi um exercício baseado em fontes indiretas. De repente, me vi escavando detalhes esparsos sobre sua vida e o mundo em que viveu. No prefácio, disse que o que mais desejava encontrar era a experiência da mulher cuja história estava impressa num cartãozinho enfiado dentro de uma caixa de champanhe de boa safra. Queria descobrir não somente o que ela fez e quando viveu, mas como foi capaz de criar um futuro diferente para si mesma e de negociar as encruzilhadas de dor, desespero e oportunidades em sua família. Às vezes, foi preciso usar muita imaginação. Os fatos dessa história são verdadeiros, ou tão verdadeiros quanto a história os tornou. Isso não me importa. Mas aprendi que contar a vida de outra mulher é tanto uma questão de empatia quanto de conhecimento.

O dilema de todo historiador curioso é muito simples: sem empatia, resta o silêncio. Muitas das coisas de Barbe-Nicole foram cuidadosamente preservadas: suas casas, mobílias, propriedades e, é claro, sua empresa. Existe até um registro dos livros da biblioteca da família Clicquot, vendidos num leilão em Paris em 1843, o ano do início da construção do castelo de Boursault. Mas o que teria acontecido com os registros de seus mais íntimos pensamentos e suas preocupações noturnas em quase 90 anos de vida? Nas primeiras horas da madrugada, antes que as ruas de Reims se enchessem de vozes e dos sons das movimentadas indústrias, podemos imaginar Barbe-Nicole curvada sobre seu diário, no qual os compromissos e as listas de providências do dia da empresária atarefada dariam lugar a reflexões de ordem pessoal. A solidão, a determinação e a ambição competiriam lado a lado com despesas domésticas e horas marcadas com a costureira para tirar medidas de um vestido novo, com menus de jantares e listas de compras, com títulos de bons livros que havia lido e de outros que pretendia ler, endereços de cartas a serem enviadas. Ela escrevia para sua prima de Paris contando as novidades, relatos coloquiais da vida da família, de nascimento dos bebês. Haveria preocupações com vestidos de festas, presentes de aniversários de casamento e, mais tarde, com doenças e tensões domésticas.

E quando ela morreu, quem teria pensado em salvar seu pequeno diário com as anotações de suas distrações particulares? Nos anos 1850, qual seria o valor das ultrapassadas notícias de família nas cartas de duas velhas senhoras? Nada havia de literário nelas, nem Barbe-Nicole tinha essa pretensão. Talvez, algum tempo depois de sua morte, tenham encontrado uma caixa empoeirada no fundo de uma gaveta do seu antigo guarda-roupa. Talvez alguém tenha tido a intenção de guardá-las, mas veio a guerra, ou a casa foi vendida, e os papéis terminaram como forro numa carroceria de caminhão, ou servindo para acender o fogo. Poucas cartas e poucos diários de mulheres notáveis chegaram aos arquivos, e os de Barbe-Nicole não estavam entre eles.

Se os livros e as biografias, porém, só contam histórias pessoais ricamente documentadas nos arquivos, algo de muito estranho acontece. Pessoas que tiveram uma vida interessante e uma personalidade que serviu de inspiração nem sempre foram reis, rainhas ou poetas famosos. Nem sempre queimavam velas altas horas da noite, registrando seus pensamentos para a posteridade. Às vezes estavam simplesmente muito ocupados, ou muito cansados. Isso provavelmente se aplica muito à história de mulheres no mundo dos negócios. Porque Barbe-Nicole, por mais excepcional que fosse como pessoa, na verdade não era exceção. Era uma entre centenas, ou talvez milhares, de mulheres empreendedoras da burguesia que encontraram expressão de seus talentos e seus sonhos no mundo do comércio. Certamente ela possuía muito mais talento e teve muito mais sucesso do que as demais. Nesse sentido, foi uma figura única, e sua história nos dá uma inspiração singular. Mas ela não estava sozinha.

Como nos conta um relato da história feminina escrito no fim dos anos 1860, "em Paris e no continente europeu em geral, algumas das maiores casas comerciais tinham uma mulher na direção. O nome da Veuve Clicquot, uma das maiores produtoras de champanhe, deve ocorrer a muitos leitores". Mas havia também a hoje esquecida Mrs. Hart, que comandou um império gráfico, e Angela Georgina Burdett-Coutts, herdeira de uma das maiores fortunas do mundo, que comandava o banco mais seletivo da Inglaterra. O rei Eduardo VII recordava Burdett-Coutts como "a mulher mais notável do país, depois de minha mãe". E sua mãe não era outra senão a rainha Vitória. E houve a famosa Madame Louise Pommery, cuja biografia está à espera de ser escrita.

De fato, no fim do século que ajudou a definir, Barbe-Nicole estava simplesmente no pináculo da liderança de um incipiente movimento cultural na Europa e nos Estados Unidos, que foi a lenta e contínua ascensão da atual mulher de negócios. Os primeiros cinquenta anos da Revolução Industrial foram tempos ingratos para as mulheres empreendedoras e seria preciso avançar bastante no século XX para que galgassem significativamente os degraus das corporações. Mas nas décadas de encerramento da *belle époque*, mulheres com determinação, inteligência e um pouquinho de sorte subiam os primeiros degraus dessa escada, trabalhando à sombra dos negócios mundiais para o século seguinte. Na Baker Library da Escola de Economia de Harvard, existem registros de centenas de mulheres americanas que emergiram da classe média para o mundo dos negócios. O curador nos diz que "apesar dos... estereótipos, várias mulheres dos séculos XVIII e XIX participavam do comércio, tanto nas vendas quanto na fabricação". Elas administravam lavouras no Sul e fábricas têxteis no Norte, e prosperavam especialmente nos empreendimentos com um toque feminino – na direção de casas de moda e de costura, nos setores de remédios caseiros e plantas decorativas. Algumas poucas, como a distribuidora de catálogos de sementes Carrie Lippincott e a fornecedora de remédios Lydia Pinkham, fizeram fortuna nos anos 1880 e 1890. Eram mulheres singularmente audaciosas, que desafiavam a divisão de papéis por gênero da época. E tal como sua contraparte europeia, geralmente permaneciam invisíveis. Nenhum historiador se interessou em documentar a complexidade de suas vidas.

A diferença de Barbe-Nicole foi ter se tornado a primeira celebridade como mulher de negócios. De fato, alguns dizem que ela foi a primeira mulher na história a comandar um império comercial. Certamente foi a primeira, e até hoje uma entre poucas, a liderar uma das maiores casas de champanhe. Ao entrar no mundo comercial no momento em que o rufar dos tambores da Revolução Industrial já anunciava a reforma da vida na França do século XIX, ela trouxe os valores da mulher à frente de uma empresa familiar burguesa para a idade das manufaturas. Barbe-Nicole não foi apenas uma mulher extraordinária, mas também uma empreendedora extraordinária.

Na era dos grandes industriais, Barbe-Nicole foi umas das "magnatas do roubo". Nos anos 1870, o champanhe estava a caminho de se tornar o monopólio legal que é até os dias de hoje, amplamente controlado pela nova geração de aristocratas do vinho. Barbe-Nicole não somente estava entre eles, como ajudou a criar um fenômeno que tornaria impossível a empreendedores principiantes, como ela mesma fora, fazer fortuna com o champanhe no século XX. Ao limitar os terrenos onde as uvas podiam ser cultivadas e como deveriam ser colhidas, ao regulamentar e controlar quem teria direito a usar a palavra *champagne* e a que preço, as grandes casas do fim do século XIX e os homens que cada vez mais as comandavam criaram um cartel elegante e exclusivo. Já nos anos 1880, Charles Tovey, historiador inglês do vinho, protestava: "De todos os monopólios existentes, nenhum outro causou tantos danos como certas casas de produção de champanhe, que são as afortunadas detentoras das marcas famosas. É realmente o monopólio dessas marcas que permite a seus proprietários aumentar, ano após ano, seus enormes ganhos acumulados... Fortunas e acumulação de enormes lucros, evidenciadas pelas residências palacianas, bem como pelas grandes propriedades, pertencentes a esses magnatas de Reims e Épernay. E a riqueza imensa não é sua única vantagem; eles são uma plutocracia, os aristocratas do vinho... heróis, cantados em prosa e verso, imortalizados na história. Se meus leitores não acreditam, que leiam a publicação sobre a vida de Mons[ieur] J. R. Möet e seus sucessores, ou sobre Madame Clicquot." Barbe-Nicole não foi absolutamente imortalizada pela história. Somente a companhia que ela criou e o nome que ela tornou famoso sobreviveram além do século XIX. Espero que, pelo menos aqui, ela tenha sido a heroína de sua própria história.

Agradecimentos

Escrever este livro foi um trabalho de amor e quero agradecer a todos os muitos amigos que me acompanharam com tanto entusiasmo na extensa pesquisa "primária", com uma garrafa da Viúva na mão. Nos momentos mais sóbrios, vocês me ofereceram muito mais do que boa companhia. Gostaria de agradecer a Andy Laukka, Jon Hardy e Erica Mazzeo por terem ido tão longe nessa aventura, e a Bill Hare por seu charme destemido, que abriu tantas portas na França. Jeremy e Paula Lowe, como sempre, foram parceiros leais nos mais audaciosos estratagemas, e Jeff McNeal e Jéremie Fant me ofereceram a sabedoria do vinho, boas gargalhadas e aventuras inéditas em degustação. Minha gratidão a J. J. Wilson pelos passeios matinais que me permitiram continuar escrevendo, e a meus pais que, ouvindo minhas primeiras ideias, me ajudaram a tecer uma boa trama, ponto a ponto. Ianthe Brautigan, Anna-Lisa Cox, Adrian Blevins e Noelle Oxenhandler compartilharam seus talentos com incansável generosidade. Stacey Glick e Genoveva Llosa tornaram tudo possível. Meus agradecimentos de coração ao meu fabuloso editor da HarperCollins, Toni Sciarra. E não tenho palavras suficientes para agradecer a Thaine Stearns, Noelle Baker e Roberta Maguire:

vocês foram a única razão para beber champanhe naquele último inverno de insatisfação, e este livro é dedicado a vocês.

Sem o auxílio de muitos bibliotecários, arquivistas e produtores de vinho, este livro jamais poderia ter sido escrito. Sou particularmente grata às equipes da Sonoma County Wine Library Collection, de Healdsburg, da Bibliotèque Carnegie, de Reims, da Médiathèque d'Épernay, da Napa Valey Wine Library Collection, em Santa Helena, da University of Cambridge Library, da University of Edinburg Library, da British Library, da Colby College Library, a Eileen Crane, da Napa's Domaine Carneros, a Philippe Bienvenue, do Champanhe Cattier, à gentil equipe de pesquisa da biblioteca do Champagne Möet et Chandon e nas salas de degustação do Champagne Pommery, e, acima de tudo, à generosidade das pessoas do Departamento de Pesquisa Histórica do Champagne Veuve Clicquot Ponsardin, principalmente Fabienne Huttaux e Isabelle Pierre.

Notas

PRÓLOGO

9 *Esta é a história do champanhe francês*: Champanhe [ou *champagne*] é tanto um vinho espumante quanto uma região da França. Para fazer a distinção, champanhe se refere ao vinho e Champagne se refere à histórica província. As antigas províncias francesas foram transformadas nos atuais departamentos em 1790, de modo que a Champagne inclui hoje os departamentos de Ardennes, Aube, Marne e Haut-Marne, além de partes de Aisne, Meuse, Seine-sur-Marne e Yonne.

13 *salada de lagosta e bebendo champanhe*: George Gordon, Lord Byron, *Byron's Letters and Journals*, ed. Leslie A. Marchand, 10 vols. (Cambridge: Harvard University Press, 1974), vol. 2; carta de 5 de setembro de 1812: "Uma mulher jamais deveria ser vista comendo ou bebendo, a não ser salada de lagosta e champanhe, as únicas iguarias realmente femininas e apropriadas."

13 *Madame de Pompadour*: "O champanhe é o único vinho que deixa a mulher mais bonita depois de bebê-lo", citado em Don e Petie Kladstrup, *Champagne: How the World's Most Glamorous Wine Triumphed over War and Hard Times* (Nova York: William Morrow, 2005), p. 50.

13 *Madame Cécile Bonnefond*: Segundo o especialista em vinhos Tom Stevenson, em um artigo sobre Bonnefond assumindo a diretoria, "é a primeira vez que uma casa LVMH – de fato, é a primeira *grande marque* – contrata uma mulher como diretora executiva". *Harper's*, 20 de dezembro de 2000, disponível em www.harpers.co.uk. Hoje, o champanhe Veuve Clicquot é propriedade do luxuoso conglomerado LVMH (Möet Hennessy Louis Vuitton, adquirido em 1987), que também possui o champanhe Möet et Chandon.

14 *canção popular como* Champagne Charlie: A história da canção popular *Champagne Charlie* é uma parte curiosa do mercado de vinhos. A melodia se tornou famosa no fim dos anos 1860 na interpretação do cantor George Leyborne, contratado pela empresa Möet et Chandon para compor um jingle para a marca. Em seguida, Alfred Vance, o cantor rival de Leyborne, fez um acordo com a Viúva Clicquot para compor uma melodia em sua homenagem. O resultado foi uma batalha nos palcos, que contribuiu para aumentar a popularidade do champanhe na Inglaterra no fim da década. Entretanto, muitos acreditam que Charles Camille Heidsieck tenha sido o modelo original para o fenômeno *Champagne Charlie*. Nos anos 1850, esse gregário distribuidor de vinhos ganhou o apelido em seus circuitos de venda pelos Estados Unidos e usou sua fama para gerar vendas maciças e a divulgação da marca. Durante muitos anos, Heidsieck divulgou também a safra conhecida como "Champagne Charlie" e a canção é intimamente associada à empresa no imaginário cultural. A melhor versão da história é encontrada no website da Union des Maisons de Champagne, www.maisons-champagne.com. Ver também Marcel e Patrick Heidsieck, *Vie de Charles Heidsieck* (Reims: Societé Charles Heidsieck, 1962), e Eric Glare e Jaqueli-ne Roubinet, *Charles Heidsieck: Un pionnier et un homme d'honneur* (Paris: Stock, 1995).

14 *"notório bebedor de vinho frisante"*: "O nome de uma música que apareceu em 1868... Diz-se que o *Charley* original foi um vendedor de vinhos que tinha o hábito de presentear todos os seus amigos com garrafas de champanhe." *Oxford English Dictionary*, "Champagne Charlie".

14 *menos de 85 mil acres de vinhas*: Gerard Liger-Belair, *Uncorked: The Science of Champagne* (Princeton, Nova Jersey: Princeton University Press, 2004), p. 19. Tradicionalmente limitado a 34 mil hectares, a apelação para anexar outras 40 *comunes* ainda aguarda aprovação. Ver Henry Samuel, "Champagne Producers Have Nominated 40 Villages in Northeastern France That May Be Allowed To Produce Sparkling Wine", *Daily Telegraph*, 15 de outubro de 2007, www.telegraph.co.uk/news/main.jhtml?xml=/news/2007/20/13/wchampagne113.xml.

15 *registrado pela empresa Moët & Chandon*: A empresa comprou os vinhedos em Hautvillers em 1794, mas deu início à produção comercial do Don Pérignon de alta qualidade somente nos anos 1930. Material promocional da companhia.

15 *Tudo isso mudou nas primeiras décadas do século XIX*: Kladstrup, por exemplo, relata que no começo do século XIX havia 10 firmas e, nos anos 1860, 300. Kladstrup, p. 79.

15 *antes mesmo que a Era do Jazz*: Estatísticas de Thomas Brennan, *Burgundy to Champagne: The Wine Trade in Early Modern France* (Baltimore: Johns Hopkins University Press, 1997), p. 272.

17 *na época do nascimento do feminismo*: Embora a palavra *feminismo* tenha aparecido nos anos 1890 na língua inglesa (*Oxford English Dictionary*), "É geralmente aceito que a primeira expressão do feminismo moderno é de Mary Wollstonecraft, em *Vindication of the Rights of Women*, publicado em 1792"; Lea Campos Boralevi, *Bentham and the Oppressed* (Nova York: Walter de Gruyter, 1984), p. 23. Na França, ideias semelhantes são apresentadas na obra de Olympe de Gouges, cuja *Declaration of the Rights of Woman and the Female Citizen* foi publicada em 1791.

19 *"nenhuma indústria do mundo foi tão influenciada pelo sexo feminino"*: Anthony Rhodes, *Prince of Grapes* (Londres: Weidenfeld & Nicholson, 1975), p. 8, citado por Ann B. Matasar em *Women of Wine: The Rise of Women in the Global Wine Industry* (Berkeley: University of California Press, 2006), pp. 25-26.

CAPÍTULO 1: FILHA DA REVOLUÇÃO, FILHA DA CHAMPAGNE

21 *multidão enraivecida clamando por liberdade e igualdade*: O conhecido lema *Liberté, égalité, fraternité* (Liberdade, igualdade, fraternidade) foi defendido por Maximilien Robespierre na revolução da década de 1790, mas se popularizou somente na rebelião francesa de 1848. Ver Tristram Hunt, "A National Motto?: That's the Last Thing Britain Needs", *The Guardian*, 18 de outubro de 2007, p. 32.

21 *com talvez 30 mil habitantes*: Augustin Marie de Paul de Saint-Marceaux, *Notes et documents pour servir à l'histoire de la ville de Reims pendant les quinze années de 1830 à 1845* (Reims: Brissart-Binet, 1853), p. 44. Saint-Marceaux, prefeito de Reims de 1832 a 1837, e de 1839 a 1845, estima entre 27 e 30 mil habitantes em 1793. Todas as traduções de fontes francesas, salvo observações em contrário, são desse autor. Principalmente nas traduções de correspondência pessoal, a ênfase recai no espírito e no tom original, e não numa transcrição literal.

22 *histórias de freiras violentadas e ricos assassinados*: ver, por exemplo, Mita Choudhury, *Convents and Nuns in Eighteenth-Century French Politics and*

Culture (Ithaca, Nova York: Cornell University Press, 2004). Hippolyte Taine oferece um primeiro indício dos excessos da revolução em seu estudo em 10 volumes intitulado *Origines de la France contemporaine*, publicado nos anos 1870.

22 *educada junto com as filhas de príncipes e de senhores feudais*: Um detalhe se repete em vários relatos da infância de Barbe-Nicole. O comentário mais completo é de Michel Etienne em *Veuve Clicquot Ponsardin, aux origines d'un grand vin de Champagne* (Paris: Economica, 1994), p. 22. Para saber mais sobre a abadia de Saint-Pierre-les-Dames, ver *Reims and Battles for Its Possession* (Paris: Michelin, 1919), pp. 98-99.

23 *primeiros passos nos duros tamancos de madeira*: Detalhes repetidos em Jean, princesa de Carmaran-Chimay, *Madame Veuve Clicquot Ponsardin: Her Life and Times* (Reims: Debar, 1956), p. 2, e também em Patrick de Gmeline, *La Duchesse d'Uzès* (Paris: Librairie Académique Perrin, 1986), p. 15.

23 *barretes frígios... marchas militares*: Ver, por exemplo, a obra anônima *A Residence in France During the Years 1792, 1793, 1794 and 1795; Described in a Series of Letters from an English Lady*, ed. John Gifford (Londres: T. N. Longman, 1797).

25 *aventura central da infância de Barbe-Nicole*: Maiores detalhes em Chimay, p. 2, onde Frédérique Crestin-Billet afirma o que aconteceu com a irmã de Barbe-Nicole; Crestin-Billet, *Veuve Clicquot: La Grande Dame de la Champagne* (Paris: Editions Glénat, 1992), p. 15.

26 *as lavouras foram perdidas por toda a França*: Esse e outros detalhes sobre o clima naquele ano em Brian Fagan, *The Little Ice Age: How Climate Made History* (Nova York: Basic Books, 2000), p. 155.

26 *poderia facilmente pagar mais de 40% em impostos*: Roderick Philips, *A Short History of Wine* (Nova York: HarperCollins, 2000), p. 21; Kladstrup, p. 59. Ver também François Furet, *Revolutionary France 1770-1880* (Oxford: Blackwells, 2000), e Brennan. Os impostos na França revolucionária eram esmagadores e incluíam uma espórtula de 10% para a Igreja, uma taxa de 5% sobre a *vintage*, impostos comerciais, municipais e de ocupação, impostos de *banalités* pelo uso de instalações públicas, como moinhos, fornos e prensas de vinho, e até uma taxa de trabalhos forçados, conhecida como *corvée*.

27 *Nicolas era "o maior empregador da cidade no ramo têxtil"*: Lynn Hunt, em "Local Elites and the End of the Old Regime: Troyes and Reims, 1750-1789", *French Historical Studies* 9, n. 3 (primavera de 1976): 379-399, 385.

27 *o equivalente a mais ou menos 800 mil dólares por ano*: Crestin-Billet propõe uma quantia de 40 mil libras francesas, p. 11. Sobre a complexidade de comparar valores históricos com a moeda atual, ver a discussão na p. 90.

27 *coroação do rei Luís XVI*: Victor Fiévet, *Madame Veuve Clicquot, née Ponsardin* (Paris: E. Dentu, 1865), p. 21. Ver também Elise Whitlock Rose, *Cathedrals and cloisters of the Isle de France: Including Bourges, Troyes, Reims and Rouen* (Nova York: G. P. Putnam's Sons).

28 *Hoje, a imponente estrutura abriga... a Câmara de Comércio local*: rue Cérès, 10; Jacques-Louis Delpal, *Merveilles de Champagne* (Paris: Éditions de La Martinière, 1993), p. 33.

29 *filha mais velha... conquistou um lugar especial em seu coração*: Patrick de Gmeline escreve: "Ela sempre foi sua favorita."

29 *os famosos vinhedos de Hautvillers estavam entre as áreas confiscadas e entregues ao povo*: Brennan, p. 11.

31 *Diz-se que o próprio Nicolas plantou uma dessas árvores*: Gmeline, p. 14.

31 *com uma única palavra sobre a testa: Liberdade*: Detalhes da revolução em Reims e dos festivais de sua comemoração são do panfleto anônimo *Description de la fête patriotique: célébrée à Rethel le 14 juillet 1790, & jours suivants* (Reims: Jeunehomme, Imprimeurs du Rois, 1790); Arthur Barbat de Bignicourt, *Les massacres à Reims en 1792 après des documents authentiques* (s/e: V. Geoffrey, 1872); o anônimo *A Residence in France, During the Years 1792, 1793, 1794 and 1795*, edição eletrônica, sem paginação, em www.gutenberg.org/etext/11995.

A autora de *A Residence in France* relata que, em novembro de 1793, "mademoiselle de Maillard, da Grand Opera, de vestido branco e barrete azul, representava a deusa da razão. Foi carregada nos ombros dos homens, da igreja até a convenção". Ela acrescenta que, "em muitos lugares, quadros valiosos e estátuas foram queimados ou desfigurados"; "a maior parte dos atendentes olhava com silencioso espanto e terror; enquanto outros, embriagados, ou provavelmente pagos para atuar naquela farsa escandalosa, dançavam em torno das chamas com uma aparência de júbilo frenético e selvagem"; e freiras nos hospitais "acusadas de dedicar mais terna solicitude aos pacientes aristocratas do que aos voluntários e republicanos feridos; sob essa curiosa acusação, foram colocadas em carroças, sem levar um único objeto, quase sem roupas, enviadas de um departamento a outro e distribuídas em diferentes prisões, onde estão morrendo de frio, doenças e necessidades!".

CAPÍTULO 2: VOTOS DE CASAMENTO E SEGREDOS DE FAMÍLIA

33 *inventada a partir da Revolução Francesa*: Dror Wahrman, *The Making of Modern Self: Identity and Culture in Eighteen-Century England* (New Haven, Connecticut: Yale University Press, 2004).

34 *adotavam a moda, que também havia se tornado democrática*: Madaleine Delpierre, *Dress in France in the Eighteen Century*, trad. Caroline Beamish (New Haven, Connecticut: Yale University Press, 1997), pp. 150-151. Ver também Caroline Weber, *Queen of Fashion: What Marie Antoinette Wore to the Revolution* (Nova York: Henry Colt & Co., 2006).

34 *fitas vermelho-sangue em torno do pescoço*: Mary Sophia Hely-Hutchinson, *Fashion in Paris: The Various Phases of Feminine Taste and Aesthetics from the Revolution to the End of the 19th Century* (Londres: W. Heinemann, 1901); Aileen Ribiero, *Fashion in the French Revolution* (Nova York: Holmes & Meier, 1988).

35 *"penteado que parecia uma nuvem, entremeado de tule branco e fitas azul-celeste"*: Manuscrito, *Memoirs of Madame Maldan*, citado por Crestin-Billet, p. 15.

35 *burocrata admitiu serem de um poético louro "ardente"*: Etienne, p. 22.

35 *vestidos brancos eram mais que uma moda popular, ou populista*: Ver Ribiero; sobre o código nacional de roupas, ver Lames H. Johnson, "Versailles, Meet Les Halles: Masks, Carnival, and the French Revolution", *Representations 73* (Winter 2001): 89-116.

36 *Madame Tallien*: Thérésa, née Cabarrús (1773-1835), socialite parisiense durante a revolução e adversária política de Maximilien Robespierre (1758-1794), o homem responsabilizado pela liderança dos expurgos mortais durante o Terror (1794). Mais tarde Madame Tallien casou-se na nobre família Riquet, de Chimay (Bélgica), e se tornou a princesa de Caraman-Chimay em 1805. Louis de Chevigné encontrou-se com o filho dela em seu exílio em Chimay durante a Guerra Franco-Prussiana (p. 231). Ver Arsène Houssaye, *Notre-Dame de Thermidor: Histoire de Madame Tallien* (Paris: H. Plon, 1866).

36 *qualquer rito católico era crime*: A autoridade estatal da Igreja católica na França é apontada pelos historiadores como uma das causas da revolução, e, em 1793, a prática da religião foi proibida oficialmente, mas logo substituída, primeiro pelo Culto à Razão, e mais tarde pelo Culto ao Ser Supremo. O sentimento antirreligioso estava no auge em 1794, embora o clero fosse

alvo da violência revolucionária durante todo aquele período. Essa repressão foi afrouxada em 1795, depois da execução de Robespierre, mas o catolicismo permaneceu proibido oficialmente e passível de punição legal até 1801. Ver Claude Geffré e Jean-Pierre Jossua, *1789: The French Revolution and the Church* (Edimburgo: T. and T. Clark, 1989); e Nigel Aston, *The End of an Élite: The French Bishops and the Coming of the Revolution, 1786-1790* (Clarendon: Oxford University Press, 1992).

37 *num porão úmido*: Chimay, p. 3; Gmeline, p. 15.

38 *buquê de noiva, de rosas e flores de laranjeira*: Pierre-Louis Menon e Roger Lecotté, *Au village de France, les traditions, les travaux, les fêtes. La vie traditionelle des paysans* (Entrépilly: Christian de Bartillat, 1993), pp. 43, 101, 138.

38 *a cidadã Ponsardin em 10 de junho de 1798*: Diane de Maynard, *La descendance de Madame Clicquot-Ponsardin*, preface de la Vicomtese de Luppé (Mayenne: Joseph Floch, 1975), s/e.

39 *bisavô de Barbe-Nicole inventou a indústria*: Robert Tomes, *The Champagne Country* (Nova York: Hurd & Houghton, 1867), pp. 94-95: "O visconde de Brimont [Jean-François Irénee Ruinart de Brimont] é conhecido pelos apreciadores do champanhe por seu nome de família, Ruinart. Supõe-se que ele seja descendente colateral de um Dom [Thierry] Ruinart [1657-1709], que pertencia à convivência e à sagrada irmandade do monastério de Hautvillers... a fábrica de vinho cujo proprietário é um dos mais antigos na Champagne... Em outros tempos, seu vinho estava muito em voga e às vezes ainda se encontram algumas de suas garrafas."

O champanhe Ruinart foi fundado por Nicolas Ruinart (1697-1769), imediatamente após o decreto real de 25 de maio de 1728, que deu aos produtores de Reims o direito exclusivo de transportar em garrafas o vinho espumante da região. Depois de sua morte, em 1769, o irmão de Marie-Barbe-Nicole Ruinart, chamado Claude, assumiu os negócios da família. Ele era casado com a filha de outra casa de champanhe, Hélène Héloïse Françoise Tronsson, do champanhe Tronsson. Depois da morte de Claude, seu filho Irénee (1770-1850) herdou a empresa, foi prefeito de Reims por algum tempo, agraciado com a Legião de Honra, e fortemente associado a Nicolas Ponsardin. Segundo o material promocional da companhia, o champanhe Ruinart tinha uma produção da ordem de 40 mil garrafas por ano em 1769, sendo portanto a maior casa de champanhe no fim do século XVIII, juntamente com a Möet et Chandon. No início do século XIX era uma parceria. Marie-Barbe-Nicole le Tertre, *née* Ruinart, nasceu por volta de 1733.

Para documentos sobre a família Ruinart e o clima no mercado de vinhos no século XVIII, ver Patrick de Gmeline, *Ruinart, la plus ancienne maison de champagne, de 1729 à nos jours* (Paris: Stock, 1994); Charles Henri Jadart, *Dom Thierry Ruinart... Notice suivie de documents inédits sur sa famille, sa vie, ses oeuvres, ses relations avec D. Mabillon* (Paris: s/e, 1886).

39 *rua calçada de pedras conhecida como rue de la Vache*: Etienne a identifica como a atual rue de la Nanteuil; p. 10, nº 9.

40 *tocava lindamente o violino*: Detalhe em Crestin-Billet, p. 36.

40 *com o marido, mas a ortografia dele era péssima*: Bernard de Vogüé, *L'Éducation d'un jeune bourgeois de Reims sous la Révolution* (s/e: Marsh, 1942); e também Etienne, pp. 10-17.

41 *manter François longe do exército*: Charles Tovey, *Champagne: It's History, Properties, and Manufactures* (Londres: James Camden Hotten, 1870), p. 50, e também em Fiévet, *Madame Veuve Clicquot*, que fala com precisão duvidosa de "um oficial retirado do serviço ativo em decorrência de ferimentos", p. 55.

42 *implorava ao filho que lutasse contra a melancolia*: Etienne, pp. 11-19.

42 *um atestado médico*: Etienne, pp. 11-14.

43 O *sistema francês de* échelle des crus: Tom Stevenson, *Champagne and Sparkling Wine Guide* (San Francisco: Wine Appreciation Guild, 2002), p. 204. Ver também o website oficial do Syndicat Professionnel des Courtiers en Vins de Champagne para maiores detalhes da história da regulamentação da indústria do vinho no início do século XX em www.spcvc.com/historique.php?go=3&art=2.

44 *Robert Joseph, uma autoridade no assunto*: Robert Joseph, *French Wine Revised and Updated* (Londres: Dorling Kindersley, 2005).

44 *"a natureza do* terroir *contribui grandemente"*: Denis Diderot, *Encyclopédie; ou Dictionaire raisoné des sciences, des arts et des métiers* (Neufchastel [sic]: Samuel Faulche, 1765), vol. 17, p. 292.

45 *no coração rural do vinho francês*: Champagne Veuve Clicquot Ponsardin, material promocional da sala de degustação.

45 *Percorrendo em carruagem aberta*: Detalhes em várias fontes, incluindo Gmeline, p. 16; Chimay, p. 3.

45 *rosas despontam nas bordas dos vinhedos por toda a Champagne*: David G. James, "Opportunities for Reducing Pesticide Use in Management of

Leafhoppers, Cutworms, and Thrips", palestra na Washington State Grape Society (2002), em www.grapesociety.org. James escreve: "As rosas foram cultivadas dentro e ao redor dos vinhedos, na Europa e na Austrália, por muitos anos e por muitas razões... como um indicador da presença de fungos", p. 3.

46 *famílias de vinicultores, como a Cattier*: Entrevista em 19 de janeiro de 2007 com Philippe Bienvenue, e também material promocional do champanhe Cattier.

47 *pequena comissão de aproximadamente 10%*: Brennan, p. 269.

CAPÍTULO 3: SONHOS DE CHAMPANHE

49 *a Clicquot-Muiron vendia cerca de 15 mil garrafas*: Brennan, p. 269.

49 *classificação do champanhe vai dos mais secos aos mais doces*: Stevenson, p. 200. Ver também Syndicat Professionnel des Courtiers em Vins de Champagne, em www.spcvc.com/memento.php?go=6.

50 *Os russos o preferiam ainda mais doce*: Tomes, p. 68. Ver também Henry Vizetelly, *Facts About Champagne and Other Sparkling Wines, Collected During Numerous Visits to the Champagne and Other Viticultural Districts of France and the Principal Remaining Wine-Producing Countries of Europe* (Londres: Ward, Lock & Co., 1879), pp. 192, 198, 214.

50 *Château d'Yquem*: Material promocional, safra 2001, em www.yquem.fr; material promocional, Grgich Hills, em www.grgich.com.

50 *"uma cor levemente avermelhada como o vinho da Champagne"*: Oxford English Dictionary, "champanhe"; segundo o mesmo verbete, em 1903, "champanhe" tinha "uma linda cor de palha com um leve toque de rosa".

51 *Oeil du Pedrix*: Anônimo [S.J.], *The Vineyard Being a Treatise Shewing the Nature and Method of Planting, Manuring, Cultivating and Dressing Vines* (Londres: W. Mears, 1727), p. 46.

51 *um tom suave entre castanho e dourado*: Phillips, p. 243.

51 *O vinho cinzento é feito de uvas pretas*: Príncipe Charles Joseph Ligne, *Mémoirs et mélanges historiques et littéraires* (Paris: A. Dupont, 1827-1829).

51 *As leis determinam que a fabricação do verdadeiro champanhe*: Liger-Belair, p. 19. Guias completos para os produtores na AOC da Champagne são distribuídos por departamentos governamentais, incluindo o Comité Interprofessionnel du Vin de Champagne, disponível em www.champanhe.fr, e o Institut National de l'Origine et de la Qualité, em www.inao.gouv.fr.

Para um trabalho acadêmico sobre a história da regulamentação do champanhe, ver Kolleen Guy, *When Champagne Became French: Wine and the Making of National Identity* (Baltimore: Johns Hopkins University Press, 2003).

52 *não se colocava rótulo nas garrafas*: André Simon, *History and Trade in England* (Londres: Wyman & Sons, 1905): "Durante a segunda metade do século XVIII... não havia qualquer tipo ou forma de rótulos e o consumidor não perguntava o nome de quem tinha feito o vinho", p. 59.

52 *garrafas explodiam com metade da pressão usada atualmente*: Liger-Belair, p. 15. Hoje, o champanhe é engarrafado geralmente a uma pressão de até 6 atmosferas ($6,66kg/6,45cm^2$). As bolhas duram mais no champanhe gelado porque a baixa temperatura reduz a pressão.

52 *do século IV o surgimento dos vinhedos na área de Reims*: Roger Dion, *Histoire de la vigne et du vin en France* (Paris: Flammarion, 1959).

53 *um meio de eliminar as bolhas*. Muitas fontes, incluindo Liger-Belair, p. 9. Ver também René Gandilhon, *Naissance du Champagne: Dom Pierre Pérignon* (Paris: Hachette, 1968); François Bonal, *Dom Pérignon: Vérité et legende* (Langres: D. Guéniot, 1995).

54 *atravesse o Canal e chegue à Inglaterra*: Sobre o recente crescimento da indústria do vinho espumante na Inglaterra, ver Mark Phillips, "Global Warming Spawns Wine in UK", CBS Evening News, 25 de setembro de 2006, disponível em www.cbsnews.com/stories/2006/09/25/eveningnews/main2037991.shmtl, e Valerie Elliot, "English Wine Sparkles as Global Climate Warms Up", *The Times*, 11 de setembro de 2006, disponível em www.timesonline.co.uk/tol/news/uk/article635009.ece. Evidências históricas sugerem que a Inglaterra teve outrora um próspero mercado de vinhos. Ver D. Williams, "A Consideration of the Sub-Fossil Remains of 'Vitis vinifera' L. as Evidence of Viticulture in Roman Britain", *Britannia* 8 (1977): 327-334; e William Hughes, *The Complete Vineyards, or, A Most Excellent Way for the Planting of Wines Not Onely* [sic] *According to the German and French Way, but Also Long Experimented in England* (Londres: W. Crooke, 1665).

54 *uma bebida conhecida como* piquette: Classificado no "Working Paper", European Commission Directorate General for Agriculture and Rural Development: Wine, Common Market Organisation, 2006, que proíbe sua exportação. Ver http://ec.europa.eu/agriculture/markets/wine/studies/rep_cmo 2006_en.pdf, p. 21.

55 *vinho do diabo*: Kladstrup, p. 46.
57 *os monges de Hautvillers só começaram a engarrafar*: Brennan, p. 251.
57 *os ricos consumidores ingleses*: Uma discussão introduzida por Tom Stevenson, *World Encyclopedia of Champagne and Sparkling Wine* (San Francisco: Wine Appreciation Guild, 1999).
58 *a Inglaterra já fabricava um vidro bem mais forte*: Ver Ward Lloyd, *A Wine Lover's Glasses: The A. C. Hubbard Collection of Antique English Drinking Glasses and Bottles* (Yeovil, Engl.: Richard Dennis, 2000); Roger Dumbrell, *Understanding Antique Wine Bottles* (San Francisco: Antique Collector's Club, 1983).
58 *Charles de Saint-Évremond*: Nascido Charles de Marguetel de Saint-Denis, senhor de Saint-Évremond (1610-1703). Uma edição de seus artigos sobre os prazeres de um gourmet foi publicada por Claude Taittinger, *Saint-Évremond, ou Le bon usage des plaisirs* (Paris: Perrin, 1990). Sobre o tempo que Saint-Évremond passou na Inglaterra, ver *Saint-Évremond en Angleterre* (Versalhes: L. Luce, 1907).
59 *um cientista chamado Christopher Merret*: Christopher Merret, *Some Observations Concerning the Ordering of Wines* (Londres: William Whitwood, 1692).
59 *Pomona, de John Evelyn*: John Evelyn, *Sylva, or A Discourse of Forest Trees, and the Propagation of Timber in His Majesties Dominions. By J. E. Esq. As it was deliver'd in the Royal Society the XVth of October, MDCLXII... To which is annexed Pomona; or an appendix concerning fruit-trees in relation to cider* (Londres: Joseph Martyn & James Allestry, 1664).
59 *uma década antes que ele fosse produzido na França*: Liger-Belair, p. 10; Brennan, p. 249; Delpal, p. 127.
60 *de lucrativas terras na Champagne*: Kladstrup, p. 50; ver também Christine Pevitt, *Madame de Pompadour: Mistress of France* (Nova York: Grove Press, 2002).
61 *50% destinadas ao Palácio de Versalhes*: Brennan, p. 225.

CAPÍTULO 4: O ANONIMATO CORRE EM SUAS VEIAS
62 *em conflito... desde os primeiros dias*: A história das guerras napoleônicas (frequentemente relatadas como uma continuação das guerras seguintes à Revolução Francesa) pode ser entendida, de modo geral, como uma série de coalizões. Mas a verdade é que, em todo aquele período, dezenas de países

e principados estavam envolvidos e, na maioria das vezes, enredados em conflitos multilaterais extremamente complexos.

A guerra da Primeira Coalizão resultou numa vitória da França, principalmente sobre os Estados da Áustria e da Itália. Terminou em 1797 e estendeu as fronteiras francesas até o rio Reno. Teve uma grande importância econômica, especialmente para a região da Champagne.

A Segunda Coalizão durou de 1798 até 1805. A França estava em conflito com a Inglaterra, Áustria, Rússia, o Império Otomano e vários Estados italianos. Em fevereiro de 1801 foi feita a paz com a Áustria e a maioria dos membros da coalizão. A paz com a Inglaterra foi assinada no Tratado de Amiens, em março de 1802. Até maio de 1803, durante 14 meses, houve um breve período de paz na França.

Em 1804, Napoleão coroou a si mesmo imperador da França. Em 1805, foi instituída a Terceira Coalizão, formada inicialmente pela Rússia, Inglaterra e Áustria. Esse período de conflito teve como foco principal os planos de Napoleão para conquistar a Inglaterra, que terminaram no outono, com a derrota de Trafalgar. No fim do ano, Napoleão teve uma vitória estrondosa sobre a Áustria, em Austerlitz.

A Quarta Coalizão foi constituída pela Prússia, Rússia, Inglaterra e alguns estados germânicos contra a França. Terminou com a conquista da Prússia, em 1806, e da Rússia, em 1807. Em 1806, a França instituiu o Bloqueio Continental, que consistia em uma série de restrições comerciais com a finalidade de isolar a Inglaterra do mercado internacional e promover uma conquista econômica. Até pelo menos 1810, muitos franceses compravam e vendiam mercadorias de contrabando, desafiando a interdição, que durou até 1812.

De 1809 a 1812, a Quinta Coalizão colocou a Inglaterra e a Áustria contra a França. Para a realização dos sonhos de champanhe de Barbe-Nicole, o mercado russo permaneceu aberto em teoria (mas não na prática) para os comerciantes franceses de 1807 a 1812. Em parte, foi a recusa da Rússia ao bloqueio de mercadorias inglesas que levou à desastrosa invasão napoleônica da Rússia em 1812.

Após a retirada de Napoleão, durante o inverno russo, para se aproveitar de sua fraqueza, foi formada uma Sexta Coalizão, composta pela Prússia, Áustria e os Estados germânicos alinhados com a Rússia e a Inglaterra. No verão de 1813 houve um breve período de paz, que durou do começo de junho a meados de agosto, mas na primavera de 1814 Napoleão foi derrotado na própria França. A Coroa francesa foi restaurada e Napoleão foi mandado para o exílio.

Com sua típica valentia, Napoleão retornou à França em 1815, numa última tentativa desesperada de reaver seu império. Foram os chamados Cem Dias. Mas foi finalmente derrotado em Waterloo pela Sétima Coalizão: Rússia, Prússia, Áustria, Inglaterra e Alemanha. Para uma revisão histórica detalhada, ver Gunther Rothenberg, *The Napoleonic Wars* (Nova York: Collins, 2006).

64 *uma chance em vinte de morrer de parto*: Sobre mortalidade infantil e materna no século XVIII na França, ver Yves Blayo, "La mortalité en France de 1740 à 1829", *Population* (novembro de 1975): 124,142; Nancy Senior, "Aspects of Infant Feeding in Eighteenth-Century France", *Eighteenth-Century Studies* 16, n.4 (verão de 1983): 367-388; Nina Rattner Gelbart, *The King's Midwife: A History and Mystery of Madame de Coudray* (Berkeley: University of California Press, 1998); e Jenny Carter e Therese Duriez, *With Child: Birth Through the Ages* (Edimburgo: Mainstream Publishing, 1986). Sobre taxas de mortalidade na Inglaterra, mas também útil, é o artigo de Jona Schlleken, "Economic Change and Infant Mortality in England", *Journal of Interdisciplinary History* 32, n.º 1 (verão de 2001): 1-11.

64 *uma viúva de 24 anos, chamada Thérèse*: Thérèse Pinchart (1775-1859) casou-se em 1795 com Jean-Louis Doé de Maindreville (falecido em 1798), um advogado parlamentar. Seu filho Pierre (1796-1870) nasceu no ano seguinte ao casamento e ela enviuvou em 1798).

64 *Clémentine e Thérèse logo se distinguiram*: Crestin-Billet, p. 15.

65 *Talvez não seja coincidência que ainda se pense em ambas como prostitutas*: Susan P. Córner, "Public Virtue and Public Women: Prostitution in Revolutionary Paris, 1793-1794", *Eighteen-Century Studies* 28, n.º 2 (inverno de 1994): 221-240, escreve que, "em nome da 'virtude', executaram Maria Antonieta, a quintessência da prostituta do século XVIII", p. 222. No entanto, as infidelidades de Josefina Bonaparte foram inúmeras. Sobre o uso político que seus inimigos fizeram de suas indiscrições, ver, por exemplo, Evangeline Bruce, *Napoleon and Josephine: An Improbable Marriage* (Nova York: Scribner, 1995).

65 *"O anonimato corre em suas veias"*: Virginia Wolf, *A Room of One's Own* (Nova York: Harcourt Brace, 1981), p. 50.

65 *Lady Beesborough*: citada por Woolf, p. 55. Ver também Janet Gleeson, *Privilege and Scandal: The Remarkable Life of Harriet Spencer, Sister of Georgiana* (Nova York: Crown, 2007).

65 *"O preconceito contra as mulheres atuando no mercado"*: Bonnie G. Smith, *Ladies of the Leisure Class: The Bourgeoises of Northern France in the Nineteenth Century* (Princeton, Nova Jersey: Princeton University Press, 1981), p. 47; *Code Napoleon, or The French Civil Code. Literally Translated from the Original and Official Edition, Published at Paris, in 1804*, trad. George Spence (Londres: William Benning, 1827).

67 *Hoje, a degustação de vinhos é um ramo multimilionário da indústria*: Segundo o County Tourism Board de Sonoma, o turismo do vinho gera mais de um bilhão de dólares somente no condado de Sonoma, na Califórnia. Estatísticas disponíveis em www.sonomacounty.com.

67 *antes que os consumidores encontrassem garrafas com rótulos*: Tomes, p. 173.

68 *oportunidades para mulheres e principiantes*: Ann B. Matasar, *Women of Wine: The Rise of Women in the Global Wine Industry* (Berkeley: University of California Press, 2006), p. 75.

69 *Dame Geoffrey... Viúva Germon*: Brennan, p. 261-262.

69 *viúva Robert e a viúva Blanc*: Brennan, p. 261: Claire Desbois-Thibault, *L'extraordinaire aventure du Champagne Möet et Chandon, une affaire de famille* (Paris: Presses Universitaires de France, 2003), p. 31; Etienne, p. 59.

70 *historiadora Béatrice Craig*: Béatrice Craig, "Where Have All the Businesswomen Gone?: Images and Reality in the Life of Nineteenth-Century Middle-Class Women in Northern France", em *Women, Business and Finance in Nineteenth-Century Europe: Rethinking Separate Spheres*, eds. Robert Beachy, Béatrice Craig e Alistair Owens (Oxford: Berg Publishers, 2006), p. 54.

71 *mercador viajante de Mannheim, Alemanha*: Alain de Vogué, *Une maison des vins de Champagne au temps du blocus continental, 1806-1812*, tese para o Diplome d'Études Supérieures d'Histoire, junho de 1948, p. 3.

72 *um grande plano para vender vinhos na Inglaterra*: Ibid.

72 *contrabando de artigos finos franceses, como o vinho e a seda*: Gavin Daly, "Napoleon and the 'City of Smugglers', 1810-1814", *Historical Journal* 50, n.º 2 (junho de 2007). Para um relato mais completo das relações comerciais no período napoleônico, ver François Crouzet, *L'économie britannique et le blocus continental* (Paris: Economica, 1987).

72 *champanhe suavemente efervescente, conhecido como* crémant: Etienne, p. 96.
73 *mais da metade de uma semana de salário*: Brennan, p. 261.
74 *Se seus retratos forem fiéis, Jean-Rémy*: Material promocional, Champagne Möet et Chandon et ses successeurs (Paris: E. Dentu, 1864).
74 *desde seus tempos áureos, nos anos 1730*: Brennan, p. 198.
74 *um lançamento de duas ou três mil garrafas, quase encalhadas*: Etienne, p. 96.
75 *"O dia muito quente"*: Dorothy Wordsworth, *The Grasmere Journals*, ed. Pamela Woof (Oxford: Oxford University Press, 1991), p. 125.
75 *"Na memória do homem"*: Citado por Etienne, p. 36; carta de 20 de agosto de 1802.
76 *Allart de Maisonneuve descobriu ao acordar*: Brennan, p. 252.
77 *um sistema comercial inteiramente diferente*: Fiévet, *Madame Veuve Clicquot*, p. 56.

CAPÍTULO 5: A ARTESANIA DO *CUVÉE*

78 *tratado de Jean-Antoine Chaptal*: Jean-Antoine-Claude Chaptal, conde de Chanteloup, *L'art de faire le vin* (Paris: Madame Huzard, 1819).
78 *"um marco decisivo na história da tecnologia do vinho"*: Jerry B. Gough, "Winecraft and Chemistry in Eighteen-Century France: Chaptal and the Invention of Chaptalization", *Technology and Culture* 39, n.º 1 (janeiro de 1989): 74-104, 102.
78 *Napoleão ordenou às prefeituras*: Gough, p. 102.
79 *triplicando por vezes o preço do barril*: Brennan, p. 250.
79 *a lua da primavera tinha o poder de levantar as bolhas*: Louis Saint-Pierre, *The Art of Planting and Cultivating the Vine; and Also of Making, Fining, and Preserving Wines & c.* (Londres: s/e, 1772), p. 230.
79 *festival de São Vicente*: Émile Moreau, *Le culte de Saint Vincent en Champagne* (Épernay: Éditions le Vigneron de la Champagne, 1936).
80 *convivas consumiam mil garrafas numa noitada*: Desbois-Thibault, p. 35.
80 *da região... sua infância*: Napoleão passou cinco anos na academia militar em Briennes-le-Château (Aube); "Napoleon I", *Encyclopedia Britannica Online*, disponível em www.search.eb.com.prxy5.ursus.maine.edu/eb/article-9108752; ver também Alexandre Assier, *Napoléon Ier à l'École Royale Militaire de Brienne d'après des documents authentiques et inédits, 1779-1784* (Paris: s/e, 1874). Jean-Rémy Möet foi educado na mesma academia e uma simpática tradição diz que os dois se tornaram amigos quando

eram estudantes. Infelizmente, as datas não correspondem. No entanto, é provável que a experiência compartilhada em Brienne tenha sido a base do caloroso relacionamento pessoal que se desenvolveu anos depois. Sobre a educação de Möet, ver Desbois Thibault, p. 26, n.º 1.

81 *livros, como o de Jean Godinot*: Jean Godinot, *Manière de cultiver et de faire le vin en Champagne* (1772), ed. François Bonal (Langres: Dominique Guéniot, 1990); Nicolas Bidet, *Traité sur la culture des vignes, sur la façon du vin, et sur la manière de le gouverner: Ouvrage orné de figures, & en particulier de celle d'un pressoir d'une nouvelle invention* (Paris: Chez Savoye, 1752).

82 *segundo o costume, começava de madrugada e durava 12 dias*: O chamado *bans de vendange* teve origem no feudalismo medieval; hoje o Comité Interprofessionnel du Vin de Champagne, uma organização que abrange vinicultores e produtores do champanhe, regulamenta todos os aspectos da colheita em colaboração com o governo francês; detalhes disponíveis em www.champagne.fr.

82 *lugar preferido na vindima era a cidade de Bouzy*: Etienne, p. 32.

83 *o primeiro corte, ou* première taille: Anônimo [S.J.], *The Vineyard*, pp. 49-52.

84 *menos afortunados descobrem que ele provoca uma forte dor de cabeça*: Cientistas da área de saúde fazem distinção entre uma reação branda ao vinho tinto, conhecida como "dor de cabeça do vinho tinto", atribuída a uma sensibilidade à histamina ou a prostaglandinas, ou uma reação ao tanino e, às vezes, uma alergia ao sulfito, bem mais grave e potencialmente letal. Ver, por exemplo, A. T. Bakalinsky, "Sulphites, Wine and Health", em *Wine in Context: Nutrition, Physiology, Policy: Proceedings of the Symposium on Wine and Health*, eds. Andrew L. Waterhouse e R. M. Rantz (Davis, Califórnia: American Society for Enology and Viticulture, 1996); C. S. Stockley, "Histamine: The Culprit for Headaches?", *Australian and New Zealand Wine Industry Journal* 11 (1996): 42-44.

85 *conhecida como "pó número três"*: Godinot, p. 65.

85 *a arte da cozinha francesa... para clarificar um* consommé: *The Professional Chef: The Culinary Institute of America* (Nova York: John Wiley & Sons, 2002), pp. 300-303.

86 *um olho muito bom para acompanhar os sedimentos e um excelente polegar*: André Julien, *Manuel du sommelier, ou Instruction pratique sur la manière de soigner les vins* (Paris: Encyclopédie de Robert, 1836), p. 189.

86 *processo químico chamado autólise*: Carlo Zambonelli et al., "Effects of Lactic Acid Bacteria Autolysis on Sensorial Characteristics of Fermented Foods", *Food Technology/Biotechnology* 40, nº 4 (2002), p. 189.
86 *dando ao bom champanhe seu rico sabor característico*: Stevenson, p. 9.
87 *localização ao norte evita que as uvas desenvolvam um excesso de açúcares*: Liger-Belair, p. 137.
87 *sem o excesso de sombra das folhas*: Hervé This, *Molecular Gastronomy: Exploring the Science of Flavor*, trad. M. B. Debevoise (Nova York: Columbia University Press, 2006), p. 232.
88 *comprar garrafas era um trabalho enlouquecedor*: Ver *Champenoises: Ecomusée de la région de Fourmies Trélon* (Trélon: Atelier Musée du Verre de Trélon, 2000), cortesia da biblioteca do Champagne Möet et Chandon; descreve os problemas de Barbe-Nicole para encomendar garrafas de boa qualidade e tamanhos iguais. A produção do champanhe exigia que fossem especiais quanto à cor, ao formato, resistência à pressão, à acidez e *embouchure* (boca da garrafa), e a baixa qualidade da vidraria era um obstáculo à indústria. Nos anos 1820, Barbe-Nicole enviava instruções precisas aos fabricantes, mas eles tinham "sérias dificuldades técnicas e reticências em produzir tal modelo", já que ela queria garrafas funcionais, cilíndricas e esteticamente agradáveis "antes do tempo". Barbe-Nicole detestava particularmente as garrafas em forma de pera, por isso escreveu: "Esse formato não tem elegância" (p. 152; carta de março de 1856). Nos anos 1830, ela já considerava que a forma das garrafas era importante para o marketing, e insistia para que os fornecedores não fabricassem garrafas do "formato" que encomendava para seus concorrentes (p. 15; carta de outubro de 1831, para Haumont). Como resultado de sua persistência e poder aquisitivo (em 65 anos de carreira, ela comprou aproximadamente 65 milhões de garrafas), a produção de vidros para a indústria de vinhos se desenvolveu rapidamente durante o século XIX. Os arquivos da companhia, que contêm mais de 700 cartas sobre o assunto, revelam muito sobre seu "papel na elaboração da garrafa de champanhe" que conhecemos hoje (p. 148).
89 *Até então as garrafas de vinho eram sopradas manualmente*: Dumbrell, p. 16.
89 *Talvez ela fosse o que os conhecedores de hoje chamam de "superdegustadora"*: Jamie Goode, *The Science of Wine: From Vine to Glass* (Los Angeles: University of California Press, 2005), p. 170.
90 *enxofre dá a um cálice de* sauvignon blanc *gelado*: This, p. 236.
90 *vinhos brancos são envelhecidos "nas borras"*: Ibid., p. 250.

CAPÍTULO 6: A VIÚVA DA CHAMPAGNE

92 *As vendas na França tinham caído*: Etienne, p. 269.

92 *da Prússia e da Áustria ou de lugar nenhum*: Nesse período o controle da Europa Central e do Leste Europeu estava muito dividido entre dois poderes: o Império Austríaco, dos Habsburgo, e o reino independente da Prússia. Embora as fronteiras se modificassem, principalmente na era napoleônica, a Prússia mantinha partes da Alemanha e da Polônia atuais, territórios ao longo do Báltico e vários Estados que mais tarde se tornaram soviéticos. O Império Austríaco incluía grande parte da Áustria atual, da Hungria, da Romênia, além de numerosos Estados adriáticos, incluindo os territórios do norte da Itália. Embora decadente no começo do século XIX, o Império Otomano controlava a grande extensão de territórios ao sul, incluindo a Turquia de hoje, alguns dos disputados Estados adriáticos, a maioria das áreas em torno do mar Negro e partes significativas do Oriente Próximo, do Oriente Médio e do norte da África. Para um relato mais completo da geografia política no século XIX, ver Christopher Clark, *Iron Kingdom: The Rise and Downfall of Prussia, 1600-1947* (Nova York: Penguin, 2007), e Andrew Wheatcroft, *The Hapsburgs* (Nova York: Penguin, 1997).

93 *"O excesso de luxo [aqui] significa que o vendedor..."*: Citado em Étienne, p. 262.

93 *"O comércio nesse lugar é excessivamente corrupto..."*: Alain de Vogüé, *Une maison de vins*, p. 5.

93 *"as empresas estrangeiras são vistas como cabras leiteiras..."*: Citado em Étienne, p. 263.

94 *A Rússia... era responsável por um terço das vendas*: Ibid., pp. 269, 295.

95 *uma crosta negra e infeccionada*: William Buchan, *Domestic Medicine, or A Treatise on the Prevention and Cure of Diseases, by Regimen and Simple Medicines: With an Appendix, Containing a Dispensary for the Use of Private Practioners* (Filadélfia: Richard Folwell, 1797), cap. 10.

96 *deve ter sentido alívio quando François morreu*: Fiévet, *Madame Veuve Clicquot*, p. 59.

96 *Question Agitated in the School of the Faculty of Medicine at Reims*: Jean-Claude Navier, *Question Agitated in the School of the Faculty of Medicine at Reims... on the Use of Sparkling Champagne Against Putrid Fevers and Other Maladies of the Same Nature* (Reims: Cazin, 1778).

96 *"Contém", escreveu o dr. Navier*: Ibid., p. x.

97 *o cunhado do dr. Navier era ninguém menos que Jean-Rémy Moët*: Jacqueline Roubinet e Gilbert e Marie-Thérèse Nolleau, *Jean-Rémy Möet: A Master of Champagne and a Talented Politician*, trad. Carolyn Hart (Paris: Stock, 1996), p. 38.

97 *experimentos temerários*: Ver, por exemplo, Jacques Moreau, *De la connoissance* [sic] *des fièvres continues, pourprées et pestilentes* (Paris: Laurent D'Houry, 1689), e William Guthrie, *Remarks upon Claret, Burgundy et Champagne, Their Dietetic and Restorative Uses, Etc.* (Londres: Simpkin, Marshall & Co., 1889).

97 "O champanhe, quando puro, é um dos vinhos mais saudáveis que se pode beber": Charles Tovey, *Champagne: It's History, Properties, and Manufactures* (Londres: James Camden Hotten, 1870), p. 105; reiterado em Charles Tovey, *Wine Revelations* (Londres: Whitaker, 1880), p. 38.

98 *"Nada... poderá jamais abrandar a profunda tristeza que sinto"*: Citado em Crestin-Billet, p. 69.

98 *revolucionário Jean-Paul Marat assassinado*: Jacques-Louis David, "The Death of Marat" (*La mort de Marat*), 1794, óleo sobre tela, Musée des Beaux-Arts de la Ville de Reims, doado por Paul David, 1879 (879.8); Marat foi assassinado por Charlotte Corday durante a Revolução Francesa.

98 *"A febre maligna é geralmente precedida de uma notável fraqueza"*: Buchan, cap. 10.

99 *"Não se entregue a um desalento melancólico"*: Citado em Étienne, p. 12.

99 *"enquanto crescia com seu projeto grandioso..."*: Tomes, p. 66.

100 *"profunda depressão"*: Alain de Vogüé, *Une maison de vins*, p. vi.

102 *"a* bourgeoisie *de antanho, que cuidava dos livros [da companhia], havia... se metamorfoseado"*: Smith, p. 46.

CAPÍTULO 7: SÓCIA E APRENDIZ

104 *quase meio milhão de dólares*: Etienne, pp. 179-181; à razão de um franco para 20 dólares.

106 *Sob as leis do Código Napoleônico*: Segundo o estatuto, a "esposa [não pode] requisitar em seu próprio nome, sem a autorização do marido, ainda que ela seja comerciante registrada", *Code Napoléon*, cap. 6, seção 4.

106 *Tanto ela quanto Alexandre investiram 80 mil francos*: Etienne, pp. 178-181. A moeda francesa no século XIX era um sistema complexo. Para maior clareza, todas as referências são em francos, embora muitos continuem a se referir aos valores da época como "livres" ou "napoleões". O livre foi abo-

lido pelo governo revolucionário em 1795, quando tinha quase total paridade com o franco.

106 *30 anos depois, um trabalhador sem especialização*: Informações atualizadas de L. e D. Noak, "Cost of Living in Daumier's Times", disponível em www.daumier.org/index.php?id=176; ver também Gilles Postel-Vinay e Jean-Marc Robin, "Eating, Working, and Saving in an Unstable World: Consumers in Nineteenth-Century France", *Economic Historic Review* 45, n? 3 (agosto de 1992): 494-513; dados comparativos ingleses são encontrados em Liza Picard, *dr. Johnson's London* (Nova York: St. Martin's Press, 2000).

106 *Philippe entrou com outros 30 mil francos*: Etienne, p. 180.

107 *"Renunciando ao comércio em têxteis"*: Alain de Vogüé, *Une maison des vins*, p. 5.

107 *75% eram produzidos*: Etienne, pp. 39-41.

108 *"Comércio marítimo totalmente arruinado..."*: Alain de Vogüé, *Une maison des vins*, p. 8.

109 *lugar escuro e frio, a uma temperatura em torno de*: This, p. 254.

109 *5% dos vinhos colocados no mercado são "rolhados"*: Goode, p. 145.

110 *desejavam acima de tudo um vinho claro e espumante*: Etienne, p. 74.

110 *As causas prováveis eram problemas que haviam começado durante o estágio no barril*: Ver C. R. Davis et al., "Practical Implications of Malolactic Fermentation: A Review", *American Journal of Enology and Viticulture* 36, n? 4 (1985): 290-301, e Émile Peynaud, *Knowing and Making Wine*, trad. Alan F. G. Spencer (Chichester, Reino Unido: Wiley Interscience, 1984).

111 *"Pedi ao bom Deus"*: Citado em Etienne, p. 11.

112 *"Rezo dia e noite pedindo ao bom Deus..."*: Alain de Vogüé, *Une maison des vins*, p. 8.

112 *"O país não teve dinheiro sequer para as piores safras..."*: Ibid., p. 10.

112 *"Que bênção para nós"*: Ibid., p. 16.

113 *Evitem "falar sobre política", ele pedia*: Ibid., p. 20.

114 *"Pelo amor de Deus, não falem sobre política..."*: Ibid., p. 28.

114 *No outono, a imperatriz deu à luz outra menina*: Tida como filha de seu amante, o príncipe polonês Adam Czartorysky, a criança recebeu o nome de Maria Alexandrovna e viveu apenas 14 meses (1799-1800); Henri Troyat, *Alexander of Russia: Napoleon's Conqueror* (Nova York: Grove Press, 2003): pp. 43-46.

116 *na região... se limita a 323 cidades registradas*: Segundo o Office of Champagne's Cultivation Regulations (órgão que representa nos Estados Unidos

o Comité Interprofessionnel du Vin de Champagne, ou CVIC), o cultivo das uvas que levarão o nome de "champanhe" é limitado a vinhedos rigidamente controlados. Os vinicultores são obrigados a aceitar todas as restrições, desde a distância entre as videiras até o tempo e o tamanho da poda, a produção máxima por hectare e a data da colheita. Ver www.champagne.us/index.cfm?pageName=apellation_cultivationregs.

116 *Até o termo descritivo* champenoise, *que significa "no estilo da Champagne"*: O uso do rótulo *méthode champenoise* para vinhos produzidos fora da região da Champagne foi proibido na União Europeia em 1994 (*SMW Winzersekt GmbH v. Land Rheinland-Pfalz Ase C-306 [1994], European Court Reports 1994*, p. I-05555). O status legal do termo é cada vez mais controverso. A história do "champanhe" americano é documentada em William Heintz et al., *a History of Champagne in California and the United States: With Particular Emphasis on How the Word "Champagne" Has Been Used by Journalists and Writers and the Understanding of Its Definition by the American Wine Consumer*, coleção de arquivos inéditos, 1984, Saint Helena Public Library, Napa, Califórnia.

117 *"grande parte da Europa [fora] destruída pela fome..."*: Alain de Vogüé, *Une maison de vins*, pp. 58-60.

118 *reputação favorável ligada ao nome Clicquot nos países estrangeiros*: Ibid., p. 65.

118 *"Em toda a parte... o comércio está absolutamente parado"*: Ibid., p. 76.

118 *"ordem para deixar a cidade e os estados da Áustria"*: Ibid., p. 72.

118 *Em 1809, conseguiram vender somente 40 mil garrafas*: Etienne, p. 269.

119 *a única notícia que ele podia mandar: "O comércio está totalmente parado"*: Alain de Vogüé, *Une maison de vins*, p. 96.

CAPÍTULO 8: SOZINHA, A UM PASSO DA RUÍNA

121 *fundada em 1734 pelo avô de Alexandre com o nome de Forest-Fourneaux*: Material promocional, Champagne Taittinger, disponível em www.taittinger.com; ver também Delpal, p. 58.

121 *a recompensa de Nicolas pela hospitalidade*: George Lallemand, *Le Baron Ponsardin* (Reims: Câmara do Comércio/ Societé des Amis de Vieux Reims, 1967).

122 *arquiduquesa Maria Luísa, da Áustria, sobrinha da malfadada Maria Antonieta*: Maria Luísa da Áustria (1791-1847); ver Edith Cuthell, *An Impe-*

rial Victim: Marie Louise, Archduchess of Austria, Empress of the French, Duchess of Parma (Londres: Brentano's, 1912).

122 *seu pai, que sempre fora um monarquista de coração*: Fiévet, Madame Veuve Clicquot, p. 24.

122 *"casamento da arquiduquesa Luísa está marcado para o dia 25 de março"*: Veuve Clicquot Ponsardin, Arquivos da Companhia, 1A E 086, *Copie de lettres du 1ᵉʳ Julliet au 9 Novembre 1812*, p. 243; carta de 3 de março de 1810.

122 *ela e Louis se referiam a ele simplesmente como "o demônio"*: Entrevista, 8 de janeiro de 2007, Fabienne Hutaux, Historical Resources Manager, Champagne Veuve Clicquot Ponsardin, Reims.

123 *o apreço real pela "beleza e riqueza de suas adegas"*: Material promocional, Champagne Jacquesson, disponível em www.champagnejacquesson.com.

123 *De seu livro de contabilidade consta*: Etienne, p. 84.

124 *estava noivo de Mademoiselle Rheinwald*: Crestin-Billet, p. 89.

125 *gravado a fogo o símbolo da âncora nas rolhas*: Delpal, p. 173.

125 *verde brilhante, salpicado de ouro ou prata*: Desbois-Thibault, p. 57.

125 *símbolo tradicional de esperança*: Champagne Veuve Clicquot Ponsardin, material promocional na sala de degustação.

126 *vender mais vinhos tintos em barril*: Etienne, p. 44.

126 *uma parte altamente selecionada de safras vindas de outras regiões da França*: Etienne, pp. 47-49.

127 *enviou a filha, Clémentine, para estudar num convento em Paris*: Chimay, p. 31.

127 *desafios de criar uma filha e ao mesmo tempo dirigir uma empresa*: "As mulheres integravam seu senso de maternidade à orientação profissional geral de sua vida... não parece haver evidências... sugerindo que as mulheres de negócios passassem muito tempo fora do mundo do mercado"; Smith, p. 45.

128 *Suas cartas mostram que ela era uma mãe dedicada e pragmática*: Ver, por exemplo, Chimay, pp. 31-42.

129 *"Suplico-lhe que o traga sempre junto ao corpo"*: Champagne Veuve Clicquot Ponsardin, Arquivos da Companhia, 1A E 086, *Copie de lettres du 1er Julliet au 9 Novembre 1812*, p. 429; carta de 19 de outubro de 1810.

129 *"É algo terrível, que dorme comigo todas as noites e acorda comigo todas as manhãs"*: Chimay, p. 18.

130 *"nunca usar essas taças redondas como pires e receptores de animálculos, mas... cálices com o formato de tulipa"*: Anônimo, *London at Table: or How, When,*

and Where to Dine and Order a Dinner, and Where to Avoid Dining, with Practical Hints to Cooks (Londres: Chapman & Hall, 1851), vol. 2, p. 45.

130 *Em razão de certos mecanismos básicos*: This, p. 257.

131 *um sítio perto de Oger*: Chimay, p. 17.

132 *"harpias marítimas" e "assassinos da prosperidade"*: Essa e as citações seguintes são de Bernard de Vogüé, *Madame Clicquot à la conquête pacifique de la Russie* (Reims: Imprimerie du Nord-Est, 1947), p. 8.

132 *"duas mil garrafas foram vendidas facilmente..."*: Alain de Vogüé, *Une maison des vins*, p. 112.

132 *Naquela primavera os pedidos não chegaram a 33 mil garrafas*: Etienne, p. 29.

133 *que baixassem os preços, escreveu ela a Louis, quando ele estava na Holanda*: Crestin-Billet, p. 77.

133 *"nunca houve... uma uva tão madura, tão doce, numa safra em circunstâncias climáticas tão favoráveis"*: Tomes, p. 129.

133 *"o grande cometa atraía todos os olhares"*: Harriet Martineau, *Autobiography* (Boston: James R. Osgood, 1877).

134 *"quantos terrores e superstições ele despertara"*: Anônimo, "The Comet", *Robert Merry's Museum* (novembro de 1858), pp. 137-139.

135 *Louis passou a primavera de 1812 tentando arrumar pedidos*: Alain de Vogüé, *Une maison des vins*, p. 118.

136 *o desenvolvimento de novas fontes de açúcar para os produtores*: Durante o Bloqueio Continental das guerras napoleônicas, mercadorias fornecidas pelas colônias inglesas, como o açúcar e o algodão, tornaram-se escassas e caras. Em razão da necessidade de açúcar para a produção de vinho, principalmente do champanhe, "o mercado do vinho francês sofreu". Para salvar sua indústria predileta, Napoleão "ordenou estudos para que se encontrasse na França substitutos para o produto das colônias", incluindo a extração em grande escala do açúcar de beterraba; William G. Freeman, *New Phythologist* 6, n.º 1 (janeiro de 1907): 18-23, 20. Ver também Phillips, pp. 186-195. Segundo Robert Tomes, os produtores de vinho ainda preferiam o açúcar da cana; ele relata que o açúcar de beterraba tinha fama de "envenenar o vinho" e lhe dar "um sabor nauseante"; Tomes, p. 145.

136 *"um gênio infernal, que atormentou e arruinou o mundo durante cinco ou seis anos"*: Bernard de Vogüé, *Conquête pacifique de la Russie*, p. 8.

137 *"o bom Deus é um brincalhão: se você comer, morre; se não comer, morre também; há que ter paciência e perseverança"*: Alain de Vogüé, *Une maison des vins*, p. 125.

137 *"Todas as casas da nobreza"*, *escreveu uma testemunha inglesa*: Citado em George Rude, *Revolutionary Europe: 1783-1815* (Glasgow: Fontana Press/HarperCollins, 1985), p. 273.

137 *"Se as circunstâncias fossem menos infelizes", disse a Jean-Rémy*: Victor Fiévet, *Histoire de la ville d'Épernay* (Épernay: V. Fiévet, 1868), p. 151.

137 *Mais de meio milhão de homens haviam sido enviados para lutar na Rússia*: Para um relato da campanha na Rússia, ver, por exemplo, Henry Houssaye, *Napoleon and the Campaing of 1814* (Uckfield, Reino Unido: Naval and Military Press, 2006).

CAPÍTULO 9: A GUERRA E O TRIUNFO DA VIÚVA

139 *uma alarmante queda de 80%*: Alain de Vogüé, *Une maison des vins*, pp. 64-123.

141 *ele teria perdido mais de meio milhão de garrafas de champanhe*: Kladstrup, p. 67.

141 *Mademoiselle Gard, ou Jennie na intimidade da família*: Chimay, p. 38.

141 *"Passei muitos dias ocupada, murando minhas adegas"*: Bernard de Vogüé, *Conquête pacifique de la Russie*, p. 26.

142 *A fábrica têxtil de seu irmão em Saint-Brice foi destruída*: Fiévet, *Madame Veuve Clicquot*, p. 33.

142 *Sergei Alexandrovich Wolkonsky, comandante dos exércitos*: Kladstrup, p. 83; Chimay, p. 24.

142 *"quanto à sua insolente ameaça de enviar tropas para Reims"*: Chimay, p. 24.

143 *"Hoje, bebem; amanhã, pagam!"*: Ibid.

143 *"Esses mesmos oficiais que me arruínam hoje..."*: Desbois-Thibault, p. 35.

143 *sob o comando do general Corbineau*: Louis Antoine Fauvelet, *Memoirs of Napoleon Bonaparte* (Londres: Richard Bentley, 1836); e também Houssaye.

143 *"foi feita cerca de uma dúzia de prisioneiros"*: Tomes, p. 67.

143 *"Madame Clicquot deu champanhe e copos aos oficiais de Napoleão..."*: Detalhes de "The Noble Art of Sabrage", disponível em www.champagnesabering.com.

144 *Para garantir sua estratégia, escreveu uma carta a Napoleão*: Segundo Fiévet, em *Madame Veuve Clicquot*, a carta dizia: "Senhor, neste instante, a cidade e os que a protegem estão sob seu poder", p. 39.

145 *Foi Barbe-Nicole quem recebeu o imperador à porta do Hôtel Ponsardin*: Fiévet, *Madame Veuve Clicquot*: "Diz-se que a própria Viúva Clicquot recebeu o imperador no Hôtel Ponsardin, desertado por seu pai, prefeito da cidade", p. 19.

145 *Seguindo o costume, ela enchia com as próprias mãos o travesseiro do imperador com as plumas mais macias*: Crestin-Billet, p. 24.

147 *"Se o destino intervier para abater minhas esperanças, pelo menos quero poder recompensá-lo por seus leais serviços e sua coragem incansável..."*: Roubinet e Nolleau, p. 63.

147 *"oficiais russos... levavam aos lábios uma taça da bebida*: Tomes, p. 67.

147 *Lord Byron escreveu ao seu amigo Thomas Moore*: Thomas Moore, *Life of Lord Byron, with His Letters and Journals*, vol. 6 (Londres: John Murray, 1854), vol. 3, carta 174, de 9 de abril de 1814.

147 *"enfim, chegou a hora"*: Chimay, p. 24.

148 *décadas após a derrota de Napoleão, essa produção já era mais que dez vezes maior*: Brennan, p. 272.

148 *Ainda assim, quando o czar Alexander encomendou provisões*: Roubinet e Nolleau, p. 43.

149 *"Devemos dar graças aos Céus"*: Bernard de Vogüé, *Conquête pacifique de la Russie*, p. 9.

150 *Monsieur Rondeaux, um mercador marítimo*: Ibid., p. 11.

150 *"... nossos vinhos precisam de cuidados especiais"*: Chimay, p. 26.

151 *Jean-Rémy já escrevera ao conde Tolstoy*: Michel Refait, *Moët & Chandon: De Claude Moët à Bernard Arnault* (Paris: Dominique Gueniot, 1998), p. 41.

151 *reservara uma surpresa para Louis*: Bernard de Vogüé, *Conquête pacifique de la Russie*, p. 12.

152 *"tão fortes quanto os vinhos da Hungria, dourados como ouro e doces como néctar"*: Ibid., p. 15.

152 *"Em muitos anos, nosso navio é o primeiro a viajar do porto de Rouen para o norte..."*: Ibid., p. 12.

CAPÍTULO 10: UM COMETA SOBRE A RÚSSIA: A SAFRA DE 1811

154 *"Estou cansado de vê-los nos deixando em paz e levando o dinheiro..."*: Bernard de Vogüé, *Conquête pacifique de la Russie*, p. 18.

155 *"Meu Deus! Que preços! Que novidade!"*: Ibid., p. 17.

155 *"Eles me adoram aqui"*, *dizia Louis*, *"porque adoram meus vinhos..."*: Citações nesse parágrafo de ibid., p. 14.
156 *"Já tenho em meu portfólio [pedidos para] um novo assalto às suas adegas"*: Ibid., p. 18.
159 *"Se os negócios continuarem como estão desde a invasão..."*: Ibid., p. 20.
160 *"sua judiciosa maneira de operar, de seu excelente vinho..."*: Ibid., p. 19.
161 *Nos arquivos da companhia, em Reims... do formato das garrafas*: Entrevista, 8 de janeiro de 2007, Fabienne Huttaux, Gerente de Recursos Históricos, Champagne Veuve Clicquot Ponsardin.
162 *"O mercado mundial, que lentamente adquiria existência..."*: Peter Triedte, *Peasants, Landlords, and Merchants Capitalists: Europe and the World Economy, 1500-1800* (Leamington Spa, Reino Unido: Berg, 1983), p. 13, citado em "Proto-Industrialization in France", Gwynne Lewis, *Economic History Review* (New Series) 47, n.º 1 (fevereiro de 1994): 150-164, 155.
163 *historiadores do comércio, concorda que essas mulheres desapareceram*: Craig, p. 52.

CAPÍTULO 11: A FILHA DO INDUSTRIAL
164 *Na França, são poucas mulheres que administram propriedades vinícolas*: Matasar, p. 2.
165 *Hoje, não existe em toda a Europa uma mulher que acumule essas duas funções*: Entrevista, outubro de 2007, Eileen Crane, presidente da Champagne Domaine Carneros, Califórnia.
165 *A "indústria em recessão" abriu as portas para novos empresários*: Ibid.
166 *construído nos anos 1750, local da antiga propriedade dos monges de Saint-Pierre aux Châlons*: Material promocional, Champagne Taittinger, disponível em www.taittinger.com.
167 *"qualquer copo bem grande é bom para champanhe"*: Hugh Johnson, *Wine* (Nova York: Simon & Schuster, 1979), p. 71.
167 *versão em miniatura das tulipas*: Ibid., p. 63.
167 *Barbe-Nicole merece o crédito por três realizações:* Matasar, p. 27.
168 *seu nome foi homenageado em algumas das maiores obras da literatura russa do século XIX*: Detalhe de Natalie MacLean, "The Merry Widows of Mousse", *International Sommelier Guild*, 3:63AJ (dezembro de 2003): 1-2,1.
    Para referências literárias à Viúva Clicquot, ver principalmente Anton Chekhov, "Champagne, A Wayfarer Story", e Alexander Pushkin, *Eugene Onegin*, onde constam os famosos trechos: "De Veuve Clicquot ou de Möet/

o abençoado vinho/.../Seu mágico jorrar/não engendrou ausência de tolices,/mas também tantas pilhérias e versos,/e discussões, e sonhos felizes!! (st. xlv, 11. 1-14); *Eugene Onegin*, trad. Vladimir Nabokov (Princeton, Nova Jersey: Princeton University Press, 1991), p. 196. O champanhe da Viúva Clicquot também aparece em várias obras literárias do século XX, até no memorável *O sol também se levanta*, de Ernest Hemingway (cap. 7).

168 *"É cruel", escreveu Louis, "ter que recusar pedidos..."*: Bernard de Vogüé, *Conquête pacifique de la Russie*, p. 18.

168 *Naquele inverno, era impossível encontrar cereais nos mercados*: Fiévet, *Madame Veuve Clicquot*: "Em 1816, depois da guerra, não havia cereais nos mercados... Na miséria, muitos camponeses passaram a esmolar e a roubar...", pp. 41-42.

169 *emborcar a garrafa para soltar os sedimentos, usava drogas e clarificantes*: Tomes, p. 150.

170 *"Vocês só fizeram 50 mil garrafas, e eu pedi o dobro!"*: Fiévet, *Madame Veuve Clicquot*, p. 65.

170 *"Grande coisa", cochichavam. "E o vinho vai assentar mais depressa?"*: Citações nesse parágrafo de Fiévet, *Madame Veuve Clicquot*, p. 66. Esse ponto é reiterado por Kolleen M. Guy, "Drowning Her Sorrows: Widowhood and Entrepreneurship in the Champagne Industry", *Business and Economic History* 26, n.º 2 (inverno de 1997): 505-512. "No início do século XIX, acreditava-se que esse tipo de manipulação do vinho não serviria para apressar o processo de remoção dos sedimentos e só prejudicaria a bebida, que já era volátil. Os primeiros experimentos de Clicquot foram recebidos com sarcasmo e ridicularizados por seus contemporâneos masculinos", p. 508. Ver também Tomes, que registra detalhes de Barbe-Nicole "se esgueirando pela adega, dia após dia, enquanto os trabalhadores jantavam", p. 154.

171 *com sifões, "tubos rígidos equipados com uma válvula"*: Jullien, p. 139.

172 *O processo de finalização do champanhe [...] é usado até hoje*: Henry Vizetelly, em *History of Champagne, with Notes on the Other Sparkling Wines of France* (Nova York: Scribner & Welford, 1882), atribui a Müller o crédito de sugerir a ideia a Barbe-Nicole: "Já em 1806... as garrafas eram colocadas sobre mesas, como se faz hoje, de cabeça para baixo; cada garrafa era retirada de seu encaixe, levantada e sacudida com a mão, de modo que o creme tártaro e o depósito nele contido caíssem sobre a rolha... Isso durou até 1818, quando um homem chamado Müller... sugeriu-lhe que as garra-

fas deveriam ser deixadas sobre a mesa enquanto sacudidas, e que os encaixes deveriam ter um corte oblíquo... Foi feita a tentativa e, a cada dia, procurando manter em segredo seu processo, Müller e Madame Clicquot desciam pessoalmente às adegas, escondidos, para sacudir as garrafas", pp. 161-162, n.º 1.

Outros relatos desse tipo levaram Matasar a observar: "Existe discordância sobre o grau de envolvimento pessoal da Veuve Clicquot no desenvolvimento desse processo. Seus detratores, incluindo os contemporâneos de vinicultura que desqualificaram seus experimentos com base na questão de gênero, atribuem todo o crédito a Müller. Contudo, outros a consideram o único gênio dessa invenção. Ela certamente estimulou a pesquisa, encorajou e participou do desenvolvimento do processo e pode reivindicar seus direitos como proprietária da firma", pp. 27-28.

Vizetelly sugere que a *remuage* foi inventada em 1818, embora fontes mais recentes, como Crestin-Billet e Etienne, proponham 1816.

172 *aficionado Henry Vizetelly descreve a* remuage: As citações são do parágrafo seguinte de Vizetelly, pp. 160-161.

172 *"da qual a ideia do trágico instrumento é derivada"*: Tomes, p. 159.

172 *um sistema de rotação mecânica das caixas, conhecido como* giropalettes: Entrevista, Champagne Cattier, 19 de janeiro de 2007; ver também Bruce Zoecklein, "A Review of *Méthode Champenoise* Production", Virginia State University/Virginia Tech, Cooperative Extension Publication, Publication Number 463-017, dezembro de 2002, disponível em www.ext.vt.edu/pubs/viticulture/463-017/463-017.hmtl.

172 *trabalhador experiente pode virar manualmente até 50 mil garrafas por dia*: Vizetelly, p. 161.

173 *"precisamos puxar pelo cérebro para obter um resultado tão bom"*: Citado em Desbois-Thibault, p. 47.

173 *"A aventura de Madame Clicquot", ele escreveu, "é infame"*: Ibid., p. 50.

173 *"eloquência suficiente para mostrar a rivalidade"*: Ibid., p. 49.

173 *Clima de espionagem à parte, Jean-Rémy não descobriria o segredo*: Há discordâncias sobre por quanto tempo que Barbe-Nicole conseguiu manter segredo da *remuage*. Roderick Phillips afirma que foram poucos anos e que a técnica já era amplamente usada na região na década de 1820; ver Phillips, p. 243. Entretanto, tudo indica que Jean-Rémy Möet, apesar de seu entusiasmo pelas inovações tecnológicas na indústria do champanhe, só adotou a técnica em 1832, o que seria certamente no mínimo curioso, caso a *remua-*

ge já estivesse sendo amplamente usada na Champagne. Sobre Möet e a *remuage*, ver Desbois-Thibault, p. 74.

174 *mal conseguia vender 20 mil garrafas*: Etienne, p. 277. Em 1812, Möet vendeu aproximadamente 35 mil garrafas; ver Desbois-Thibault, p. 36.

174 *exportavam mais de 175 mil garrafas*: Desbois-Thibault, p. 36, Crestin-Billet, p. 88.

CAPÍTULO 12: OS ARISTOCRATAS DO VINHO

175 *Dois rapazes interessantes disputavam a atenção de sua filha*: Chimay, pp. 31-33.

175 *Florent Simon, o marido de Marie*: Florent Simon Andrieux (1761-1835) e Marie, *née* Lasnier (1768-1842). As visitas de Édouard, Barbe-Nicole e sua família ao salão Andrieux foram registradas pelo neto de Marie, Arthur Barbat de Bignicourt (1824-1888), em *Un salon à Reims em 1832* (Reims: s/e, 1879).

Em 1820, as duas famílias ficaram ainda mais unidas quando o enteado de Clémentine Barrachin, irmã de Barbe-Nicole, um jovem chamado Augustin (1797-1883), casou-se com uma das filhas de Andrieux, Elizabeth (1799-1846). Augustin era filho de Jean-Nicolas Barrachin com sua primeira esposa, Charlotte Augustine, *née* Raux.

Florent Simon foi prefeito de Reims de 1828 a 1835, depois que Nicolas Ponsardin deixou a prefeitura. Durante todo o século XIX, os empresários da Champagne foram bem representados na política da cidade. Entre outros notáveis, incluía-se um parente distante de Barbe-Nicole, Irénee Ruinart de Brimont (Champagne Ruinart, 1820-1827), e mais tarde Édouard Werlé (Champagne Veuve Clicquot Ponsardin, 1852-1868). Detalhes em www.Reims.unblog.fr/tag/generale.

176 *"Não chore, Mentine", sua mãe lhe dissera recentemente*: Gmeline, p. 20; Chimay, p. 31.

176 *Barbe-Nicole ofereceu o generoso dote de 100 mil francos*: Chimay, pp. 31-33.

176 *"como repolhos na feira"*: Crestin-Billet, p. 24.

177 *"Essa conversa de casamento", ela escreveu a Mademoiselle Gard*: Chimay, p. 31.

177 *o rei Luís XVIII havia confirmado seu título*: Fiévet, *Madame Veuve Clicquot*, p. 47.

177 *Barbe-Nicole "estava encantada"*: Chimay, p. 42.

178 *"boa vida agora e opulência no futuro"*: Ibid., p. 35.
178 *"comparecendo aos bailes de Maria Antonieta..."*: Tomes, p. 95; Fiévet, *Madame Clicquot Ponsardin*, p. 115.
178 que o mandato ordenasse a prisão do 'Cidadão Fulano e de todos os que estivessem em sua casa': Anônimo, *A Residence in France During the Years 1792, 1793, 1794 e 1795*, s/e.
179 *tia de Louis, a condessa de Marmande*: Vários detalhes sobre a família e a infância de Louis de Chevigné em Gmeline, pp. 21-25.
180 *"obter um título de nobreza era uma boa estratégia de marketing"*: Kolleen Guy, "'Oiling the Wheels of Social Life': Myths and Marketing in Champagne during the Belle Epoque", *French Historical Studies* 22, n.º 2 (primavera de 1999): 211-239, 218.
181 *"menos capaz ela seria de negar"*: Chimay, p. 35.
181 *Clémentine, talvez cansada daquele desfile de pretendentes*: Erin Poindron, "Promenade et *Conte rémois*, en guise d'introduction, or tentative de nouvelle essai à la manière modeste des *Contes* de Louis de C[hevigné], disponível em http://blog,france3.fr/cabinet-de-curiosites/tb.php?id =59083.
181 *"Não vou me deixar empobrecer"*: Chimay, pp. 32, 38.
181 *além de acomodações na casa de sua família*: Sobre a moradia convencional das famílias na França do século XIX, ver David I. Kertzer e Marzio Barbagli, *Family Life and Early Modern Times, 1500-1789* (New Haven, Connecticut: Yale University Press, 2001), e Frederic Le Play, *La reforme sociale* (1872), reimpresso em Catherine Bodard Silver, ed., *On Family Work and Social Change* (Chicago: University of Chicago Press, 1982).
181 *"esperar pelo restante da herança, que não deveria demorar"*: Chimay, p. 35.
181 *a cerimônia seria realizada em Reims no dia 10 de setembro*: Há uma reprodução em *fac-símile* do convite do casamento em Diane de Maynard, *La descendance de Madame Clicquot-Ponsardin*, preface de la Vicomtesse de Luppé (Mayenne: Joseph Floch, 1975).
182 *"Entenda-se com Monsieur de Chevigné sobre o enxoval"*: Chimay, p. 36.
182 *infortúnio a seu tio e a sua tia Thérèse*: Adrien viveu de 1802 a 1826; o filho de seu primeiro casamento, Pierre, viveu até 1870.
182 *"Clémentine já não tem timidez com o marido, ela já o trata por tu"*: Gmeline, p. 23; Chimay, p. 37.
183 *referências indiscretas do amigo Richard Castel*: Chimay, pp. 40-41.
183 *o comte de Chevigné, que ainda não tinha escrito suas fábulas [eróticas]*: Barbat de Bignicourt, *Un salon à Reims em 1832* (1879), citado em Eugène

Dupont, *La vie rémoise*, ed. Jean-Yves Sureau, disponível em www.laviere moise.free.fr.

184 *Em Londres, a duquesa de Devonshire*: Ver Amanda Forman, *Georgiana: Duchess of Devonshire* (Nova York: Random House, 1999).

184 *o humilde sanduíche é um sinal daqueles tempos*: segundo o relato de um viajante da época, o sanduíche foi inventado numa mesa de jogo por John Montagu, quarto duque de Sandwich (1718-1792); ver Pierre Grosley, *A Tour to London, or New Observations on England and Its Inhabitants* (Londres: Lockyer Davis, 1772).

184 *"era um protesto contra a modernidade burguesa e capitalista"*: E.J. Carter, "Breaking the Bank: Gambling Casinos, Finance Capitalism, and German Unification", *Central European History* 39 (2006): 185-213, 186.

185 *Philippe Clicquot... morrera no fim de 1819*: sua morte foi registrada em 23 de outubro de 1819; ver Lallemand, *Le Baron Ponsardin*.

185 *seu pai falecera, aos 73 anos de idade*: Fiévet, *Madame Veuve Clicquot*, registra a data em 25 de outubro de 1820, p. 50.

186 *"flexível e pragmático em suas crenças..."*: Ibid., p. 51.

186 *"seletivo em suas amizades"*: Ibid., p. 50.

187 *escorregou no gelo e caiu de uma ponte*: Crestin-Billet, p. 89.

187 *e doar toda a companhia para George*: Ibid., p. 91.

187 *No início do século... havia dez casas de champanhe*: Detalhes no website da Union des Maisons de Champagne, disponível em www.maisons-champagne.com.

188 *"não existe outro país em que se ganhem fortunas com tamanha facilidade..."*: Ver "L'insertion de la maison Pommery dans le négoce du champagne", em www.patrimonieindustriel-apic.com, p. 8.

188 *um belo alemão de 20 anos, chamado Matthieu-Édouard Werler*: Crestin--Billet, pp. 91-94.

188 *"Werler... chegou a Reims como um rapaz pobre, vindo do ducado de Nassau..."*: Tomes, p. 87.

CAPÍTULO 13: FLERTANDO COM O DESASTRE

191 *O teto de uma das salas era decorado com figuras esculpidas em madeira*: Paul Vitry, *L'Hôtel le Vergeur, notice historique* (Reims: Societé des Amis du Vieux Reims/Henri Matot, 1932), p. 11. Segundo os arquivos municipais, um cavalheiro de nome Vanin-Clicquot, dono de uma manufatureira em Reims e provavelmente ligado à família, comprou o prédio em 27 de bru-

mário do ano II, reformou toda a mansão e vendeu-a para Barbe-Nicole em 1822. Em 1895, foi vendida pela família Werlé, que havia entrado na posse da mansão depois da morte de Barbe-Nicole.

191 *o principal motivo da falência de empresas sólidas ainda é a ambição expansionista*: Ver, por exemplo, Carlos Grande, "Stretching the Brand: The Risk of Extension", *Financial Times*, 4 de junho de 2007, em www.ft.com, e Dennis Berman, "Growing Danger: Relentless Prosperity Is Forcing a Choice on Many Small Companies: Expand or Die", *Business Week*, 8 de outubro de 1999, em www.businessweek.com.

192 *"banqueiros desempenhavam um papel secundário... no ciclo produtivo"*: Desbois-Thibault, p. 80.

192 *emprestava suas próprias economias ao empregador*: George V. Taylor, "Notes on Commercial Travelers in Eighteen-Century France", *Business History Review* 38, n.º 3 (outono de 1964): 346-353, 348.

192 *Desde 1819, Jean-Rémy Möet financiava seus próprios custos de produção*: Desbois-Thibault, pp. 80-81.

193 *que o poeta William Blake chamou de "negras fábricas satânicas"*: De "And did those feet in ancient times", *Milton* (1804), prefácio. Naquele momento da história industrial inglesa, as fábricas de Londres e arredores eram basicamente têxteis, com máquinas movidas a água e não a vapor, que depois dominaram a indústria; ver Sir Edward Baines, *History of the cotton manufacture in Great Britain, with a notice of its early history on the East and in all the quarters of the globe: A description of the great mechanical inventions, which have caused its unexampled extension in Britain: And a view of the present state of the manufacture, and the conditions of the classes engaged in its several departments* (Londres: H&R Ficher, P. Jackson, 1835).

193 *Luís Felipe, duque de Orléans*: Fiévet, *Madame Veuve Clicquot*: "Quando da coroação de Carlos X, Madame Clicquot teve a honra de hospedar... o duque de Orléans, Luís Felipe", p. 23. Charles-Philippe, conde de Artois, irmão mais novo de Luís XVI e cunhado de Maria Antonieta, depois da morte de Luís XVII foi coroado rei, em 1824, aos 67 anos. Foi deposto na revolução de 1830 e Luís Felipe subiu ao trono por aclamação popular.

193 *Barbe-Nicole se viu com quase 14 milhões de dólares no vermelho*: 700 mil francos franceses; estatística de Crestin-Billet, p. 91.

194 *Quando um jovem chegava choroso e trêmulo de medo para entregar uma partida de garrafas com defeitos*: Entrevista, 8 de janeiro de 2007, Fabienne

Huttaux, gerente de Recursos Históricos, Champagne Veuve Clicquot Ponsardin.

195 *casou-se com uma jovem chamada Louise-Émilie Boisseau*: Crestin-Billet, p. 43.

195 *noivo da filha de um importante membro do governo na Alemanha*: Segundo Vizetelly: "O estabelecimento de G. C. Kessler & Co. em Esslingen – que já fora uma das mais importantes cidades imperiais, e pitorescamente situada no Neckar – ocorreu em 1826. Afirma-se que é a mais antiga fábrica de vinho espumante na Alemanha", p. 192. Detalhes retirados de material promocional, em www.kessler-sektellerei.de.

195 *Barbe-Nicole administrava uma grande operação*: Vizetelly registra que seus concorrentes, como Möet et Chandon, por exemplo, tinham 1.500 empregados em 1879; p. 113.

196 *"a superioridade da marca"*: Fiévet, *Madame Veuve Clicquot*, p. 63.

196 *Barbe-Nicole já sabia o que a historiadora Kolleen Guy descobriu recentemente*: Guy, "Oiling the Wheels of Social Life", p. 216, n.º 20; citando o U. S. Department of State, despachos do cônsul dos Estados Unidos em Reims, 15 de janeiro de 1869.

197 *se não devia proteger seu nome*: Delpal, p. 173.

197 *ela tratou de registrar sua marca do cometa na rolha*: Crestin-Billet, p. 134.

197 *André Julien vinha trabalhando nas adegas de Jean-Rémy Möet*: Desbois-Thibault, p. 141; Fiévet, *Histoire de la ville d'Épernay*, p. 82, dá maiores detalhes da mecanização da indústria no fim da década de 1830. Ver também François Bonal, *Champagne Mumm: Un champagne dans l'histoire* (Paris: Arthaud, 1987).

197 *de Cyrus Redding, elogiava as novas prensas*: Cyrus Redding, *A History and Description of Modern Wines* (Londres: Whittaker, Treacher, & Arnot, 1833), p. 56.

198 *Em todo o país, a lavoura se perdia*: David H. Pinkney, "A New Look at the French Revolution of 1830", *Review of Politics* 23, n.º 4 (outubro de 1961): 490-506, 492.

198 *na grande firma Poupart de Neuflize*: Fritz Redlich, "Jacques Lafitte and the Beginnings of Investment Banking in France", *Bulletin of the Business Historical Society* 22, n.ºs 4-6 (dezembro de 1948): pp. 137-161, e Richard J. Barker, "The Conseil General des Manufactures under Napoléon (1810-1814)", *French Historical Studies* 6, n.º 2 (outono de 1969): pp. 185-213, 196, n.º 36.

199 *quase 5,5 milhões de dólares*: 270 mil francos; Crestin-Billet, p. 93.
200 *a impressionante quantidade de 280 mil garrafas de champanhe*: Ibid., pp. 88-94; Desbois-Thibault, p. 333.
201 *quando deixaram de ser apenas um protesto burguês*: Edgar Leon Newman, "The Blouse and the Frock Coat: The Alliance of the Common People of Paris with the Liberal Leadership and the Middle Class during the Last Years of the Bourbon Restoration", *Journal of Modern History* 46, n.º 1 (março de 1974): 26-59, 31.
201 *Mais de metade da população parisiense já vivia em extrema pobreza*: Essas estatísticas e as seguintes foram retiradas de Pinkney, p. 494.
201 *"já tinha tirado o casaco de botões de flores-de-lis [da realeza]"*: François-René de Chateaubriand, *Mémoirs d'outre-tombe* [Memórias de além-túmulo] (1849-1850), trad. A. S. Kline, seção 31, p. 8, em www.kline.pgcc.net/PITBR/Chateaubriand/Chathome.htm.
201 *a prefeitura fora saqueada*: Fiévet, *Histoire de la ville d'Épernay*, pp. 318-320.
201 *o ódio aos reis Bourbon e a seus partidários era particularmente intenso*: Pamela Pilbeam, "The 'Three Glorious Days': The Revolution of 1830 in Provincial France", *Historical Journal* 26, n.º 4 (dezembro de 1983): pp. 831-844, 837.
203 *agitando a bandeira tricolor de uma geração anterior mais radical*: A Guarda Nacional foi reativada com particular intensidade em Haut-Marne e associada especificamente ao ressurgimento da *tricolore* e à eleição democrática de dignatários para ocupar posições de liderança civil e militar; ver Pilbeam, p. 836.
203 *"Meus sentimentos estão divididos", escreveu, "mas lamento acima de tudo os laços de família..."*: Citado em Poindron, s/e.
203 *"o reinado de Luís Felipe foi um régime comercial"*: Anônimo, "Entertaining the Son of the 'Bourgeois King'", *Bulletin of the Business Historical Society* 3, n.º 4 (junho de 1929): 15-17, 15.
203 *a maior parte daquele período foi de uma nova expansão econômica*: Pilbeam, p. 832.

CAPÍTULO 14: O IMPÉRIO DO CHAMPANHE
204 *o rei fez sua primeira visita à região vinícola da Champagne*: Fiévet, *Histoire de la ville d'Épernay*, pp. 334-335.

206 *os historiadores chamam de "revolução administrativa"*: Alfred D. Chandler Jr., "The Emergence of Managerial Capitalism", *Business History Review* 58, n° 4 (inverno de 1984): 473-503, 473.

206 *"empresas administradas pessoalmente... se tornaram especializadas"*: Ibid., p. 383.

207 *os vinhos da Viúva Clicquot poderiam facilmente ter o mesmo destino dos vinhos da viúva Binet*: Para detalhes históricos da viúva Binet, ver Union des Maisons des Champagne, em www.maison-champagne.com.

207 *Os primeiros trilhos de ferrovias já vinham sendo colocados na França*: Fiévet, *Histoire de la ville d'Épernay*, p. 108.

208 *Era um homem gentil, dotado de sensibilidade artística*: Tomes, p. 95; Gmeline, pp. 30, 170.

209 *as mulheres francesas viviam, em média, menos de 45 anos*: "Data on Healthy Life in the European Union", disponível em www.http://ec.europa.eu/health/ph_information/indicators/lifeyears_data_en.htm.

210 *uma velha senhora de 89 anos, com jeito de gnomo*: Tomes, p. 68.

210 *"também é alemão e sobrinho, acredita-se, de [Édouard] Werler"*: Ibid., p. 89.

211 *"Tenho aqui netos e bisnetos à minha volta"*: Citado em Crestin-Billet, p. 94.

211 *"Estou fazendo preparativos... para me mudar para o campo..."*: Detalhes desse trecho e dos seguintes em Fiévet, *Madame Veuve Clicquot*, p. 94.

212 *corria uma anedota sobre sua construção*: Tomes, pp. 96-97.

213 *"Era um grande castelo..."*: Maynard, prefácio, s/e.

213 *"adornada com tapeçarias modernas e painéis ricamente esculpidos"*: Essa citação e as seguintes são de Chimay, pp. 50-51.

215 *"... sem a inteligência e a graça, mas com toda a grosseria desses autores"*: Tomes, p. 97.

216 *se Louis não precisasse novamente de dinheiro*: Gmeline, p. 25.

CAPÍTULO 15: A GRANDE DAMA

217 *o que os médicos chamavam de congestão cerebral*: Gustavo C. Roman, "Cerebral Congestion, a Vanished Disease", *Archives of Neurology* 44, n° 4 (abril de 1987), Sumário: "Ocorria não apenas hemorragia cerebral, mas também lacunas (Dechambre, 1838), *etat crible* [sic; estado cribriforme] (Durand-Fardel, 1842), depressão, episódios maníacos, dores de cabeça, coma e convulsões. Segundo Hammond (1871, 1878), a congestão cerebral era 'mais comum... que qualquer outra aflição do sistema nervoso'." Ver também Gustavo C. Roman, "On the History of Lacunes, *État Crible*, and

the White Matter Lesions of Vascular Dementia", *Cerebrovascular Diseases* 13, n.° 2 (2002): 1-6. Alguns sugerem que a congestão cerebral era uma descrição da malária, ou mais provavelmente do cólera. Nos anos 1820, considerava-se o quinino um tratamento relativamente confiável para a malária, que era identificada pelos calafrios. Os sintomas são semelhantes aos do cólera, que ainda era pandêmico na Europa no início da década de 1850. Contudo, a congestão cerebral pode ter sido resultado de outras tantas doenças. Para diagnósticos possíveis, ver "Old Diseases and Their Symptoms", em http://web.ukonline.co.uk./thursday.handleigh/history/health/old-diseases.htm.

218 *"Tinha seis anos quando meu irmão Paul adoeceu..."*: Gmeline, pp. 1-2.
218 *Dias depois viu-se que Anne havia contraído a doença*: Ibid., p. 3.
218 *Em vista dos casos de cólera ainda frequentes*: Ibid., p. 2.
219 *"por pais tristonhos e avós idosas"*: Ibid., p. 3.
219 *principalmente entre os dois homens, que não se davam bem*: Ibid., p. 35.
219 *"Minha querida mãe tinha uma personalidade tão fraca"*: Ibid., p. 30.
219 *"nem sempre a vida era fácil"*: Ibid., p. 7.
219 *"reinava a animosidade"*: Ibid.
219 *escrita por Victor Fiévet e intitulada Madame Veuve Clicquot (née Ponsardin)*: Publicada por solicitação explícita de Louis de Chevigné, que entrou em contato com o autor depois de ler sua biografia de Jean-Rémy Möet.
220 *Alphonse Marie Louise de Lamartine*: Romancista e político francês (1790-1869), autor de *Histoire des Girondins* (Paris: Furne et Cie., 1847).
221 *Por um curto período, instalou-se uma segunda república*: Em seguida à abdicação de Luís Felipe em 1848 e sua Monarquia de Julho. Em 1852, Luís Napoleão assumiu o título de imperador Napoleão III, que conservou até a intensificação da Guerra Franco-Prussiana, em 1870.
221 *"mulheres trabalhadoras haviam emergido como um ponto de tensão e debate"*: Judith A. DeGroat, "The Public Nature of Women's Work: Definitions and Debates During the Revolution of 1848", *French Historical Studies* 20, n.° 1 (inverno de 1997): 37-47, 32.
221 *"A mulher não foi feita para fabricar nossos produtos..."*: *L'Atelier*, 4 de janeiro de 1841; citado em DeGroat, p. 34.
222 *sons das vozes ao longe e do ranger das rodas das carroças*: Vizetelly, p. 119.
222 *uma das salas da Clicquot-Werlé tinha oito prensas*: Ibid., p. 39.
222 *suficientes para abastecer o mercado internacional*: Tomes, p. 68.

222 *conhecidos como champanhes de "Selo Consular"*: Anunciado na *Harper's Weekly* de 25 de julho de 1868: Tomes, p. 62.

223 *REIMS impressa em destaque nos rótulos das garrafas de vinho Clicquot*: Ibid., p. 59.

224 *um dos mais ricos da França... uma fortuna de quatro ou cinco milhões de dólares*: Ibid., p. 87; um dólar, em 1850, equivale a 21,11 em 2003; detalhes estatísticos disponíveis em http://listlva.lib.va.us/cgibin/wa.exe?A2=ind 0410&L=VA-ROOT&P=3010.

224 *80 mil francos... para a construção de um abrigo para crianças pobres*: Fiévet, *Madame Clicquot Ponsardin*, p. 103.

224 *Madame Clicquot... é rainha de Reims*: Prosper Mérimée, *Oeuvres completes de Prosper Mérimée*, ed. Pierre Trahard e Edouard Champion (Paris: H. Champion, 1927), carta de 26 de julho de 1853. É uma quantia da ordem de 700 mil dólares.

224 *Nunca me acusem de inveja!*: Fiévet, *Madame Veuve Clicquot*, pp. 73-74.

225 *Édouard foi indicado para prefeito de Reims*: Detalhes em www.Reims-web.com/Reims/champagne-Reims-veuve-Clicquot.html.

225 *"imperialista ardoroso"*: Tomes, p. 88.

225 *"faz qualquer coisa por seu vinhateiro predileto, menos beber seu champanhe"*: Ibid.

225 *a mais sábia manipuladora dos espumantes de Aÿ e Bouzy de seu tempo*: Vizetelly, p. 21.

225 *fabricado ao gosto dos russos, que preferem um champanhe doce e forte*: Tomes, p. 68.

227 *Seu marido, Alexandre, fora um comerciante de lãs em Reims*: Detalhes desse trecho e dos seguintes em "L'insertion de la maison Pommery dans le négoce du champagne", em www.patrinomieindustriel-apic.com.

227 *"ela estava preparada para assumir tanto uma empresa quanto um governo"*: François Bonal, *Le livre d'or du champagne* (Lausane: Édition du Grand Pont, 1984), p. 66.

227 *Veuve Pommery e Companhia em uma empresa imensamente lucrativa*: Raphaël Bonnedame, *Notice sur la maison Veuve Pommery, Fils & Cie* (Épernay: s/e, 1892), citado em www.patrimonieindustrielapic.com/documentation/maitrise%20piotrowski/partie%201%20chap%201.htm.

228 *champanhe no estilo que ainda hoje conhecemos como* brut: "Em 1860, ela [Madame Pommery] entendeu que o champanhe adocicado, doce ou *demi*

sec, seria sempre um vinho sem grande futuro. Ela viu que colocar esses vinhos no mercado como vinhos *brut,* com o nome de *sec* ou extra *sec*, traria maior crescimento à Champagne. Após pesquisar, ela decidiu comercializar vinhos *brut nature* para acompanhar as refeições... o *brut nature*, sem adição de açúcar, chegou ao mercado em 1874"; Glatre, p. 95. Vizetelly acrescenta: "Ao champanhe extrasseco é adicionada uma dose módica, ao passo que o chamado vinho '*brut*' não recebe mais do que 1% a 5% de licor"; Vizetelly, p. 60.

228 *ao estilo das mansões da aristocracia rural inglesa*: Helen Gillespie-Peck sugere um projeto baseado no castelo Inveraray e na mansão Mellerstain; ver Peck, WineWoman@Bergerac.France (Ely, Reino Unido: Melrose Books, 2005), p. 119. O *domaine* foi construído durante os anos 1860 e 1870.

229 *As adegas foram decoradas com belas esculturas*: Louise Pommery encarregou o escultor Henri Navlet de decorar um trecho dos seus mais de 16 quilômetros de adegas com baixos-relevos com temas de vinho e de Baco; material promocional, Champagne Pommery.

229 *seus descendentes ainda são donos da próspera loja de vinhos Champagne Henriot*: Material promocional, Champagne Henriot, em www.champagne-henriot.com/histoire.php.

230 *"a maior e mais rica de todas" as empresas locais*: Tomes, p. 69. Sobre madame Jacques Olry, ver www.maisons-champagne.com/bonal/pages/04/04-01_1.htm.

230 *"compradores da alta classe inglesa [que] exigem uma bebida seca"*: Vizetelly, p. 60.

230 *"cor da gema do ovo das famosas galinhas alimentadas com milho de Bresse"*: Matasar, p. 29; ver também Marion Winick, "The Women of Champagne", *American Way*, 1º de março de 1997, p. 113. Embora seja considerada um laranja forte, a cor é registrada como "Amarelo Clicquot".

CAPÍTULO 16: A RAINHA DE REIMS

233 *"visitantes locais e estrangeiros eram bem-vindos, recebidos com perfeita hospitalidade..."*: Fiévet, *Madame Veuve Clicquot*, pp. 90-91.

233 *"o Château de Boursault era um must em sua lista"*: Fiévet, *Madame Veuve Clicquot*, pp. 16-98.

233 *"todos os príncipes, czares, arquiduques, cardeais romanos, nababos e lordes"*: Citado em Gmeline, p. 36.

233 *"traços delicados e cheia de energia..."*: Fiévet, *Madame Veuve Clicquot*, pp. 88-91.
234 *O rei da Sérvia e metade dos duques franceses disputavam sua mão*: Gmeline, p. 43.
234 *"vou lhe contar um segredo..."*: "Extrait du livret conçu pour l'exposition itinérante de 2005", Champagne Veuve Clicquot Ponsardin, citado em www.Reims-web.com/Reims/champagne-Reims-veuve-clicquot.html#.
236 *foi capturado perto da antiga província da Champagne, na batalha de Sedan*: A batalha ocorreu cerca de 80 quilômetros a noroeste de Reims, em 1º de setembro de 1870.
237 *uma importante ferrovia que passava pelo vale*: Fiévet, *Madame Veuve Clicquot*, p. 16.
237 *quase 10 milhões de dólares de indenização*: 400 mil francos; Poindron, s/e.
237 *"Sou um homem idoso... e minha vida não vale essa quantia"*: Ibid.
238 *"Agradeço à minha neta por toda a alegria que ela trouxe à nossa família"*: Gmeline, p. 63.
239 *enfrentando as pragas que invadiram os vinhedos, duas guerras mundiais*: Henri Jolicoeur, *Description des ravageurs de la vigne: Insectes et champignons parasites* (Reims: Michaud, 1894); J. L. Rhone-Converset, *La vigne, ses maladies – ses enemies – sa défense en Bourgogne et Champagne, etc.* (Paris: Châtillon-sur-Seine, 1889); ver também Don e Petie Kladstrup, *Champagne: How the World's Most Glamourous Wine Triumphed over War and Hard Times* (Nova York: William Morrow, 2005).

POSFÁCIO

244 *algumas das maiores casas comerciais tinham uma mulher na direção*: Linus Pierpont Brocket, *Woman: Her Rights, Wrongs, Privileges, and Responsibilities* (Cincinnati: Howe's Book Subscription Concern, 1869), p. 201; para maior aprofundamento, ver também Angel Kwolek-Folland, *Engendering Business: Men and Women in the Corporate Office, 1870-1930* (Baltimore: Johns Hopkins University Press, 1994).
244 Angela Georgina Burdett-Coutts (1814-1906) era a filha mais nova do importante banqueiro Thomas Coutts (1735-1822), que herdou a empresa de uma parenta idosa em 1835. Foi cortejada por Louis-Napoléon e era amiga íntima do rei Luís Felipe da França. Recusou todos os pretendentes até 1881, passando a maior parte da vida como mulher de negócios e celebrida-

de dedicada à filantropia. Acabou se casando, aos 67 anos, com seu secretário, de 30 anos de idade, William Lehman Ashmead Bartlett (1851-1921). Edna Healey, *Lady Unknown: The Life of Angela Burdett-Coutts* (Nova York: Coward, McGann & Geoghegan, 1978).

244 *"a mulher mais notável do país, depois de minha mãe"*: Laura Cochrane, "From the Archives: Women's History in Baker Library's Business Manuscripts Collection", *Business History Review* 74 (outono de 2000): 465-476.

245 *administravam lavouras no Sul e fábricas têxteis no Norte*: Sobre mulheres de negócios no século XIX nos Estados Unidos, ver, por exemplo, Carla Anzilotti, "Autonomy on the Female Planter in Colonial South Carolina", *Journal of Southern History* 63, n° 2 (1997): 239-268; David L. Coon, "Eliza Lucas Pinckney and the Reintroduction of Indigo Culture in South California", *Journal of Southern History* 42, n° 1 (1976): 61-76; Eliza Pinckney, *The Letterbook of Eliza Lucas Pinckney* (Chapel Hill: University of South Carolina Press, 1997).

245 *a distribuidora de catálogos de sementes Carrie Lippincott e a fornecedora de remédios Lydia Pinkham*: ver Cochrane, pp. 465-469.

246 *"... nenhum outro causou tantos danos"*: Charles Tovey, *Champagne Revelations*, pp. 32-33. Sobre o monopólio no contexto atual, Jancis Robinson observa que "a questão central da delimitação geográfica da produção de vinho não se restringe à melhoria da qualidade... é [também] um procedimento legislativo que criou uma situação de monopólio para os produtores de uma determinada área", citado em Michael Maher, "In Vino Veritas?: Clarifying the Use of Geografic References on American Wine Labels", *California Law Review* 89, n° 6 (dezembro de 2001): 1881-1925, 1922.

Bibliografia

Amerine, Maynard A., *Wines of Champagne and Sparkling Wines*. Paris: Encyclopédie Agricole, 1930.

Anônimo. *A Residence in France, During the Years 1792, 1793, 1794, and 1795; Described in a Series of Letters from an English Lady*. Ed. John Gifford. Londres: T. N. Longman, 1797.

———. "The Comet." Robert Merry's Museum (novembro de 1858): 137-139.

———. *A Glimpse of the Famous Wine Cellar, in Which Are Described the Vineyards of Marne and the Methods Employed in Making Champagne*. Translated from the French. Nova York: Francis Draz & Co., 1906.

———. "Entertaining the Son of the 'Bourgeois King'." *Bulletin of the Business Historical Society* 3, n.º 4 (junho de 1929): 15-17.

———. *Reims and Battles for Its Possession*. Paris: Michelin, 1919.

———. *London at Table: or, How, When, and Where to Dine and Order a Dinner, and Where to Avoid Dining, with Practical Hints to Cooks*. Londres: Chapman & Hall, 1851.

———. *Description de la fête patriotique, célébrée à Rethel le 14 Juillet 1790, & jours suivants*. Reims: Jeunehomme, Imprimeurs du Rois, 1790.

Anzilotti, Cara. "Autonomy and the Female Planter in Colonial South Carolina." *Journal of Southern History* 63, n.º 2 (1997): 239-268.

Assier, Alexandre. *Légendes, curiosités et traditions de la Champagne et de la Brie*. Paris: Techener Librairie, 1860.

———. *Napoléon Ier à l'École Royale Militaire de Brienne d'après des documents authentiques et inédits, 1779-1784*. Paris: s/e, 1874.

Aston, Nigel. *The End of an Élite: The French Bishops and the Coming of the Revolution*. Clarendon: Oxford University Press, 1992.

Baines, Edward. *History of the cotton manufacture in Great Britain, with a notice of its early history on the East, and in all the quarters of the globe: A description of the great mechanical inventions, which have caused its unexampled extension in Britain: And a view of the present state of the manufacture, and the conditions of the classes engaged in its several departments*. Londres: H. and R. Fisher, P. Jackson, 1835.

Bakalinsky, A. T. "Sulfites, Wine and Health", in: *Wine in Context: Nutrition, Physiology, Policy: Proceedings of the Symposium on Wine and Health*. Eds. Andrew L. Waterhouse e R. M. Rantz. Davis. Califórnia: American Society of Enology and Viticulture, 1996.

Barker, Hannah. *Business of Women: Female Enterprise and Urban Development in Northern England 1760-1830*. Oxford: Oxford University Press, 2006.

Barker, Richard J. "The Conseil General des Manufactures under Napoléon (1810-1814)." *French Historical Studies* 6, n.º 2 (outono de 1969): 185-213.

Bercé, Yves-Marie. *Vignerons et vins, de Champagne et d'ailleurs, XVIIe-XXe siècle*. Reims: Université de Reims, Centre d'Études Champenoises, Departement d'Histoire, 1988.

Bésème-Pia, Lise. *Vignoble champenois: Lexique du paysan et du vigneron champenois*. Rethel: Binet Sarl, 1997.

Bidet, Nicolas. *Traité sur la culture des vignes, sur la façon du vin, et sur la manière de le gouverner: Ouvrage orné des figures, & en particulier de celle d'un pressoir d'une nouvelle invention*. Paris: Chez Savoye, 1752.

Bignicourt, Arthur Barbat de. *Les Massacres à Reims en 1792 après des documents authentiques*. Reims: s/e, 1872.

———. *Un salon à Reims en 1832*. Reims: s/e, 1879.

Black, Charles Bertram. *Guide to the North East of France, including Picardy, Champagne, Burgundy, Lorraine, and Alsace*. Londres: Sampson Low & Co., 1873.

Blayo, Yves. "La mortalité en France de 1740 à 1829." *Population* (novembro de 1975): 124-142.

Bonal, François. *Dom Pérignon: Vérité et légende*. Londres: D. Guéniot, 1995.

———. *Champagne Mumm: Un champagne dans l'histoire*. Paris: Artaud, 1987.

———. *Le livre d'or du Champagne*. Lausane: Bonal Éditions du Grand Pont, 1984.

Bonnedame, Raphaël. *Notice sur la maison Möet et Chandon d'Épernay*. Épernay: Imprimerie de R. Bonnedame, 1894.

———. *Notice sur la maison Veuve Pommery, Fils & Cie.* Épernay: s/e, 1892.

Boralevi, Lea Campos. *Bentham and the Opressed.* Nova York: Walter de Gruyter, 1984.

Bourgeois, Armand. *Le vin du Champagne sous Louis XIV et sous Louis XV.* Paris: s/e, 1897.

———. *Promenade d'un touriste dans l'arrondissement d'Épernay.* 2 vols. Paris: s/e, 1906.

Brennan, Thomas. *Burgundy to Champagne: The Wine Trade in Early Modern France.* Baltimore: Johns Hopkins University Press, 1997.

Briailles, Raoul Chandon de e Henri Bertal. *Sources de l'histoire d'Épernay.* 2 vols. Paris: s/e, 1906.

Briailles, Raoul Chandon de. *Vins de Champagne et d'ailleurs: La bibliotèque de.* Paris: Fédération française pour la coopération des bibliothèques, 2000.

Brocket, Linus Pierpont. *Woman: Her Rights, Wrongs, Privileges, and Responsibilities.* Cincinnati: Howe's Book Subscription Concern, 1869.

Bruce, Evangeline. *Napoleon and Josephine: An Improbable Marriage.* Nova York: Scribner, 1995.

Buchan, William. *Domestic Medicine, or, A treatise on the prevention and cure of diseases, by regimen and simple medicines. With an appendix, containing a dispensatory for the use of private practioners.* Filadélfia: Richard Folwell, 1791.

Buffenoir, Hippolyte. *Grandes dames contemporaines: La Duchesse d'Uzès.* Paris: Librairie du Mirabeau, 1893.

Busby, James. *Journal of a recent visit to the principal vineyards of Spain and France: a minute account of the different methods pursued in the cultivation of the vine and the manufacture of wine.* Nova York: C. S. Francis, 1835.

Carmaran-Chimay, Jean, princesa de. *Madame Veuve Clicquot Ponsardin: Her Life and Times.* Reims: Debar, 1956.

Carter, E. J. "Breaking the Bank: Gambling Casinos, Finance Capitalism, and German Unification." *Central European History* 39 (2006): 185-213.

Carter, Jenny e Therese Duriez. *With Child: Birth Through the Ages.* Edimburgo: Mainstream Publishing, 1986.

Champenoises: Ecomusée de la région de Fourmies Trélon. Trélon: Atelier-Musée du Verre Trélon, 2000. Catálogo de exposição.

Chandler Jr., Alfred D. "The Emergence of Managerial Capitalism." *Business History Review* 58, n.º 4 (inverno de 1984): 473-503.

Chaptal, Jean-Antoine, conde de. *L'Art de faire le vin.* Paris: Madame Huzard, 1819.

Chateaubriand, François-René de. *Memoirs from Beyond the Tomb (Memoirs d'outre-tombe, 1849-1850)*. Trad. A. S. Kline, 31:8, www.tkline.pgcc.net/PITBR/Chateaubriand/Chathome.htm.

Choudhury, Mita. *Convents and Nuns in Eighteen-Century French Politics and Culture*. Ithaca: Cornell University Press, 2004.

Clark, Christopher. *Iron Kingdom: The Rise and Downfall of Prussia, 1600-1947*. Nova York: Penguin, 2007.

Cochrane, Laura. "From the Archives: Women's History in Baker Library Business Manuscripts Collection." *Business History Review* 74 (outono de 2000): 465-476.

Code Napoleon, or, The French Civil Code. Literally Translated from the Original and Official Edition, Published in Paris, in 1804. Trad. George Spence. Londres: William Benning, 1827.

Conner, Susan P. "Public Virtue and Public Women: Prostitution in Revolucionary Paris, 1793-1794." *Eighteen-Century Studies* 28, n° 2 (inverno de 1994): 221-240.

Constant, Louis. *Mémoirs de Constant, premier valet de chambre de l'impereur, sur la vie privée de Napoléon, sa famille, e sa cour*. Trad. P. Pinkerton. 4 vols. Londres: H. S. Nichols, 1896.

Coon, David L. "Eliza Lucas Pinckney and the Reintroduction of Indigo Culture in South Carolina." *Journal of Southern History* 42, n° 1 (1976): 61-76.

Craig, Béatrice. "Where Have All the Businesswomen Gone?: Images and Reality in the Life of Nineteenth-Century Middle-Class Women in Northern France", in: *Women, Business and Finance in Nineteenth-Century Europe: Rethinking Separate Spheres*. Eds. Robert Beachy, Béatrice Craig e Alastair Owens. Oxford: Berg Publichers, 2006.

Crestin-Billet, Frédérique. *La Veuve Clicquot: la grande dame de la Champagne*. Trad. Carole Fahy. Paris: Éditions Glénat, 1992.

Crouzet, François. *L'économie britannique et le blocus continental*. Paris: Economica, 1987.

Cuthell, Edith. *An Imperial Victim: Marie Louise, Archduchess of Austria, Empress of the French, Duchess of Parma*. Londres: Brentanno's, 1912.

D'Arnould, Charles-Albert. *La vigne, voyage autour des vins de France, etude physiologique, anedoctique, historique, humoristique et même scientifique*. Paris: Plon, 1878.

Daniels, Walter. *Saint-Évremond en Anglaterre*. Versalhes: L. Luce, 1907.

David, Jacques-Louis, e Studio. *The Death of Marat* (La mort de Marat), ca. 1974, óleo sobre tela. Reims: Musée des Beaux-Arts de la Ville de Reims, doado por Paul David, 1879.

Davis, C. R. et al. "Practical Implications of Malolactic Fermentation: A Review." *American Journal of Enology and Viticulture* 36, n° 4 (9.185): 290-301.

DeGroat, Judith A. "The Public Nature of Women's Work: Definitions and Debates During the Revolution of 1848." *French Historical Studies* 20, n° 1 (inverno de 1997): 31-47.

DeJean, Joan. *The Essence of Style: How the French Invented High Fashion, Fine Food, Chic Cafés, Style, Sophistication, and Glamour*. Nova York: Free Press, 2005.

Delpal, Jacques-Louis. *Merveilles de Champagne*. Paris: Éditions de la Martinière, 1993.

Delpierre, Madeleine. *Dress in France in the Eighteen-Century*. Trad. Caroline Beamish. New Haven, Connecticut: Yale University Press, 1997.

Desbois-Thibault, Claire. *L'extraordinaire aventure du Champagne Möet et Chandon, une affaire de famille*. Paris: Presses Universitaires de France, 2003.

Dexter, Elizabeth Anthony. *Colonial Women of Afairs: Women in Business and the Professions in America Before 1776*. Boston: Houghton Mifflin Co., 1924.

Diderot, Denis. *Encyclopédie, ou Dictionnaire raisoné des sciences, des arts et des métiers*. Neufchastel [sic]: Samuel Faulche, 1765.

Dion, Roger. *Histoire de la vigne et du vin de France*. Paris: s/e, 1959.

Dumbrell, Roger. *Understanding Antique Wine Bottles*. San Francisco: Antique Collector's Club, 1983.

Etienne, Michel. *Veuve Clicquot Ponsardin, aux origines d'un grand vin de Champagne*. Paris: Economica, 1994.

Evelyn, John. *Sylva, or, A discourse on forest-trees, and the propagation of timber in His Majesties dominions. By J. E. Esq. As it was deliver'd in the Royal Society the XVth of October, MDCLXII... To which is annexed Pomona, or, An appendix concerning fruit-trees in relation to cider*. Londres: Joseph Martyn & James Allestry, 1664.

Fagan, Brian. *The Little Ice Age: How Climate Made History*. Nova York: Basic Books, 2000.

Fauvelet, Louis-Antoine. *Memoirs of Napoleon Bonaparte*. Londres: Richard Bentley, 1836.

Fiévet, Victor. *Histoire de la ville d'Épernay*. Épernay: V. Fiévet, 1868.

―――. *Jean-Rémy Möet et ses successeurs*. Paris: E. Dentu, 1864.

―――. *Madame Veuve Clicquot (née Ponsardin), son histoire et celle de sa famille*. Paris e Épernay: Dentu, 1865.

Forman, Amanda. *Georgiana: Duchess of Devonshire*. Nova York: Random House, 1999.

Freeman, William, G. *New Phytologist* 6, n.º 1 (janeiro de 1907): 18-23.

Gabler, James. *Passions: The Wines and Travels of Thomas Jefferson*. Baltimore: Bacchus Press, 1995.

Galeron, Edmond. *Journal historique de Reims depuis la fondation de cette ville jusqu'à nos jours, avec les synchronismes de l'histoire romaine et de l'histoire de France*. Reims, s/e, 1853.

Gandihon, René. *Naissance du champagne, Dom Pierre Pérignon*. Paris: Hachette, 1968.

Gautier, Theopile. *Voyage en Russie*. 2 vols. Paris: s/e, 1867.

Geffré, Claude e Jean-Pierre Joshua. *1789: The French Revolution and the Church*. Edimburgo: T. & T. Clark, 1989.

Gelbart, Nina Rattner. *The King's Midwife: A History and Mystery of Madame du Coudray*. Berkeley: University of California Press, 1998.

Gillespie-Peck, Helen. *Wine Women@Bergerac.France*. Ely, Reino Unido: Melrose Books, 2005.

Glatre, Eric. *Chronique des vins de Champagne*. Paris: Castor et Polux, 2001.

Glatre, Eric e George Clause. *Le Champagne: Trois siècles d'histoire*. Paris: Éditions Stock, 1997.

Glatre, Eric e Jacqueline Roubinet. *Charles Heidsieck: Un pionnier et un homme d'honneur*. Paris: Stock, 1995.

Gleeson, Janet. *Privilege and Scandal: The Remarkable Life of Harriet Spencer, Sister of Georgiana*. Nova York: Crown, 1986.

Gmeline, Patrick de, ed. *La Duchesse d'Uzès*. Paris: Librairie Académique Perrin, 1986.

Gmeline, Patrick de. *Ruinart, la plus ancienne maison de champagne, de 1729 à nos jours*. Paris: Stock, 1994.

Godinot, Jean. *Manière de cultiver et de faire le vin en Champagne* (1772). Ed. François Bonal. Langres: Dominique Guéniot, 1990.

Goode, Jamie. *The Science of Wine: From Wine to Glass*. Berkeley: University of California Press, 2005.

Goodrich, Frank. *Court of Napoléon, or, Society under the First Empire*. Filadélfia: J. B. Lippincott, 1880.

Gough, Jerry, B. "Winecraft and Chemistry in Eighteen-Century France: Chaptal and the Invention of Chaptalization." *Technology and Culture* 39, n.º 1 (janeiro de 1998): 74-104.

Grosley, Pierre-Jean. *A Tour to London, or, New Observations on England and His Inhabitants*. Londres: Lockyer Davis, 1772.

Guthrie, William. *Remarks upon Claret, Burgundy, and Champagne, Their Dietetic and Restorative Uses, Etc*. Londres: Simpkin, Marshall & Co., 1889.

Guy, Kolleen. *When Champagne Became French: Wine and the Making of National Identity*. Baltimore: Johns Hopkins University Press, 2003.

———. "'Oiling the Wheels of Social Life': Myths and Marketing in Champagne During the Belle Epoque." *French Historical Studies* 22, n.º 2 (primavera de 1999): 211-239.

———. "Drowning Her Sorrows: Widowhood and Entrepreneurship in the Champagne Industry." *Business and Economic History* 26, n.º 2 (inverno de 1997): 505-512.

Hanson, Joseph Mills. *The Marne, Historic and Picturesque*. Chicago: A. C. McClurg, 1922.

Hau, Michel. *Croissance économique de la Champagne de 1810 à 1969*. Paris: Éditions Ophrys, 1976.

Healey, Edna. *Lady Unknown: Life of Angela Burdett-Coutts*. Londres: Sidgwick & Jackson, 1984.

Heidsieck, Marcel e Patrick Heidsieck. *Vie de Charles Heidsieck*. Reims: Société Charles Heidsieck, 1962.

Hely-Hutchinson, Mary Sophia. *Fashion in Paris: The Various Phases of Feminine Taste and Aesthetics from the Revolution to the End of the 19th Century*. Londres: W. Heinemann, 1901.

Houssaye, Arsène. *Notre-Dame de Thermidor: Histoire de Madame Tallien*. Paris: H. Plon, 1866.

Houssaye, Henri. *Napoleon and the Campaign of 1814*. Uckfield, Reino Unido: Naval and Military Press, 2006.

Hughes, William. *The Compleat Vineyards, or, A most excellent way for the planting of wines not onely [sic] according to the German and French way, but also long experimented in England*. Londres: W. Crooke, 1665.

Jadart, Charles Henri. *Dom Thierry Ruinart... Notice suivie de documents inédits sur sa famille, sa vie, ses relations avec D. Mabillon*. Paris: s/e, 1886.

James, David G. "Opportunities for Reducing Pesticide Use in Management of Leafhoppers, Cutworms, and Thrips." Conference proceedings of the Washington State Grape Society (2002), www.grapesociety.org.

James, Henri. *A Little Tour in France*. Leipzig: Bernard Tauchnitz, 1885.

Jefferson, Thomas. "Memorandum on a Tour from Paris to Amsterdam, Starsburg and Back to Paris" (3 de março de 1788). *Jefferson Memorandum Books: Accounts, with Legal Records and Miscellany, 1767-1826*. 2 vols. Ed. James A. Bear Jr. e Lucia C. Stanton. Princeton, Nova Jersey: Princeton University Press, 1997.

Johnson, James H. "Versailles, Meet Les Halles: Masks, Carnival and the French Revolution." *Representations* 73 (inverno de 2001): 89-116.

Johnston, Hugh. *Wine*. Nova York: Simon & Schuster, 1979.

Jolicoeur, Henri. *Descriptions des ravageurs de la vigne: Insectes et champignons parasites*. Reims: Michaud, 1894.

Joseph, Robert. *French Wine Revised and Updated*. Londres: Dorling Kindersley, 2005.

Julien, André. *Manuel du sommelier, ou Instruction practique sur la manière de soigner les vins*. Paris: Encyclopédie de Roret, 1836.

———. *The Topography of All the Known Vineyards; Containing a Description of Their Kind and Quality of Their Products, and a Classification*. Londres: G. & W. B. Whittaker, 1824.

Kertzer, David L. e Mario Barbagli. *Family Life in Early Modern Times, 1500-1789*. New Haven, Connecticut: Yale University Press, 2001.

Kladstrup, Don e Petie. *Champagne: How the World's Most Glamorous Wine Triumphed over War and Hard Times*. Nova York: William Morrow, 2005.

Kriedte, Peter. *Peasants, Landlords, and Merchant Capitalists: Europe and the World Economy, 1500-1800*. Leamington Spa, Reino Unido: Berg, 1983.

Kwolek-Foland, Angel. *Engendering Business: Men and Women in the Corporate Office, 1870-1930*. Baltimore: Johns Hopkins University Press, 1994.

Lallemand, George. *Le Baron Ponsardin*. Reims: Chamber of Commerce/Société des Amis de Vieux Reims, 1967.

Lamartine, Alphonse Marie Louise de. *Histoire des Girondins*. Paris: Furne et Cie., 1847.

Laurent, Gustave. *Reims et la region rémoise a la veille de la Revolution*. Reims: Imprimerie Matot-Braine, 1930.

LePlay, Frederic. *La reforme sociale*. Tours: Mame, 1872. In: *On Family, Work and Social Change*. Ed. Catherine Bodard Silver. Chicago: University of Chicago Press, 1982.

Lewis, Gwynne. "Proto-Industrialization in France." *Economic History Review* 47, n° 1 (fevereiro de 1994): 150-164.

Liger-Belair, Gérard. *Uncorked: the Science of Champagne*. Princeton, Nova Jersey: Princeton University Press, 2004.

Ligne, Charles Joseph. *Mémoires et mélanges historiques et littéraires*. Paris: A. Dupont, 1827-1829.

Lloyd, Ward. *A Wine Lover's Glasses: The A. C. Hubbard Jr. Collection of Antique English Drinking Glasses and Bottles*. Yeovil, Reino Unido: Richard Dennis, 2000.

Loubere, Leo. *The Red and the White: The History of Wine in France and Italy in the Nineteenth Century*. Albany: State University of New York Press, 1978.

Louis-Perrier, Jean-Pierre Armand. *Mémoire sur le vin de Champagne* (1886). Reimpressão. Merfy: Librairie J.-Jacques Lecrocq, 1984.

MacLean, Natalie. "The Merry Widows of Mousse." *International Sommelier Guild* 3, n° 63AJ (dezembro de 2003): 1-2.

Maher, Michael. "On Vino Veritas?: Clarifiyng the Use of Geographic References on American Wine Labels." *California Law Review* 89, n° 6 (dezembro de 2001): 1881-1925.

Marchand, Leslie A. *Byron's Letters and Journals*. 10 vols. Cambridge: Harvard University Press, 1974.

Martineau, Harriet. *The Autobiography of Harriet Martineau*. Boston: James R. Osgood, 1877.

Matasar, Ann B. *Women of Wine: The Rise of Women in the Global Wine Industry*. Berkeley: University of California Press, 2006.

Maynard, Diane de. *La descendance de Madame Clicquot Ponsardin, preface de la Vicomtese de Luppé*. Mayenne: Joseph Floch, 1975.

Menon, Pierre-Louis e Roger Lecotté. *Au village de France, les traditions, les travaux, les fêtes: La vie traditionelle des paysans*. Entrépilly: Christian de Bartillat, 1993.

Merey, Soufflon de. *Considerations sur le réetablissement des jurands et maîtresses; précédées d'observations sur... un projet de status et règlements de MM. Les Marchands de Vin*. Paris: A. J. Marchant, 1805.

Merret, Christopher. *Some Observations Concerning the Ordering of Wines*. Londres: William Whitwood, 1692.

Moore, Thomas. *Life of Lord Byron, with His Letters and Journals*. 6 vols. Londres: John Muray, 1854.

Moreau, Émile. *Le culte de Saint Vincent en Champagne*. Épernay: Éditions le Vigneron de la Champagne, 1936.

Moreau, Jacques. *De la connoisance* [sic] *des fièvres continues, pourprées et pestilentes*. Paris: Laurent D'Houry, 1689.

Murphy, Charles. *Observations on the character and culture of the European vine, during a residence of five years in the wine growing districts of France, Italy and Switzerland, to which is added, the manual of the Swiss vigneron*. Nova York: Oaksmith & Co., 1859.

Navier, Pierre Toussaint. *Question agitée dans les Écoles de la Faculté de Médecine de Reims. Le 14 mai 1777. Par M. Navier fils, Docteur-Régent de la Faculté de Médecine en l'Université de Reims. Sur l'usage du vin de champagne mousseux contre les fièvres putrides & autres maladies de même nature*. Reims: Cazin, 1778.

Newman, Edgar Leon. "The Blouse and the Frock Coat: The Alliance of the Common People of Paris with the Liberal Leadership and the Middle Class During the Last Years of the Bourbon Restoration." *Journal of Modern History* 46, n.º 1 (março de 1974): 26-59.

Oeuvres complètes de Prosper Mérimée. Eds. Pierre Trahard e Edouard Champion. Paris: H. Champion, 1927.

Orton, Diana. *Made of Gold: Biography of Angela Burdett-Coutts*. Londres: Hamilton, 1979.

Pacottet, Paul e L. Guittonneau. *Vins de Champagne et vins mousseux*. Paris: J. B. Bailliere, 1930.

Paczensky, Gert von. *Le grand livre du Champagne*. Paris: Éditions Solar, 1988.

Pellus, Daniel. *Femmes célèbres de Champagne*. Amiens: Éditions Martelle, 1992.

Pevit, Christine. *Madame de Pompadour: Mistress of France*. Nova York: Grove Press, 2002.

Peynaud, Émile. *Knowing and Making Wine*. Trad. Alan F. G. Spenser. [Chichester]: Wiley Interscience, 1984.

Phillips, Roderick. *A Short History of Wine*. Nova York: HarperCollins, 2000.

Philpott, Don. *The Champagne Almanac*. Orpington, Reino Unido: Eric Dobby Publishing, 1993.

Picard, Liza. *Dr. Johnson's London*. Nova York: St. Martin's Press, 2000.

Pilbeam, Pamela. "The 'Three Glorious Days': The Revolution of 1830 in Provincial France." *Historical Journal* 26, n.º 4 (dezembro de 1983): 831-844.

Pinckney, Eliza. *The Letterbook of Eliza Lucas Pinckney 1739-1762*. Ed. Elise Pinckney. Chapel Hill: University of South Carolina Press, 1997.

Pinckney, David H. "A New Look at the French Revolution of 1830." *Review of Politics* 23, n.º 4 (outubro de 1961): 490-506.

Poindron, Erin. "Promenade et *Conte remóis*, en guise d'introduction, or, Tentative de nouvelle essai à la manière modeste des *Contes* de Louis de C[hevigné]", http://blog.france3.fr/cabinet-de-curiosites/tb.php?id=59083.

Rack, John. *The French wine and liquor manufacturer: A practical guide and receipt book for the liquor merchant... including complete instructions for manufacturing champagne wine.* Nova York: Dick & Fitzgerald, 1868.

Ray, Cyril. *Bollinger: The Story of a Champagne.* Londres: Peter Davies, 1971.

Redding, Cyrus. *A History and Description of Modern Wines.* Londres: Whittaker, Treacher, & Arnot, 1833.

―――. *French Wines and Vineyards and the Way to Find Them.* Londres: Houlston & Wright, 1860.

Redlich, Fritz. "Jacques Laffitte and the Beginnings of Investment Banking in France." *Bulletin of the Business Historical Society* 22, n.ºs 4-6 (dezembro de 1948): 137-161.

Refait, Michel. *Möet & Chandon: De Claude Möet à Bernard Arnault.* Paris: Dominique Gueniot, 1998.

Rhodes, Anthony. *Prince of Grapes.* Londres: Weidenfeld & Nicholson, 1975.

Rhone-Converset, J. L. *La vigne, ses maladies – ses enemies – sa défense en Bourgogne et Champagne, etc.* Paris: Châtillon-sur-Seine, 1889.

Ribiero, Aileen. *Fashion and the French Revolution.* Nova York: Holmes & Meier, 1988.

Roche, Émile. *Le commerce des vins de Champagne sous l'ancien régime.* Thèse pour le doctorat. Châlons-sur-Marne: Imprimerie de l'Union Républicaine, 1908.

Roman, Gustavo C. "Cerebral Congestion: A Vanished Disease." *Archives of Neurology* 44, n.º 4 (abril de 1987), resumo.

―――. "On the History of Lacunes, *État Criblé*, and the White Matter Lesions of Vascular Dementia." *Cerebrovascular Diseases* 13, n.º 2 (2002): 1-6.

Rose, Elise Whitlock. *Cathedrals and Cloisters of the Isle de France: Including Bourges, Troyes, Reims, and Rouen.* Nova York: G. P. Putnam's Sons, 1910.

Rothenberg, Gunther. *The Napoleonic Wars.* Nova York: Collins, 2006.

Roubinet, Jacqueline e Gilbert e Marie-Thérèse Nolleau. *Jean-Rémy Möet: A Master of Champagne and a Talented Politician.* Trad. Carolyn Hart. Paris: Stock, 1996.

Rudé, George. *Revolutionary Europe: 1783-1815.* Glasgow: Fontana Press/HarperCollins, 1985.

Saint Marceaux [Augustin Marie de Paul] de. *Notes et documents pour servir à l'histoire de la ville de Reims pendant les quinze années de 1830 à 1845*. Reims: Brisart-Binet, 1853.

Saint-Pierre, Louis de. *The Art of Planting and Cultivating the Vine; as also of Making, Fining, and Preserving Wines, &c*. Londres: s/e, 1722, Research Publications, The Eighteenth Century, Rolo 6.365, Item 1, Woodbridge, CT.

Salleron, Jules e Louis-Joseph Matieu. *Études sur le vin mousseux*. Paris: Éditions J. Dujardin, 1895.

Schelleken, Jona. "Economic Change and Infant Mortality in England, 1580-1837." *Journal of Interdisciplinary History* 32, n.º 1 (verão de 2001): 1-11.

Senior, Nancy. "Aspects of Infant Feeding in Eighteenth-Century France." *Eighteenth-Century Studies* 16, n.º 4 (verão de 1983): 367-388.

Sharrer, G. Terry. "The Indigo Bonanza in South California, 1740-1790." *Technology and Culture* 12, n.º 3 (1971): 447-455.

Silverman, J. Herbert. "From Hautvillers to Waterloo: The First Century of Champagne." *Wine and Spirits* (junho de 1992): 16-20.

Simon, André. *History of the Champagne Trade in England*. Londres: Wyman & Sons, 1905.

Smith, Bonnie G. *Ladies of the Leisure Class: The Bourgeoisies of Northern France in the Nineteenth Century*. Princeton, Nova Jersey: Princeton University Press, 1981.

Somerville, Edith e Martin Ross. *In the Wine Country*. Londres: W. H. Allen, 1893.

Stevenson, Tom. *Champagne and Sparkling Wine Guide*. San Francisco: Wine Appreciation Guild, 2002.

Stocley, C. S. "Histamine: The Culprit for Headaches?" *Australian and New Zealand Wine Industry Journal* 11 (1996): 42-44.

Sutaine, Max. *Essai sur l'histoire des vins de la Champagne*. Reims: L. Jacquet, 1845.

Taittinger, Claude, ed. *Saint-Évremond ou le bon usage des plaisirs*. Paris: Perrin, 1990.

Taylor, George V. "Notes on Commercial Travelers in Eighteenth-Century France." *Business History Review* 38, n.º 3 (outono de 1964): 346-353.

Techener, Jacques. *Catalogue d'une précieuse collection de livres anciens et rares... provenant de la bibliothèque de M. F. Clicquot, de Reims: La vente aura lieu le 22 avril 1843 et jours suivants*. Paris: Librairie Techener, 1843.

The Professional Chef: The Culinary Institute of America. Nova York: John Wiley & Sons, 2002.

This, Hervé. *Molecular Gastronomy: Exploring the Science of Flavour.* Trad. M. B. Debevoise. Nova York: Columbia University Press, 2006.
Tomes, Robert. *The Champagne Country.* Nova York: Hurd & Houghton, 1867.
Tovey, Charles. *Champagne: Its History, Properties, and Manufactures.* Londres: James Camden Hotten, 1870.
———. *Wine Revelations.* Londres: Whittaker & Co., 1883.
Troyat, Henri. *Alexander of Russia: Napoleon's Conqueror*, Nova York: Grove Press, 2003.
Vitry, Paul. *L'hôtel le Vergeur, notice historique.* Reims: Société des Amis du Vieux Reims/Henri Matot, 1932.
Vizetelly, Henry. *A History of Champagne, with Notes on the Other Sparkling Wines of France.* Nova York: Scribner & Welford, 1882.
———. *Facts About Champagne and Other Sparkling Wines, Collected During Numerous Visits to the Champagne and Other Viticultural Districts of France and the Principal Remaining Wine-Producing Countries of Europe.* Londres: Ward, Lock & Co., 1879.
Vogüé, Alain, de. *Une maison de vins de Champagne aux temps du blocus continental, 1806-1812.* Tese para o Diplôme d'Etudes Supérieures d'Histoire, junho de 1948.
Vogüé, Bernard de. *Madame Clicquot à la conquête pacifique de la Russie.* Reims: Imprimerie du Nord-Est, 1947.
Wahrman, Dror. *The Making of the Modern Self: Identity and Culture in Eighteenth-Century England.* New Haven, Connecticut: Yale University Press, 2004.
Walpole, Robert. *A Letter from a Member of Parliament to His Friends in the Country Concerning the Duties on Wine and Tobacco.* Londres: T. Cooper, 1733.
Weber, Caroline. *Queen of Fashion: What Marie Antoinette Wore to the Revolution.* Nova York: Henry Holt & Co., 2006.
Wheatcroft, Andrew. *The Hapsburgs.* Nova York: Penguin, 1997.
Whymark, H. J. e Alfred Lee. "Champagne Charlie Was His Name", cantado por Billy Morris. Partitura. Boston: Oliver Ditson, s/e. Arquivos H-Music, Sonoma County Library.
Williams, D. "A Consideration of the Sub-Fossil Remains of 'Vitis vinifera' L. as Evidence of Viticulture in Roman Britain." *Britannia* 8 (1977): 327-334.
Williams, Helen Maria. *Letters Written in France.* Ed. Neil Fraistat e Susan S. Lanser. Peterborough, ON: Broadview, 2001.

Wilson, John Hoff. "The Illusion of Change: Women and the American Revolution", in: *The American Revolution*. Ed. Alfred F. Young. Dekalb: Northern Illinois University Press, 1976.

Winik, Marion. "The Women of Champagne." *American Way* (1º de março de 1997): 113.

Woodhall, Clyde E. e William H. Favet Jr. "Famous South Carolina Farmers." *Agricultural History* 33, nº 3 (1959): 138-141.

Woolf, Virginia. *A Room of One's Own*. Nova York: Harcourt Brace, 1981.

Wordsworth, Dorothy. *The Grasmere Journals*. Ed. Pamela Woof. Oxford: Oxford University Press, 1991.

Young, Arthur. *Travels in France and Italy During the Years 1787, 1788, and 1789*. Londres: J. M. Dent & Sons, 1927.

Young, David Bruce: "A Wood Famine?: The Question of Deforestation in Old Regime France." *Forestry* 49, nº 1 (1976): 45-46.

Zambonelli, Carlo et al. "Effects of Lactic Acid Bacteria Autolisys on Sensorial Characteristics of Fermented Foods." *Food Technology/Biotechnology* 40, nº 4 (2002): 347-351.

Zoecklein, Bruce. "A Review of *Méthode Champenoise* Production." Virginia State University/Virginia Tech, Cooperative Extension Publication, Publication nº 463-017, dezembro de 2002, disponível em www.ext.vt.edu/pubs/viticulture/463-017/463-017.hmtl.

Materiais promocionais de Champagne Château de Boursault, Champagne Taittinger, Champagne Cattier, Champagne Jeansson, Champagne Veuve Clicquot, Champagne Pommery, Champagne Möet et Chandon, Domaine Carneros, Château d'Yquem, Grgich Hills, Champagne Henriot, Champagne Laurent-Perrier, Champagne Ruinart e Champagne G. C. Kessler.

Arquivos da Companhia Veuve Clicquot Ponsardin.

Impressão e Acabamento:
EDITORA JPA LTDA.